UN MILAGRO EN EQUILIBRIO

Autores Españoles e Iberoamericanos

Esta novela obtuvo el Premio Planeta 2004,
concedido por el siguiente jurado:
Alberto Blecua, Pere Gimferrer, Juan Marsé,
Carmen Posadas, Antonio Prieto,
Carlos Pujol y Rosa Regàs.

LUCÍA ETXEBARRIA

UN MILAGRO EN EQUILIBRIO

Premio Planeta
2004

Planeta

Obra editada en colaboración con Editorial Planeta - España

© 2004, Lucía Etxebarria
© 2004, Editorial Planeta, S.A. — Barcelona, España

Reimpresión exclusiva para México de
Editorial Planeta Mexicana, S.A. de C.V.
Avenida Insurgentes Sur núm. 1898, piso 11
Colonia Florida, 01030 México, D.F.

Primera edición (España): noviembre de 2004
ISBN: 84-08-05581-X

Primera reimpresión (México): noviembre de 2004
Segunda reimpresión (México): febrero de 2005
ISBN: 970-37-0248-1

Impreso en los talleres de Impresos y Acabados Marbeth, S.A. de C.V.
Privada de Álamo núm. 35, colonia Arenal, México, D.F.
Impreso y hecho en México – *Printed and made in Mexico*

www.editorialplaneta.com.mx
www.planeta.com.mx
info@planeta.com.mx

A mi madre

En la mitología de diversas culturas y en el pensamiento feminista pagano, la Diosa representa tres fases de la vida de la mujer que se corresponden con el ciclo lunar: la luna nueva es la virgen, la llena es la mujer sexualmente productiva que suele describirse como madre y prostituta, y la menguante la vieja. Sus adoradores han dado el título de Triple Diosa a esta manifestación de la divinidad. (...)

Al igual que la Diosa, la naturaleza posee muchas cualidades que suelen acontecer en ciclos de tres: periódicamente está en barbecho, es fértil y productiva, lo que refleja el ciclo femenino de la menstruación, la ovulación y el parto. De esta forma se relaciona con tres conjuntos de tríadas cósmicas: las tres etapas de la continuidad de la existencia (nacimiento, vida y muerte), los tres puntos del tiempo (pasado, presente, y futuro) y las fases de la luna.

La Diosa,
Shahrukh Husain

1. EL EFECTO BAMBI

Vendrán contra nosotros nuestros sucesores.

FILIPPO TOMASSO MARINETTI,
Manifiesto futurista

OXITOCINA: *La oxitocina es una hormona relacionada con los patrones sexuales y con las conductas maternal y paternal. También se asocia con la afectividad y la ternura. Algunos la llaman la «molécula de la monogamia».*

La oxitocina influye en funciones tan básicas como el enamoramiento, el orgasmo, el parto y la lactancia. En el período de celo, muchos mamíferos (especie humana incluida) y algunas aves producen químicamente esta hormona tanto desde el cerebro como desde los genitales (ovarios y testículos). Cuando la hormona pasa al torrente sanguíneo desencadena una amplia serie de sensaciones, casi todas relacionadas con el sexo o con los efectos posteriores al acto sexual. Tanto en hombres como en mujeres, el orgasmo provoca el fluir de esta hormona y, por consiguiente, facilita la circulación del esperma y la contracción de los músculos en los canales reproductores de ambos sexos. Cuando una persona vive una relación sexual estable y satisfactoria con otra, se hace adicta a su propia oxitocina y se convierte en dependiente de su pareja: ésta es la explicación química del enamoramiento.

La oxitocina estimula además otros comportamientos en las mujeres: relaja los músculos y ayuda en las contracciones uterinas durante el parto, amén de estimular la producción de la leche materna. Y consigue, por supuesto, que la madre se enamore del bebé.

En 1953, el doctor Vincent du Vigneaud sintetizó químicamente la oxitocina, razón por la cual dos años más tarde recibió el premio Nobel de Química. Desde entonces se cuenta en obstetricia con oxitocina sintética altamente purificada que se emplea, básicamente, como inductora del parto.

En España, en la mayoría de los hospitales se recurre a la oxitocina por protocolo; es decir, que en cuanto una parturienta llega al centro se le administra oxitocina química a través de un goteo intravenoso.

Enciclopedia Médica y Psicológica de la Familia

Voy a empezar esta historia con el título de una canción de Los Secretos que decía *Soy como dos* y te voy advirtiendo, querida, queridísima, juguetito mío, bomboncito de licor con guinda, luz de donde el sol la toma y, ya de paso, de todos los flexos eléctricos de esta casa, incluyendo éste bajo el que escribo aprovechando tu sueño que es mi tranquilidad y mi reposo y el único momento que tengo para mí, te voy advirtiendo, digo, que nunca me gustaron Los Secretos, más que nada porque en la época en que tenían que gustarme (los quince años, edad en la que se entiende que es cuando una debe tararear canciones de amor) no me permití que me gustaran y me negué tozudamente a que se instalara en mi cabeza ninguno de los estribillos de sus canciones por muy pegajosos que fueran, que lo eran, y si me pillaba a mí misma tarareando *Déjame* me ponía inmediatamente a cantar bien alto *Bela Lugosi Is Dead* como si de una letanía se tratara para exorcizar los malos pensamientos, porque lo que ellos hacían era *blandipop* y lo que nosotras escuchábamos (y nosotras éramos Sonia, Tania y yo, tres adolescentes que lucíamos similares cortes de pelo palmera, vestíamos las mismas túnicas negras hasta los tobillos y llevábamos idénticas muñequeras de pinchos, emulando a Robert Smith y a Siouxsie) eran músicas más siniestras, infinitamente más a tono con nuestro estado de ánimo que

13

oscilaba, por aquel entonces, entre el *Hoy tengo ganas de hacerme cortes en el brazo con una cuchilla de afeitar* y el *No sé si esta acuciante náusea en el estómago es producto del asco existencial o de los tres días que llevo sin comer.*

Pero no era de mis gustos musicales de lo que quería hablarte al mencionar aquella canción, sino de por qué tanta gente se siente dos dentro de uno, de por qué yo siempre me he sentido dos. Una, mi yo esencial, la persona que verdaderamente soy bajo todas estas capas de cebolla de disfraces y convenciones sociales que se superponen unas a otras y esconden lo que hay en el interior, en mi centro mismísimo, en el círculo último y oscuro: una criatura escondida que se alza intacta desde las memorias de infancia, sosteniendo como puede el peso de mi vida y de las secretas razones que la mueven. Y la otra, la persona que no soy pero que siempre creí ser a partir de lo que los demás decían que era: un absoluto, auténtico y soberano desastre. Porque desde que recuerdo he escuchado a mi madre decir según entraba en mi habitación: *«Hija, mira que eres desastre, que tienes tu cuarto hecho una leonera.»* Y también una histérica, porque así me ha llamado siempre mi hermano Vicente: *«Eva, te quejas de vicio porque eres una histérica.»* Y, cómo no, una inmadura, o eso deduje de los comentarios de Asun, que no paraba de decir que su hermana pequeña (yo, la desastre e histérica) nunca se casaría porque en el fondo no era más que una inmadura incapaz de sentar la cabeza: *«Eva, te diré, no es capaz de decidirse por uno o por ninguno, y así se está ganando la fama, ya sabes...»* Y por supuesto una gorda, o eso se entendía por las miradas desdeñosas que me dirigía mi hermana Laureta cada vez que me veía comiéndome una chocolatina: *«Y luego te quejarás de que no te caben los vaqueros.»*

Eva (la desastre, histérica, inmadura y gorda, yo misma), a pesar de todo, no era exactamente como los demás creían.

14

Y eso, supongo, le pasa a todos. Y también te pasará a ti, porque nadie, ninguno de nosotros, constituye un todo material y tajantemente construido, idéntico para todo el mundo y sobre el que cada cual pueda informarse como si se tratara de una escritura de propiedad o un testamento, sino que cada cual se parece a un caleidoscopio que cambia de forma según quién y dónde se le mire, por mucho que mantenga siempre los mismos elementos que, agrupados, crean los dibujos en los que los demás se recrean; o a una pantalla en la que los otros proyectan sus propias ilusiones, carencias, decepciones y frustraciones, y así reconocen antes lo que quieren ver que lo que realmente hay, porque la imagen proyectada no es sino un espejismo inasible, pues lo material sólo es la superficie reflectante que hay debajo. Y es que cada cual, enfrentado a otra persona, colma la apariencia física de quien está viendo con todas las ideas que sobre él o ella albergara y, en el aspecto total que del otro imaginamos, esos prejuicios acaban ocupando la mayor parte.

En el instituto teníamos un profesor que se llamaba José Merlo y que fue nuestro amor imposible («Nuestro» significa de Sonia y mío. A Tania no le gustaba porque por entonces no le gustaba nadie, o sí le gustaba alguien, pero no tenía valor para decirlo, y lo que no se nombra no existe, de forma que a efectos oficiales Tania era un ser con un pedernal en lugar de corazón). José Merlo también era dos: el esencial era un hombre encantador, culto, apuesto (aire de Roma andaluza le doraba la cabeza) y exquisito (donde su risa era un nardo de sal e inteligencia) con un solo defecto: no se atrevía a vivir por sí mismo y lo hacía a través de las palabras de los demás; y el otro José, el que se había ido adhiriendo con el tiempo al esencial, el que el José primigenio veía a través de los ojos ajenos, era un perverso degenerado, porque el primer José toda su vida había oído decir

15

a su alrededor que un hombre que ama a otro hombre no merecía más que los tormentos eternos del infierno (no olvidemos que José Merlo tenía casi cincuenta años cuando yo tenía quince y que se crió en una sociedad en la que lo gay no estaba de moda, en la que lo gay, por no estar, ni siquiera estaba, porque en aquellos tiempos no se era otra cosa más que maricón, y maricón no era un apelativo cariñoso de los que dirigen los chicos modernos a sus amigos en las barras de los bares de diseño, sino un insulto de los de encono y saña y de los de *eso no me lo dices a mí en la calle*), de forma que el José esencial odiaba al otro José, a la maricona asesina de palomas, a la perra de tocador, de carne tumefacta y pensamiento inmundo, al enemigo sin sueño del Amor que reparte coronas de alegría. Porque José Merlo, como cualquier profesor de Literatura de instituto y como buena marica reprimida, adoraba a Lorca, que era otra mariquita triste, y por eso, cuando se prendó de David Muñoz, el guapo de la clase del que estaba enamorado medio instituto (pero no Sonia y tampoco yo, porque unas siniestras como nosotras no nos íbamos a prender, faltaba más, de un niñato que sí escuchaba a Los Secretos; y mucho menos Tania, por lo que ya he explicado antes) y que evocaba más a Cernuda que a Lorca, porque tenía más de marinero que de torero (era David más bien de labios salados y frescos que se intuían dúctiles al deseo, era David un moreno que parecía recién salido de un anuncio de Gaultier antes de que los anuncios de Gaultier existieran siquiera, cuando la tele sólo tenía dos canales y podíamos ver, como mucho, anuncios de Varón Dandy que a nadie podrían poner cachondo), José Merlo, que ya fumaba, se puso a hacerlo como un carretero, a razón de dos paquetes de negro diarios, y fue dejando que las noches lo enredaran en sus esqueletos de tabaco (otra vez Lorca) de tal modo que acabaron por materializarse en enfisema y, tal era la desesperación de su

16

odio contra sí mismo, que ni siquiera por ésas dejó de fumar. Y de eso murió. No sólo la muerte le cubrió de pálidos azufres, también le ennegreció los pulmones de alquitrán. De un cáncer murió, dirían los médicos.

Pero yo diría que no, que no fue el cáncer el que lo mató, sino su Otro. Yo creo que el yo impostado, el que la mirada de los otros le impuso, asesinó a su yo esencial, que la tristeza que tuvo su valiente alegría lo mató para siempre, que José Merlo, incapaz de quererse a sí mismo pero incapaz también de suicidarse a la manera clásica (es decir, de un golpe contundente y certero, tipo salto por la ventana, corte de muñecas o ahorcamiento), se fue matando lentamente: no dejó de fumar porque no quería vivir.

Cuando José Merlo murió yo tenía veintiséis años y ya no llevaba túnicas ni muñequeras, entre otras cosas porque ya no estaban de moda, y había acabado la carrera y me sabía por supuesto de memoria a Lorca y a Cernuda (cambié las túnicas por unos vaqueros y las muñequeras por una pulsera de plata azteca que me regaló Sonia con ocasión de mi vigésimo cumpleaños), ya no escuchaba a The Cure sino a Portishead, pagaba yo misma mis facturas y la hipoteca de mi apartamento y, aunque desde fuera pareciera una, y entera, desde dentro éramos dos.

A esa edad yo elegí para matarme otro veneno de baja intensidad, pero también legal. La verdad es que lo había elegido hacía mucho, en la época de las túnicas y las muñequeras, pero había sabido contenerme y, hasta entonces, me envenenaba lentamente y con mesura, espaciando las dosis. Quizá fuera la muerte de mi antiguo profesor la que disparó el mecanismo de autodestrucción, no sé cuánto tuvo que ver el dolor de ver morir a José Merlo con la saña destructiva de un yo contra otro yo, pero sí sé que fue más o menos a aquella edad cuando la cosa se recrudeció. Yo elegí, sin saber siquiera que lo había elegido (y lo peor de todo es que las elecciones inconscientes son las únicas sinceras), matarme a base de copas haciendo honor al viejo dicho que reza «*alicantina, borracha y fina*»; y lo cierto es que si hubiera seguido al ritmo que llevaba, quizá hubiera recorrido un camino parecido al de José Merlo, sólo que en lugar de palmarla de un enfisema habría sucumbido a una cirrosis.

Yo creía que me lo pasaba bien navegando en un turbulento mar de alcohol que amainaba las heridas sin llegar nunca a puerto; creía de verdad que había algo de heroico en levantarse sudando ginebra y lágrimas al lado de un bulto sin identificar, con la resaca como una piedra atada a una soga que colgara de mi cuello y que me arrastrara hacia el fondo de unas sábanas extrañas y arrugadas de las que no podía despegarme.

Yo creía de verdad que cada copa era como una llave mágica capaz de abrir celdas interiores desde donde liberar sentimientos y recuerdos reprimidos; creía de verdad encontrar confesores discretos y solidarios en los compañeros de borrachera y refugio en las barras de los bares en las que mis dolores no tendrían que rendir exámenes ni explicar sus orígenes.

Yo creía, lo creía de verdad, que estaba salvada si me jugaba a los bares mis últimas fichas, creía en las letras de los tangos y en la mística de las barras, y así me convertí en la loca que busca en el licor que aturda la curda que al final ponga el punto final, el último golpe de gracia y talento a la función, corriéndole un telón al corazón, casi sin esperar a oír el último aplauso.

Pero no conseguí nada, ni telones en el corazón ni telarañas, ni siquiera unos visillos blancos, y allí seguía el muy puto corazón, a la intemperie, diseccionado, con las arterias obstruidas y mermada la fuerza de contracción. Ya no es Cernuda ni Lorca el poeta homosexual que citaría, porque yo, a fin de cuentas, nunca aspiré a ser profesora y a Gil de Biedma no se le enseña en clase, o al menos no se le enseñaba cuando yo llevaba túnicas negras y muñequeras de pinchos y cuando David Muñoz era la estrella de mi instituto; no lo citó jamás José Merlo, pero lo cito yo para explicarte que la otra, mi embarazosa huésped, la otra yo dentro de la una que éramos dos, recorría las barras de los bares últimos de la noche y las calles muertas de la madrugada con ojos de perdida, bebiendo hasta perder el control (siento citar de nuevo a Los Secretos, pero es que venía a huevo), y cuando llegaba a casa en la cabina de un ascensor de luz amarilla, y se paraba a verse en el espejo y miraba su cara abotargada, y su sonrisa de muchacha soñolienta, y sus ojos de huérfana verdadera, caía en la cuenta de que sus borracheras torpes ya no tenían puta la gracia y de que sus juergas de adolescente resultaban patéticas habiendo ya cumplido treinta años, y entonces abría la puerta de un apartamento sucio y avanzaba a tientas por la casa tropezando con los muebles y me arrastraba a mí a la cama, a dormir con ella, perra enferma, arrepentida y furiosa de impotencia.

Así que sin elegirte te elegí porque, repito, son las elecciones inconscientes las únicas sinceras y yo, conscientemente, nunca pensé en tenerte, pero ¿no es curioso que en todos aquellos años que pasé borracha nunca se me olvidó enfundar en condones los aparatos de mis amantes esporádicos o que, cuando me embarcaba en una relación más larga, no hubiera resaca ni borrachera capaz de hacerme olvidar la ingesta diaria de mi pastillita blanca ni hubiera vómito que arrojara de mi estómago la mágica pildorita (como le sucedió, por ejemplo, a mi vecina, cuya hija fue el resultado de una noche de amor, por supuesto, pero también de una indigestión en la que devolvió el desayuno y con él la Ovoplex que el primer café de la mañana había ayudado a tragar) y, sin embargo, fuese precisamente tras dejar de beber cuando olvidé una noche, disuelta en esa niebla del cuerpo absorto en sus propios misterios, mis precauciones profilácticas y me abrí de piernas y de paso a la posibilidad de que existieras?

Me escindí en dos entonces, pero no en dos enfrentadas sino en una que crecía dentro de otra, que se hacía sitio dentro de la otra, desplazando sus órganos internos para crear los suyos, bebiendo de la sangre de su anfitriona como un vampiro bienvenido, un vampiro interno y propio y deseado que sorbía su vida por el cordón umbilical a modo de pajita. Y durante nueve meses fui dos, pero por una vez no dos rivales, sino dos organismos perfectos, simbióticos, aliados, como aquellos soldados espartanos que entraban en batalla enamorados y cuyo amor los volvía invencibles, y nunca fui más fuerte pese a que nunca fui más torpe, pese a que al final ni siquiera pudiera caminar sin ayuda, pese a que las señoras me cedieran los asientos en el metro conmovidas ante mi aparente desvalimiento. Tuve que convertirme en dos para dejar de ser dos, porque una de ellas iba a matarme, pero en lugar de matar creé vida, y así sobreviví.

Tú tienes once días de vida. Y yo he jurado que me iba a sentar frente al ordenador y no me iba a mover de aquí durante dos horas hasta que acabara alguna página. Hace poco, días antes de que tú nacieras, pensaba que nunca más podría escribir. De hecho, apenas he tocado el ordenador durante casi nueve meses, puede que más, a excepción de un capítulo que redacté en Santa Pola para una novela cuya protagonista lleva tu nombre, capítulo que luego tiré y novela que no sé si alguna vez continuaré. Total, para qué, si es casi seguro que compartirá la misma triste suerte de sus hermanas mayores y acabará la pobre criando polvo en un cajón. Lo que sé es que ahora mismo me resulta imposible hablar acerca de algo que no seas tú. Y yo.

Desde este carrusel hormonal y vital al que de pronto me encuentro subida, no me veo capaz de escribir de otra cosa que no sea lo que estoy viviendo. Ahora, no esperes tú ni espere quien lea esto encontrarse con una autobiografía o un diario al uso. Estas palabras están desprovistas desde el principio de la intención de querer convencer a la ajena voluntad de la veracidad de su contenido: no pienso ser fiel a la realidad, entre otras cosas porque dicho propósito sería imposible, ya que la realidad es multiforme y la memoria una farsante que interpreta el pasado según le da la gana, lo cual quiere decir que aunque una albergue la firme intención de contar las cosas tal y como fueron, siempre acabará contándolas tal y como las recuerda, que no es lo mismo.

Cualquiera se encuentra un día, hablando con sus hermanos o familiares, con que cada uno de los asistentes a un mismo momento (pongamos como ejemplo una cena de Navidad) recuerda un episodio distinto pese a que todos, en teoría, compartieron el mismo: Era pavo. No, te digo que era pollo. Qué va, cenamos lenguado, estoy segura. ¿Cómo vamos a cenar lenguado, desde cuándo hemos cenado lenguado en esta casa? Y la que se emborrachó y dijo aquellas tonterías fue mamá, no la tía Reme. ¡Pues claro que fue la tía Reme, que se arrancó a cantar tangos como una descosida, si además tu madre casi no bebe! Y así hasta el infinito...

La memoria se rige según sus propios caprichos: es petulante y da o quita sin razones lógicas. Y, a veces, trae a la luz desde lo oscuro un pasado presente de repente pero que no existía hasta entonces (ese lenguado de cierto restaurante que nos trae de forma abrupta el recuerdo de cierta Nochebuena en la que la tía Reme se emborrachó y empezó a decir tonterías, cuando hasta entonces nunca nos habíamos acordado ni del lenguado ni de la cogorza de la tía Reme), dándole la vuelta a los hechos como si se trataran de un abrigo muy usado, como si el tiempo y las certezas fueran reversibles. Pero, ¿es verdad que lo recordamos? Quizá lo hemos imaginado, o quizá hemos reconstruido una historia a partir de ciertos datos, añadiendo luego otros que sólo corresponden a la cosecha de nuestra imaginación.

Recuerdo por ejemplo una historia que alguien contaba en una película, *Session 9*, y que, por lo visto, estaba basada en un suceso real. Resulta que una jovencita, paciente de un hospital psiquiátrico, particularmente agresiva y reticente al sexo, se sometió a unas sesiones de regresión. Bajo la hipnosis dirigida por su terapeuta, la atribulada paciente acabó recordando que su padrastro la violó varias veces cuando ella era aún prepúber, reviviendo aquellos —convincentes— episodios con todo tipo de detalles escabrosos y paso a paso, primero las caricias iniciales más o menos inocentes, después los tocamientos que dejaban de ser cariñosos para convertirse en sospechosos hasta llegar, finalmente, a la penetración pura y dura. La madre de la chica, informada por el terapeuta y ya divorciada del (ex) padrastro, ardió en santa ¿y justificada? indignación: no bastaba con que el hombre bebiera como un cosaco, con que le pegara día sí y día también, con que le pusiera cuernos con todo lo que se moviera... ¿tenía además que llegar a profanar lo más sagrado, la virtud de su pobre hijita? Así pues, la madre interpuso una denuncia por estupro aun sabiendo que iba a resultar difícil probar lo que sucedió. O lo que no sucedió, pues los abogados del ex padrastro descubrieron un informe clínico que probaba que la chica era virgen cuando contó la historia y desmontaron, por tanto, toda la narración, desde los primeros besos hasta el estupro consumado. Lo que yo me pregunto ahora es, ¿era real la historia si ella la vivía como tal? ¿O quizá la chica exorcizó de aquella manera el deseo reprimido hacia el padrastro culpándole a él de unos apetitos que vivían en su imaginación pero que ella no podía admitir? De ese modo, al imaginar una violación, recreaba algo que hubiera deseado —seducir al padrastro— pero librándose del sentimiento de culpa, pues le adjudicaba al objeto de sus fantasías la responsabilidad de las mismas.

Del mismo modo, lo que yo pueda o no recordar puede ser, o no, del todo exacto. Al fin y al cabo, ¿qué es mentir sino recordar algo que no ha sucedido?

Por eso mismo esto que escribo, que seguiré escribiendo, no va a ser más que una retahíla desordenada de notas. De hecho, no sé muy bien lo que es o en lo que se convertirá. Es la primera vez que me siento frente al teclado con tan poca idea de por dónde va a transcurrir lo que sea que acabe contando. Y esto se debe a que tu madre, como ya descubrirás con el tiempo, es un poco *control freak* y antes de preparar un libro necesita tener una idea clarísima de lo que va a contar, lo que supone la organización previa de esquemas, notas de protagonistas, lecturas y documentaciones varias; la inclusión en el *dossier*, si hiciera falta, de recortes de periódicos, mapas del lugar donde se supone que la trama transcurre, entrevistas con personas reales que pudieran parecerse a los futuros personajes imaginarios, y un concepto clarísimo del principio, nudo y desenlace de la historia a relatar. Y todo esto ¿para qué? Para nada. Para que luego nadie quiera publicar sus novelas.

Muchas veces pienso que esto responde a una necesidad desesperada de ordenar el mundo: ya que aquel en el que vivía siempre me pareció inordenable y gobernado por el caos más absoluto, al menos me quedaba el consuelo de instituirme en demiurgo de una realidad paralela en la que las cosas respondieran a un plan preciso. El mío.

El problema es que una cosa es tener vocación y otra tener talento. Y yo estoy segura de que tuve la primera, pero no tanto de que llegara acompañada por el segundo. Sabido es que toda obra tiene que ser imperfecta, como lo es que la menos segura de las contemplaciones estéticas es siempre aquella que hemos creado nosotros mismos, pero ni siquiera estas dos certezas me animan a pensar que la magnitud de mis capacidades no fuera inversamente proporcional a la de la disposición que las animara. Te diré: yo, desde pequeñita, quería ser escritora. Desde que recuerdo, creo, aunque ya te he explicado que la memoria es mentirosa. En primero de Básica escribía cuentos sobre duendes del bosque y princesitas valientes, los ilustraba con ceras Plastidecor y encuadernaba con grapas. Después llegaron las poesías adolescentes y los primeros relatos de cinco páginas, y más tarde los pequeños premios literarios de ayuntamientos perdidos, los accésit de concursos un poco más importantes y los cuentos publicados en alguna antología de tercera fila. Terminé la carrera de Filología Hispánica, después hice un curso del INEM de corrección y edición y acabé trabajando de negra para una famosa presentadora de televisión que presuntamente escribió un libro titulado *Cómo conseguir a ese chico que te gusta* (pero ésa es otra historia, como diría Moustache, el camarero, en *Irma la dulce*); de correctora de textos y/o lectora para varias editoriales, de consejera sentimental (bajo seudónimo, y haciéndome pasar por sexóloga) para una revista de adolescentes y de reportera dicharachera en una revista femenina, amén de ocuparme de la sección cultural semanal de un programa de radio.

Y ya ves, a lo tonto te he resumido en apenas una docena de líneas más de diez años de trayectoria laboral. En esos diez años escribí tres novelas: la primera la envié a veinte editoriales y todas me respondieron con la misma carta tipo: «Le agradecemos que nos haya enviado su manuscrito, pero lamentamos informarle de que no está previsto en nuestros planes editoriales, bla, bla, bla.» La segunda, aconsejada por los mismos editores de las casas para las que trabajaba, se la envié a una agente que me dijo que la novela era impublicable pero que «apuntaba maneras» (como si yo fuera un torero) y aceptó firmarme un contrato de representación para el caso de que escribiera una tercera novela menos densa, obra que escribí, claro, y que la agente encontró mucho más interesante, opinión que no compartió editor ninguno, puesto que el pobre libro, tras haber recorrido los despachos de todas las editoriales del país (incluidas aquellas que contrataban mis servicios de correctora) acabó compartiendo cajón con los otros dos pero habiendo conocido mucho más mundo, eso sí, que sus hermanos mayores. Y entretanto yo vivía amargada porque me tocaba hacer *editings*, esto es, corregir y rehacer auténticos bodrios de calidad ínfima e interés nulo que ni tenían enjundia literaria ni historia interesante, ni sinceridad, ni fuerza ni nada, que por no tener no tenían ni ortografía, pero que habían sido escritos por periodistas conocidos, esposas o amantes de editores o escritores, primos hermanos de directores de periódicos o, cómo no, incluso por los propios directores de periódicos o por sus jefes de sección, que redactaban el manuscrito pero nunca lo firmaban.

Lo curioso es que acabé publicando, pero a mi pesar, y no precisamente una novela. Me explico: como te he dicho antes, a los trabajos de correctora y negra añadí en mi currículo la redacción de reportajes para una revista mensual y mi aparición semanal en un programa de radio nocturno en el que me encargaba de la sección de Cultura. No es que mi firma tuviese ningún valor o mi nombre fuera demasiado conocido pero, de alguna manera, se me podía llamar periodista. Así que mi agente, inasequible al desaliento, y que aún seguía confiando en mí pese a no haber podido colocar mi novela en ninguna parte, me puso en contacto con la editora responsable de una colección de libros-testimonio destinados al público femenino que ya había sacado al mercado tres títulos: *Prostitutas: el mercado de la carne, Maltratadas: el drama oculto* y *Anoréxicas: el precio de la belleza.* Cada uno recogía testimonios de mujeres y les daba forma en diferentes capítulos con nombre e historia propios (desde el bellezón despampanante que entretiene a altos ejecutivos en D'Angelo hasta la puta arrastrada que se vende en la calle Montera por nueve euros; desde la marquesa consorte que lleva años disimulando moratones bajo la base de maquillaje reflectante de Chanel hasta la analfabeta virtual que limpia escaleras y vive en una casa de acogida; desde la ex *top model* que se niega a dar su nombre y que vivió a base de anfetaminas durante todos los años en los que estuvo desfilando hasta la estudiante ejemplar que subsistió sólo con tres manzanas diarias y a la que acabaron por ingresar de urgencia, gravemente desnutrida, en el hospital del Niño Jesús, etc., etc., etc.). Luego se le añadía al libro un prólogo, a poder ser de alguna famosa que hubiera vivido en sus propias carnes el drama en cuestión, y un epílogo que recogiera estadísticas sobre el tema. Y a vender.

Tras las putas, las maltratadas y las anoréxicas, les tocaba el turno, en buena lid, a las drogadictas, y para darles voz hacía falta una periodista que a poder ser hubiese colaborado en revistas femeninas. La verdad es que yo en realidad soy filóloga, pero teniendo en cuenta mi pluriempleo se me podía considerar cualquier cosa. Y así fue como tu madre se encontró escribiendo su segundo libro por encargo (el primero fue el que firmó la presentadora pija) y entrevistando a yonquis chandalistas, ejecutivas cocainómanas, niñas *indie* pastilleras, universitarias porreras y amas de casa enganchadas a los tranquilizantes o a la botella, no tanto porque le hiciera particular ilusión tratar con unas y con otras como porque se había encontrado un mes con que estaba más pelada que el chocho de la Nancy y con que el banco amenazaba con embargarle la casa a cuenta del impago de los últimos plazos de la hipoteca. Finalmente resultó que escribir un libro semejante resultaba más apetecible que ponerse a trabajar ella misma en el D'Angelo, y así fue como nació *Enganchadas: ellas nunca dicen no*, que acabó agotando ¡catorce ediciones!, que se dice pronto (hazaña sólo comparable, en lo que a obras de no ficción destinadas al mismo tipo de público se refiere, al pelotazo de la Alborch con *Solas*), y haciendo famosa a tu madre de la noche a la mañana y muy a su pesar, porque a tu madre —que había aspirado a darse a conocer como escritora seria y que siempre pensó que aquel libro, al igual que los otros integrantes de la Colección Femenino Plural, pasaría más bien desapercibido— no le hizo ninguna gracia saltar a la palestra como escritora de best sellers sensacionalistas. Y te cuento esto porque a ti te llevé en el vientre, necesariamente, cuando hacía la gira de promoción, que se organizó aprovechando la salida de la decimoquinta edición. Pero ésa es otra historia, como diría de nuevo Moustache en *Irma la dulce*, que te contaré más adelante.

Ayer se pasó a verte Elena, la vecina, y me estuvo contando que había visto a nuestra común amiga Nenuca en Marbella, donde se dedica al cultivo exhaustivo de la nada más absoluta, y es que Nenuca no trabaja porque no lo necesita: su familia es lo suficientemente rica como para que ella no tenga ni que pensar en ganarse los garbanzos. Y quien dice los garbanzos dice el todoterreno, el chalet ideal, la ropa de marca y los caprichitos varios. Y Elena comentó al respecto: «Yo no entiendo cómo puede vivir así, ¿no se aburre? Estoy segura de que con el tiempo va a acabar frustrada, nadie puede vivir sin hacer nada de provecho.» A lo que yo respondí: «Pues yo podría divinamente, es más, sería mi sueño: saber que no tengo que trabajar el resto de mi vida.» Elena: «No me lo creo, tú escribirías, seguro.»

Sí, claro. Escribiría, leería, pintaría incluso... Pero no publicaría lo que escribiera, no me sometería al escrutinio constante de críticos, admiradores, detractores, amigos, enemigos, ex amantes, ex amantes de ex amantes, conocidos de conocidos y desconocidos varios. Podría quizá hacer ediciones especiales y limitadas para mis amigos o, como el Sebastián Venable de *De repente, el último verano*, dejar constancia expresa de que mis escritos sólo podrían publicarse tras mi muerte (por cierto, que lo mismo hizo Katherine Hepburn —Violet Venable en la película— con sus memorias), cuando a mí ya no pudieran herirme los aguijones y las flechas de la maledicencia ajena. Porque si ya sufrí bastante con todo el revuelo que se organizó a cuenta de *Enganchadas* (unas críticas feroces que me acusaban poco menos que de incitación a la politoxicomanía y un escándalo sonado cuando unas fotos mías aparecieron en la portada de la revista *Cita*, pero de esto ya hablaré más adelante), que al fin y al cabo era un libro que me daba bastante igual, no quiero ni imaginar lo que sufriría si me atacaran por una obra que tratase de algo más personal, un libro en el que hubiera volcado mis experiencias, mis sentimientos, mi vida. Me he pasado la mitad de ella anhelando publicar y, cuando finalmente lo hice, descubrí tantas paradojas al respecto de la misma que tuve que agradecer al Todo Cósmico, o a la Divina Providencia, o a quienquiera que rija este universo de locos, que mis tres novelas anteriores no se hubieran publicado, pues me di cuenta de pronto de que, de haberlo conocido, probablemente no hubiera sobrevivido al éxito: no hubiera soportado verlas escrutadas, despedazadas, arrastradas. De esta forma me consuelo por no haber alcanzado a culminar mi sueño, sueño que, en teoría, aún podría cumplirse aunque empiezo a sospechar que nunca se materializará. Lo malo de haber albergado un sueño que tuvo visos de ser posible es que aparejó la verdadera desilusión. Porque si hubiera soñado desde pequeña con algo más grande, con ser reina o astronauta, por ejemplo, no me hubiera costado tanto resignarme a no serlo al crecer. El sueño que promete lo imposible ya nos priva con su propia promesa de su consecución, pero un sueño accesible delega en nosotros su solución: nos parece que si no se ha cumplido es nuestra la culpa y no del azar o del destino. Y, así, me temo que yo moriré como he vivido, en el baratillo de los fracasados.

¿Que por qué te cuento esto? Porque según tecleo me tengo que enfrentar a la posibilidad de que lo que escribo ahora mismo, estas palabras sólo para ti, pudieran publicarse (ésta es una carta para ti, en principio, pero todo lo escrito se escribe en realidad para uno mismo, y a partir de ahí para el Otro o la Otra que uno lleva dentro y que representa también al Otro u Otra que son los demás, porque *toda carta*, decía Derrida, *está condenada a viajar interminablemente, tanto por su plurivocidad como por la indeterminación in consciente de su destino*, y ya me ha salido la vena filóloga y me he puesto pedante), y es que tanto mi agente como la editora de *Enganchadas* no hacen más que decirme que por qué no escribo sobre la maternidad, ansiosas como están de repetir éxito ahora que el público me conoce (eso sí, no aceptaron mi propuesta de editar, aprovechando el tirón de mi recién adquirida popularidad, algunas de esas tres novelas inéditas que duermen en el cajón, ya ves) y no estoy muy segura de que merezca la pena exponerse tanto, porque sé que cualquier libro que hiciera sobre el tema acabaría tratando sobre ti.

Pero tú y yo tenemos un problema: necesitamos dinero. (Dinero, dinero, metal sin corazón, no compra lo que quiero, que decían el tango y mi tía Reme, pero sí paga las facturas.) Y la única forma en la que tu madre ha demostrado, hasta el día de hoy, que sabe conseguir tan vil metal es escribiendo. La pena es que ahora mismo tu madre, yo, se ve incapacitada para hacerlo sobre otra cosa que no seas tú y tus circunstancias, las razones por las que llegaste, a través de mi cuerpo, hasta aquí. Y escribir sobre ti es arriesgarse mucho, es poner la propia vida en bandeja, festín en una orgía de palabras que muerden, a disposición de cualquiera que desee trincharla y desmenuzarla. Sí, por supuesto, estas notas se expurgarán convenientemente y se eliminará cualquier referencia que pueda hacer reconocible a algunos personajes, se cambiarán los nombres y me escudaré además en eso que se dice de que la ficción es siempre ficción y cualquier parecido con la realidad es mera coincidencia. Aunque, a fin de cuentas, ¿qué es realidad? Algo tan maleable, gaseoso e inasible... En fin, no tengo ni idea de si esto se publicará o no. Puede que te dé estas notas cuando cumplas los dieciocho años y entonces tú decidirás. O, si resuelvo publicarlo antes, lo haré previa poda y censura y luego tú tendrás el dudoso honor y privilegio de acceder a las partes no rechazadas, para que sepas qué tipo de madre te ha tocado en gracia. De todas formas, para cuando estés en condiciones de leer esto, me temo que ya tendrás una idea bastante precisa sobre el particular.

(Por cierto, cuando yo dudaba sobre si aceptar o no el encargo de *Enganchadas,* tu madrina Consuelo —una de tus muchas madrinas, porque tú eres demasiado especial para tener una sola—, *doula* en tu nacimiento y «hermana en dios» de tu madre —así se les llama a las mujeres que asisten al parto de otra—, insistía en recordarme, para convencerme de que escribir por dinero no es algo indigno ni mucho menos, que Dostoievski escribió *El jugador* a toda prisa porque necesitaba pagar unas deudas. Pues dicho —escrito— queda.)

Verás, me acuerdo de cuando tú llevabas cuatro meses o más dentro de mí y eras un feto que medía aproximadamente dieciocho centímetros y pesaba cerca de ciento veinte gramos. Algunas partes de tu esqueleto ya se habían endurecido en forma de huesos y los músculos del cuello y la espalda ya podían sostenerte la cabecita hacia arriba. Eras todo un pequeño ser humano, ovillada flotante en la placenta, donde el amor era un fruto que pesaba y maduraba, con diez dedos en las manos y diez dedos en los pies, cada uno rematado con su correspondiente uñita. Ya te movías y yo ya sabía que eras una niña. Y que te ibas a llamar Amanda. Pues bien, entonces tuve que ir a Barcelona a promocionar *Enganchadas* porque acababan de lanzar, como antes te dije, su decimoquinta edición. En Cataluña es tradición que los enamorados se regalen por Sant Jordi una rosa y/o una espiga de trigo (según rezaba la tradición, el chico debía regalarle a la chica una rosa y una espiga, símbolos del amor y la fertilidad, y ella a él un libro, pero con la emergencia de lo políticamente correcto y el auge del movimiento gay, ahora cada cual regala rosa, o libro, o ambas cosas, sin que el género del destinatario cuente demasiado). La cuestión es que la calle se llena de tenderetes y casetas de venta de libros y flores y hay una muchedumbre enorme que se desplaza de un lado a otro de la ciudad, rosa o libro en mano, a la búsqueda del amante; o con las manos vacías y ávidas de comprar el susodicho ejemplar o la rosa que, si no se destinan al enamorado, irán a parar a la madre, la tía, la mejor amiga, la vecina del quinto... (Yo, sin ir más lejos, recibí aquel mismo día unas quince rosas, todas ellas con su correspondiente espiga pese a que a mí puñetera la falta me hicieran los amuletos para la fertilidad.) El caso es participar en la fiesta, regalar y ser regalado.

Como suele suceder con la mayoría de las tradiciones, ésta también se comercializó, lo que significa que las librerías catalanas encargan los pedidos más grandes del año para el día de Sant Jordi, que las editoriales envían en esa fecha a sus escritores estrella a firmar libros a Barcelona, y que hay un montón de autores que se enfadan con sus editores porque no les han considerado lo suficientemente importantes como para pagarles un billete y una noche de hotel a fin de que en tan señalado día puedan encontrarse firmando sus obras en un puesto de las Ramblas. Y no sé a qué les viene el cabreo, porque si al final conmovieran a sus editores y les tocara hacerse el paseíllo de tenderete en tenderete igual hasta se arrepentían de tanta súplica tras acabar baldados (no, si ya lo decía santa Teresa, líbrame Dios de las plegarias atendidas), porque al escritor firmante en Sant Jordi le despiertan a las siete de la mañana y desde las diez hasta las nueve de la noche (exceptuando la pausa de la comida) se las pasa de caseta en caseta, desplazándose de un lado a otro de la ciudad y firmando libros hasta que se le agarrotan las articulaciones. Eso si tiene suerte, como yo —toco madera—, y firma, que también los hay que se la pasan mano sobre mano mirando desfilar al gentío y sin que nadie les venga con un triste ejemplar de su obra.

En fin, que debían de ser la seis de la tarde y estábamos en el puesto de El Corte Inglés tu tía Paz (tía adoptiva y no biológica), Bea (la chica de prensa de la editorial) y yo, alucinadas ante el panorama que se nos presentaba: frente a nosotras había una fila, UNA FILA, de gente que venía a comprar un libro sobre el que se estampara una firma MÍA, de tu madre. Bien que no se trataba de una fila muy larga, en realidad no habría allí más de cinco personas (dos casetas más allá Andreu Buenafuente tenía a una masa de cientos de individuos apiñándose y poco menos que pegándose codazos por conseguir su rúbrica estampada en un libro de monólogos), pero seguía siendo una fila, y ya era más de lo que tenían otros escritores que miraban al tendido con cara de aburrimiento y mano inmóvil. Me invadió un sentimiento ambiguo: por una parte me halagaba tener lectores, y estaba segura de que el día en que la suerte cambiara y me encontrase de la noche a la mañana sin ellos me vería más deprimida que Norma Desmond en *El crepúsculo de los dioses,* por mucho que prefiriera que mi público me amase más por una novela que por un libro de encargo (aunque, como bien decía tu casi madrina Consuelo, la misma que dijo aquello de que no era indigno escribir por dinero, al fin y al cabo *Enganchadas* era una mezcla entre libro de cuentos y nuevo periodismo; es más, acabó comparándolo con *A sangre fría* por aquello de la realidad confundida con la ficción, con lo cual si bien no contaba con lectores de novela, al menos sí contaba con lectores, y menos daba una piedra: con Consuelo por amiga, la que no se consuela es porque no quiere). Pero, por otra, los desconocidos me inspiran un miedo terrible, por no hablar del temor al compromiso y a la responsabilidad que a tu madre la caracteriza, y que hace que, cuando siente que alguien la admira por cualquier razón —razón, en cualquier caso, para ella incomprensible— se sienta agobiada por una especie de tenaza que le aprieta la garganta a fuerza de pensar que no va a estar a la altura de lo que esperan de ella. Es por eso que necesitaba a Paz y a Bea cerca, porque si no me hubiera visto incapaz de quedarme allí sentada, de dedicarles sonrisas a cada uno de mis «clientes» y de comportarme con cierta amabilidad.

Pues eso, que allí estábamos, la Bea, Paz y yo, cuando vemos emerger de entre la cola al joven más guapo que había visto yo aquel día (y te diré que, justamente ese día, había visto a unos cuantos), un adonis rubio de sonrisa de anuncio y ojos azul eléctrico que destacaba entre la multitud que recorre en Sant Jordi la ciudad como una blanca orquídea en un campo de amapolas. Codazo e inclinación de cabeza de Eva a Paz, gesto que se reproduce acto seguido, de idéntica manera, de Paz a Bea. A buenas entendedoras pocas palabras bastan. El adonis se presenta por fin ante mí y yo le dedico una sonrisa, esta vez completamente espontánea. Entonces él me dice que quiere que le dedique mi libro a «su princesa», y no me paro a pensar en lo cursi que resulta que un hombre le llame a su chica «princesa» porque pienso que un hombre como ése tiene bula para llamarle a su chica princesa, bomboncito o caramelito, y me sale del alma escribir sobre la primera página del libro: *Nuria, princesa, ¡QUÉ SUERTE TIENES! Que disfrutes el libro y, sobre todo, el novio, con salud.* El chico desaparece y allí nos quedamos las tres comentando la jugada. «Las hay con suerte.» «Es que hombres así no quedan, guapo y encima cariñoso.» «Algún defecto tendrá, seguro... Que no es oro todo lo que reluce.» «Sí, fijo que escribe con faltas de ortografía.» «O es impotente...» Y no seguimos viboreando porque el escritor que está sentado a mi lado —un cuarentón desabrido con tripa y gafas de pasta que no tiene cosa mejor que hacer que escuchar nuestra conversación pues nadie ha acudido a que le firme— empieza a mirarme con cara rara.

Al rato aparece por una esquina de la caseta una chiquita rubia, bastante mona, que me dice: «Yo no vengo a que me firmes ningún libro, sólo quiero darte esta nota.» Me deja un papel azul sobre la mesa y desaparece. Guardo el papel en el bolso con la sana intención de leerlo más tarde, rogando a la Diosa que no se trate de una carta de amor enfebrecido del mismo tono delirado de algunas de las que suelo recibir por parte de lectoras de *Enganchadas*, enganchadas también ellas no sólo al libro, sino a todas las drogas habidas y por haber, y no lo leo hasta la mañana siguiente.

Aquí tengo la nota, la guardo para que la leas de mayor y para que tengas un recuerdo de cuando estabas dentro de mí.

Te la transcribo:

«Querida Eva, soy la "princesa" a la que has felicitado por el novio. Me encantó Enganchadas. *Yo también estuve enganchada a la coca mucho tiempo, y me identifiqué absolutamente con el capítulo de Gloria... Pero esta nota no es para contarte mi vida. Es para decirte que el libro me gustó tanto que se lo presté a todas mis amigas y al final, como suele suceder en estos casos, una no me lo devolvió y me quedé sin él. De ahí que mi novio, que sabe lo mal que me sentó perderlo, me lo haya vuelto a regalar por Sant Jordi, pero esta vez ¡firmado! Me ha hecho muchísima ilusión.*

»Sé que estás embarazada y quiero felicitarte de corazón. Yo tengo ahora treinta años y a veces pienso en tener un hijo, pero me asaltan un montón de dudas: ¿se me deformará el cuerpo?, ¿perderé mi libertad?, ¿sabré quererle? Por eso me parece tan importante que una mujer como tú escriba un libro sobre la experiencia, porque sé que no harás nada cursi ni lleno de tópicos. ¡Anímate a empezarlo! Y luego anímate a acabarlo, claro. Por favor... muchas te lo agradeceríamos.

NURIA»

Te diré que lo primero que me sorprendió fue la preocupación aquella por la posible deformación del cuerpo. En realidad, me pareció bastante frívola. Poco podía yo imaginar que acabaría compartiendo aquella inquietud que tan absurda me resultaba. Y sí, claro que se me deformó el cuerpo, aunque como tampoco es que antes del embarazo lo tuviera de *top model,* lo cierto es que no hubo que lamentar grandes desgracias.

Pero después venía su petición: que escribiera sobre mi estado.

Ya te he dicho que no era la primera vez que alguien me decía que debía escribir sobre el embarazo, o sobre *mi* embarazo (la verdad es que yo odio decir embarazo y prefiero decir preñez, porque la palabra embarazo implica algo vergonzoso, molesto, mientras que preñez reivindica la parte más animal del asunto). De hecho, todos me lo decían por aquel entonces, conocidos y desconocidos, amigos que me llamaban para felicitarme (por el éxito del libro o por mi nuevo estado o por ambas cosas) y periodistas que me entrevistaban, gente que me abordaba por la calle porque me acababan de reconocer (te digo que me hice muy famosa, sobre todo porque en el libro había testimonios sobre adolescentes que vivían la cultura del botellón o del éxtasis, y como el tema estaba candente, me llamaron para que participara en tropecientos mil programas de radio y en algunos debates de televisión), hasta el mismo portero del edificio me lo preguntó. En fin, tú imagínate que a Iñaki Gabilondo le sale una erupción en la piel y de repente todo cristo le pregunta si se está planteando escribir un libro sobre la dermatitis atópica. Pues más o menos así me sentía yo. ¿Qué iba a poder escribir? ¿De qué otra cosa iba a poder escribir? ¿Cómo evitar contar la realidad de mi embarazo, que en nada se parecía a esas vivencias color pastel que la gente gusta de asociar con lo que llaman «el estado de buena esperanza»? ¿Qué editorial iba a querer publicar algo así?:

«Hoy me he levantado con una náusea pegajosa en el estómago, como si me hubiera comido un kilo de toffees. *Además, me dolía cada hueso de mi cuerpo. Cuando de alguna manera he conseguido arrastrarme hasta el cuarto de baño me he encontrado en el espejo con una réplica de mi persona a la que por poco no reconozco, porque no me acordaba de que las tetas me llegan hasta el ombligo. Y la verdad, no sé cómo había podido olvidarme, porque me duelen*

tanto que se me hace imposible obviarlas. En fin… ¡qué bonito es estar embarazada!»

Y es que, lejos del éxtasis sublime y la sensación de plena realización que se suponía que yo debía experimentar, llevaba cuatro meses más que largos viviendo lo que parecía ser la gripe más persistente de mi vida, un malestar físico constante, no lo suficientemente grave para que tuviera que guardar cama pero sí lo bastante insidioso como para que cualquier actividad física o mental me resultase una tortura, no digamos ya la promoción de un libro por los pueblos de España con sus correspondientes sesiones de entrevistas y firmas. Y, para colmo, todo el mundo, lectoras incluidas, empeñados en que escribiera sobre el bonito estado en el que me encontraba. Lo dicho: «buena esperanza» le llaman. Esperanza de que aquello acabara de una vez.

Cuando terminamos con las sesiones de firmas, y aprovechando que en el día de Sant Jordi los libros se venden con descuento, me compré, en la misma librería en cuya caseta había firmado el libro para Nuria la princesa, una especie de diario-ensayo cuya lectura me había recomendado fervientemente Elena: *Tiempo de espera*, de Carme Riera. Lo leí —o más bien lo devoré— en menos de una hora y, cuando lo cerré, me quedé con la sensación de que un abismo se abría entre la percepción del embarazo según la Riera y la realidad que yo estaba viviendo. En aquellas páginas —maravillosamente escritas, por cierto— se describía una especie de remanso idílico de días huecos y redondos, una paz derivada de la conexión mística entre la madre y el bebé. Nada que ver con lo mío: yo me sentía como la teniente Ripley teniendo que manejar una nave en la que se había colado un alien, con la diferencia de que no contaba ni con el valor ni con la resistencia física de la heroína galáctica. Además, ¿acaso nunca había vomitado la Riera, no se había mareado, no se cansaba, no le dolían todos y cada uno de los huesos?

Pensaba yo que quizá mi malestar físico no fuera otra cosa que una manifestación psicosomática: en realidad no quería tener un bebé, así que mi cuerpo estaba haciendo todo lo posible por rechazarlo. ¿No sería que ella era una mujer de una pieza, estable y serena, y yo poco más que una niñata inmadura e histérica? Acabé por escribir a la autora y le dije algo así como: «Me ha encantado tu libro, pero lo que describes no se parece en nada a mi vivencia del embarazo...» Ella me respondió a vuelta de *e-mail*, amabilísima, y vino a decirme que sí, que claro que había vomitado durante el embarazo y que lo había pasado tan mal como cualquiera, pero que, como el libro estaba destinado a su hija, quiso insistir en la parte más amable del proceso para que la niña pensara que ella había nacido como resultado de un acto de amor y no de una simple crisis de vómitos.

Yo no te quiero vender la moto de que el embarazo es un proceso maravilloso. De paso, tampoco quiero convencerte de que te ha tocado una madre estupenda ni pretendo que de mayor me idealices a base de ocultarte lo peor de mí. Mujer, no es que te lo vaya a contar todo, todo, pero uno de los problemas de ser despistada es el de que a los distraídos no sólo se nos da mal mentir, sino también economizar con la verdad, tú ya me entiendes, porque antes o después me olvido de que había algo que no debía decir y siempre acabo por meter la pata. Es decir, por ejemplo, que a qué vendría escribir aquí que nunca jamás dudé que quisiera tenerte o que el embarazo fue un estado pleno y dichoso de gozosa espera, si me conozco y sé que cualquier día, dentro de unos años, te acabaría contando la verdad a poco que tú me preguntaras. Espero que entiendas que yo no soy más que el vehículo que la Providencia o Dios o la Diosa o el Uno o el Todo o el Orden Cósmico o como quieras llamarlo puso a tu disposición para que tú vinieras al mundo, y que nunca tienes que esperar el tener una madre perfecta, porque yo no lo soy, ni de lejos.

De todas formas, me viene a la cabeza una frase que alguna señora con hijos me dijo una vez refiriéndose a la educación de los suyos: «Los niños aprenden más de lo que no se les dice que de lo que se les dice», con lo que quería decir que cuando les mientes, acaban por darse cuenta y la verdad que pretendía ocultárseles se les queda mucho más grabada que cualquier mentira que se les hubiera dicho. Algo parecido a lo que leí sobre niños con orejas de soplillo: si sus padres se empeñan en ocultar el defecto dejándoles crecer el pelo, los niños entienden que sus orejas son algo que hay que esconder a toda costa, algo repugnante, obsceno, y acaban mucho más acomplejados que si mamá les hubiera cortado el pelo al rape o peinado o con coletitas. La verdad es esquiva, juega al escondite, se repliega si la buscas, aparece cuando menos te lo esperas, y si intentas ignorarla se planta firme ante ti, agitando los brazos.

Te vengo a contar lo de los libros sobre embarazo porque este tema me tuvo muy interesada durante nueve meses. ¿Por qué, me preguntaba yo, si los dos acontecimientos límite en la vida del ser humano son, lógicamente, el nacimiento y la muerte, la una está tan tratada en la literatura mientras que el otro prácticamente no está descrito? Apenas hay descripciones de partos ni embarazos en los clásicos, omisión no tan sorprendente si se tiene en cuenta que el noventa y nueve por ciento de la literatura universal está escrita por hombres, y por eso queda constancia de los modelos exactos de botines que calzaba la Bovary (hasta Vargas Llosa tiene un estudio sobre el particular) y de sus desvelos para encontrar unas cortinas elegantes que le dieran un toque de distinción a su saloncito, pero nada se cuenta de esos largos nueve meses que pasó embarazada ni de las doce horas de parto que atravesó (si es que no fueron más) ni del mes de puerperio que debió pasar en la cama (como cualquier otra burguesita decimonónica). No recuerdo ningún párrafo que detallara sus vómitos matinales o sus problemas con el corsé cuando el pecho empezó a crecerle y la cintura a ensancharse. Es más, Emma tiene una niña, se la enchufa a la nodriza de turno y prácticamente nada más volvemos a saber de la pobre Berthe hasta que su madre se muere. Y vale, la Karenina se pasa el libro diciendo lo mucho que quiere a su niño pero, entre tú y yo, leyéndolo parece que quiera bastante más al teniente Vronski y, que yo recuerde, su amor por su hijo no le impide ni la frena a la hora de arrojarse al tren.

Pero es que tampoco encontré mucho más sobre embarazo o parto en la literatura moderna, porque hasta hace relativamente poco parecía que la mujer que escribía no paría y viceversa —cosa nada sorprendente teniendo en cuenta que lo que se entendía por normal era que la mujer casada renunciara a su vida en función de la de su marido; y la soltera, si era madre, lo iba a tener tan crudo como para no poder ni plantearse escribir— y por eso agradecí tanto el libro de la Riera, por muy parcial que fuese o me pareciera, porque resultó ser el único que encontré sobre el tema escrito en español que no fuera una guía de divulgación sobre los aspectos médicos del proceso.

Porque las susodichas guías tampoco tenían desperdicio: en una se decía algo así como «al cuarto mes de embarazo te podrán hacer la amniocentesis y sabrás el sexo del bebé. Ya puedes llamar a la abuela y decirle si tiene que tejer los patucos azules o rosas». O sea, tanto hablar de la educación no sexista y ya imponemos roles y colores desde antes del parto, y además ponemos a la abuela a calcetar, que la pobre señora por lo visto no tiene mejor cosa que hacer, que ya se sabe que las abuelas para eso están, que el abuelo es el que lee el periódico. En otra se explicaba la postura que la embarazada debía adoptar si tenía que agacharse para recoger algo —siempre con la espalda muy recta, en ángulo de noventa grados con el suelo— y se complementaba la información con dos ilustraciones: en la primera la señora recogía un cubo de ropa para lavar, y en la segunda un bebé, para que no dudemos de que una mujer preñada es una ama de casa y no una ejecutiva. En casi todas se hablaba del papel del padre, pero siempre en unos términos de merengue y cornucopia dignos de un pastel nupcial, y siempre recomendando a la pareja de la madre que se implicara en el proceso, como si eso no se diera por hecho en pleno siglo XXI. Casi nunca se planteaba la posibilidad de que la futura madre fuera soltera, y nunca jamás de que tuviera una pareja femenina.

La portada de un libro la ocupaba una pelirroja estupenda y semidesnuda con una tripa enoooooorme (de al menos ocho meses, calculé yo), con la foto cortada justo antes de la altura del pubis, para no tener que enseñarlo. Sus tetas resultaban un prodigio de desafío a las leyes de la gravedad. Nada que ver con mis ubres, desde luego, ni de lejos, pero tampoco con el pecho de ninguna de mis amigas embarazadas, que se inflaba y caía casi antes de que se hiciesen el Predictor incluso en el caso de las que habían sido más planas. Aquellas breves turgencias prácticamente adolescentes me resultaban imposibles en un cuerpo gestante... tan imposibles como que estaban retocadas con aerógrafo, como me hizo ver más tarde mi vecina Elena que, como buena diseñadora gráfica, tiene más ojo que yo para este tipo de detalles. Como también lo estaban las modelos del catálogo Prenatal de ropa interior, que tenían tripa de preñada pero muslos y senos de virgen prepúber, sin asomo de celulitis o retención de líquidos, ni flacidez o estrías. Y lo mismo digo de la mayoría de las futuras madres que aparecen en las guías médicas, que parecen fotografiadas por Hamilton (ese efecto *flou* tan setentón), peinadas por Rupert-te-necesito y vestidas por su peor enemiga en el más tradicional estilo entre mesa camilla y Casa de la Pradera.

Por no hablar de las revistas. Me refiero a *Mi bebé y yo*, *Padres*, *Tu embarazo* y demás. Sus jefes de redacción deben de pensar que existe una relación inversamente proporcional entre el aumento del estrógeno y la disminución inversa del cociente de inteligencia.

Hay una sección en este tipo de revistas en donde las presuntas lectoras escriben contando su parto y, ¡oh, sorpresa!, todas han tenido unos partos maravillosos y fantásticos, al contrario que la mayoría de mis íntimas y conocidas. Una amiga periodista se presentó en tres redacciones ofreciéndose a escribir un artículo sobre los verdaderos riesgos y consecuencias de la cesárea después de la nefasta experiencia que tuvo con la suya, que derivó en una sucesión encadenada de complicaciones posparto (gases, un punto que se soltó por coger a su bebé, una infección de la herida...) que hicieron de su puerperio una pesadilla que haría agradable, en comparación, una excursión nocturna por el bosque de la Bruja de Blair. Pero en las tres le vinieron a decir que no les gustaba la propuesta porque el tono editorial debía ser «optimista», y su artículo, a fuerza de realista, no lo era.

Eso por no hablar de lo poco coherentes que son. En la misma revista te dicen, en un artículo, que al bebé hay que darle de comer cada cuatro horas y procurar que se acostumbre a dormir solo («la opción del doctor Estevill», para entendernos), mientras que diez páginas más adelante, en otra sección diferente, defienden las virtudes del colecho y de la lactancia a demanda («la opción del doctor González»).

El problema de estas publicaciones es que son como los libros de autoayuda o las revistas femeninas: es fácil establecer una relación amor-odio con ellas, porque por un lado mantienen estereotipos sexistas y anticuados, pero por otro ¿quién más te habla de tus problemas específicos? Y una embarazada o una madre primeriza se siente siempre sola y desprotegida, y desesperadamente necesitada de información, de una mano amable que la guíe a través del misterio y la confusión de la maternidad y de su propio cuerpo. Así que, a regañadientes, acabé suscribiéndome a *Padres*, porque más valía tragarme tonterías que encontrarme sin saber qué hacer el día en que te diera un cólico.

Y fue así, a fuerza de leer libros y revistas, como empecé a entender por qué todo el mundo me pedía que escribiera sobre la maternidad: porque hay muy poco escrito, y muy poco aceptable. Esto justifica, en cierto modo, por qué estoy sentada aquí, enredada en esta larga carta a la Amanda futura, este diario de tu vida que llevo yo por ti porque ahora tú no puedes escribirlo y de mayor tampoco podrás recordarlo, haciendo yo de tu memoria además de hacer de tu central lechera. Esta carta no es sólo para ti. Puede que también sea para Nuria, la princesa. Puede que sea para mí, para explicarme cosas que nunca entendería si no me paro a pensarlas y a escribirlas. En fin, Derrida que estás en los cielos, ¿qué querías decir cuando hablabas de *la indeterminación aporética del destino de una carta?*

3 de octubre.

Cuando naciste pesabas tres kilos y trescientos gramos. Diez días después ya estabas en casi cuatro kilos. Y mañana te pesaremos otra vez. Supongo que habrás engordado mucho porque, aunque sigues siendo un bebé precioso, has perdido ya el punto de belleza prerrafaelita, aquel rostro de óvalo perfecto y lánguido, la elegante delgadez que tenías en la clínica, y cada vez te pareces más a un buda de la suerte de los que venden en el chino todo a cien de la esquina, si queremos ser amables, o al Mister Proper de la tele, que ahora se llama Don Limpio, si nos ponemos un poco más puñeteros. Hasta te llamaba siempre *nena* pero, sin darme cuenta, he empezado a llamarte *gordita*.

La primera noche que pasé en la clínica contigo prácticamente no dormí, pero no porque tú lloraras, muy al contrario, dormías plácidamente y se te podía achuchar, mover, zarandear o acunar sin que nada pareciera molestarte. Sólo se sabía que dormías y que no estabas en coma o inconsciente gracias a tu respiración rítmica y a los gestitos de satisfacción que hacías cuando te tocaba. De hecho, llegué a pensar que eras sorda, o algo peor, al verte tan tranquila.

Lo dicho, no dormía no porque me hubiera tocado en gracia un bebé llorón (como resultó ser, por ejemplo, el de la habitación contigua, que berreó desconsolado toda la noche), sino porque estaba completamente fascinada contigo. Era idéntica sensación a la que sentí alguna vez siendo muy joven cuando intenté dormir al lado de una persona de la que estaba totalmente enamorada: no podía conciliar el sueño porque tenía que quedarme despierta para mirarla, presa de una sensación intransmisible que comprimía el universo y lo condensaba en un solo punto —su respiración pausada y rítmica— para hacerlo mío. Entonces empecé a cantarte todas las canciones que me sabía, desde el «barquito chiquitito» hasta *Blowin' in the wind* y cuando me encontré entonando emocionada aquello de *no hay problema que no solucione Mayaaaaa* caí en la cuenta de que estaba bajo el efecto de una droga, porque aquello era exactamente igual que ir de éxtasis. Pero no iba de éxtasis, no. Aquello era un subidón de oxitocina. Una droga de la que nadie hablaba en *Enganchadas*.

Yo había llegado a un acuerdo con el ginecólogo para que en tu alumbramiento no se recurriese a la oxitocina química, y así fue... antes del parto. Lo que no pude evitar es que me engancharan el gotero *después* de parir, cosa que no deberían haber hecho, pero entonces yo estaba demasiado cansada y sin fuerzas para protestar ante la comadrona que vino a pincharme y que insistía en que era fundamental que me inyectaran oxitocina para ayudar a que el útero se contrajera, ni mucho menos arrestos para exigirle que hablase con mi médico antes de recurrir a intervenciones protocolarias que yo no hubiera autorizado. Así que dejé que me pusieran «la vía» —como aquella señora se empeñaba en llamarla— y me quedé dormida con una aguja pinchada al brazo. Y puede que la mezcla de toda la oxitocina que yo había segregado de forma natural para poder traerte al mundo sumada a la oxitocina sintética que aquella señora me metió en el cuerpo fuera la responsable de ese sentimiento de profundo amor que me invadió después de aquella primera noche en el hospital.

Pero supuestamente el subidón de oxitocina debería haberse pasado ya, puesto que yo no te estoy amamantando y se presume que la hormona se retira con la leche cuando dejas de dar de mamar. Paradojas de la vida: no pude criarte porque tenía demasiado pecho. Has leído bien. He escrito «demasiado». No «demasiado poco». Y eso que dicen que demasiado nunca es suficiente.

Ya ves, la vida es como una partida de cartas. A ella llegamos con una mano determinada y, si bien es cierto que en el resultado final cuenta la destreza del jugador y su habilidad para echarse faroles, también lo es que no da lo mismo salir con una pareja de doses que con un póquer de ases. Por eso decían las feministas que anatomía es destino, porque no es igual nacer hombre que mujer, blanco que negro, alto y esbelto que chaparro y gordito.

Y no es lo mismo nacer pechugona que plana.

Yo me di cuenta de esta última verdad a los doce años. Hasta entonces yo había sido una niña gordita y empollona que se pasaba las horas muertas en la playa (Santa Pola, un pueblo costero que en su día debió de ser bonito pero que ahora se ha convertido en un crimen estético, crimen en el que mi familia tiene un apartamento y donde he pasado todos los veranos de mi infancia, desde que recuerdo hasta los veinte años), leyendo un libro sin que nadie le hiciera ni caso. Pero aquel verano de mi contento, como por arte de magia, un montón de chicos descubrieron mis hasta entonces ocultos encantos y casi se pegaban por hablarme. O por no hablarme, porque se quedaban a mi lado, acuclillados al borde de la toalla, tartamudeaban, se ponían rojísimos y, de repente, sin explicación mediada, se arrojaban al agua y me dejaban con la palabra en la boca. Pensaba yo que eran unos maleducados, pero entonces poco sabía de los problemas masculinos a la hora de ocultar una erección.

Lo de ser una chica pechugona marca. Cuando éramos más jóvenes, más o menos en la época entre The Cure y Portishead (creo que entonces escuchábamos a Lush), cuando algún gurú de la moda urbana ya había decretado que las muñequeras de pinchos estaban definitivamente *passé* y cuando yo salía a la calle con un chaleco con —horror de los horrores— ¡flecos! de pura inspiración *country*, David Muñoz, que ya no era nuestro compañero de clase pero seguía siendo vecino y con el que quedábamos de vez en cuando a tomar cañas con la antigua pandi del instituto, le dijo un día a Sonia que «el problema de tu amiga Eva es que piensa que todos estamos babeando por sus tetas». Ni idea tenía el tonto de David del complejo enorme que tenía yo en aquel tiempo, y supongo que si él pensaba que yo pensaba... es porque él de verdad babeaba por mis tetas. Y por las de cualquiera, dicho sea de paso.

Y lo mío, además, no sólo era complejo, también había cuestiones prácticas de por medio que me hacían anhelar levantarme una mañana convertida por arte de magia en un clon de Jane Birkin: el problema de no encontrar nunca ropa de tu talla, por ejemplo, o el de tener que hacerte los sujetadores a medida (desde la llegada de la silicona ha sido más fácil encontrarlos de talla cien, antes imposible), o el de asumir que no podías entrar sola en según qué bares a la hora del carajillo porque tu llegada se anunciaba con un humillante clamoreo de aleluyas y silbidos entonados a coro por parte del grupo de obreretes que allí hacían la pausa de las doce.

Y para colmo yo quería ser siniestra, y una siniestra que se preciara no iba por la vida convertida en una chica de *centerfold* de *Playboy*, porque para más colmo de males la naturaleza me había hecho rubia. Y rubia y tetona equivale, en el inconsciente colectivo, a tonta de solemnidad. Lo que te dije antes: anatomía es destino. Porque yo me figuraba que si hubiera nacido plana, esbelta y morena como mi hermana Laureta, que viene a ser una clónica de Linda Fiorentino con su aire exótico y oriental de mujer misteriosa y muy vivida, habría podido atraer a intelectuales y artistas, a hombres menos interesados en lo obvio que en lo sugerido, a *connaiseurs* que abrieran ante mí un reino de infinitas posibilidades por explorar en lugar de tener que cargar con el tipo de gañán que indefectiblemente se interesaba por mí. Sin ir más lejos, el propio David Muñoz, un chico que escuchaba a Los Secretos y decoraba su habitación con pósters que en realidad eran la página central del *Lib*. Y lo peor es que para más inri Laureta no leía nada y venía a ser tan misteriosa como la publicidad de una lejía pero, eso sí, pillaba siempre a novios forradísimos, bellezones extranjeros (indefectiblemente guiris) que avanzaban por la vida exhibiendo ese inconfundible desdén por las cosas mundanas que fingen sentir ciertos hombres de mundo, hombres cuya presencia en casa conseguía que yo secretamente me reconcomiera de la envidia.

Más o menos desde los dieciocho fantaseaba con operarme, pero dos inconvenientes de aquella presunta solución me echaban atrás: el primero, las inevitables cicatrices; y el segundo, la idea de que si algún día, en un futuro, me decidía a tener un hijo, me gustaría darle de mamar. Ya ves, al final me dejé las tetas puestas para nada, porque no te amamanto, y no tanto por decisión propia como por razones ajenas a mi voluntad y por doble recomendación médica: la de la pediatra, que opinó que podía asfixiarte (cualquiera de mis dos tetas —desmesuradamente enormes tras el embarazo— era bastante más grande que tu cabeza y puede que incluso una sola pesara más que tu cuerpo entero: he pasado de ser una chica *russmeyeriana* a una matrona *felliniana*), y la del ginecólogo, que aseguró que con semejante tamaño de pecho, y teniendo en cuenta que dos días después del parto de allí seguía sin salir leche, estaba haciendo oposiciones a una mastitis segura. Además, añadió, a sus tres hijos los habían criado con biberón y eran los más altos de su clase.

Así que me dieron unas pastillas inhibidoras de la prolactina que cortaron para siempre la poca o ninguna leche que quedara y la posibilidad de mastitis y, se suponía también que, de paso, la segregación de oxitocina.

Lo más patético del caso es que tamaña desmesura no impide que los gañanes de costumbre me sigan dedicando por la calle todo tipo de adjetivos calificativos constituyendo, una vez más, la prueba empírica de la llamada Primera Ley de la Gañanodinámica de Eva Agulló: la medida de tus tetas va en relación inversa al cociente intelectual de los hombres a los que atraerás con ellas. A más grandes, menos cerebro, y viceversa.

Te lo digo desde ya, no sea que en quince años me salgas de esas adolescentes que le piden a su sufrida mamá que les regale un par de tetas nuevas como premio por sacarse la selectividad porque su amiga Susana, que es tetona, se lleva de calle a los chicos en las discotecas (que no exagero, te lo advierto, que esto lo vi en «El Diario de Patricia»). La que avisa no es traidora, y te habla la voz de la experiencia.

Dejando aparte el hecho de que te creas de verdad que el amor de un hombre pueda tener que ver con un mayor o menor perímetro o unos senos más turgentes que colgantes, te puedo ir prediciendo una sucesión de catástrofes sentimentales que ríete tú de las siete plagas de Israel o de la historia sentimental de tu madre, sin ir más lejos. Porque quien se valora sólo como un cuerpo no se valora en esencia, y es bien sabido pero conviene recordarlo que la que se quiere poco a sí misma acaba atrayendo a gente que la querrá aún menos. Espero enseñarte esto desde muy pequeña, porque a mí me ha costado lágrimas aprender a aplicarme el cuento (si es que me lo he aplicado, que está por ver). Lo cierto, nena, es que si tienes una autoestima sólida no te hará ninguna falta un buen par de tetas.

Lo dicho, que si no te amamanto y por tanto no segrego oxitocina, entonces no hay excusa química para que pueda quererte tanto, y nos tendremos que aferrar a la explicación de Desmond Harris según la cual tanto los bebés humanos como los lactantes de cualquier mamífero —sea éste cachorro, gatito o bebé foca— presentan una especial disposición de los rasgos de la cara (ojos exageradamente grandes, nariz y boca pequeñas, óvalo redondeado) que incita automáticamente al amor de sus progenitores y, ya de paso, al de cualquier adulto de su especie. Es *el efecto Bambi.*

Y es por eso que cada vez que viene uno de tus innumerables tíos y tías postizos a verte a casa no puedan evitar deshacerse en *ooooooohs* y *aaaaaahs,* cautivados todos por tus ojazos de agua, por tu piel increíblemente suave, por los gorjeos con los que los saludas en un heroico lenguaje de tu propia invención y por la desesperada forma en que les agarras el dedo con tu puñito a la mínima que ves la oportunidad, impulsados por una programación genética o un plan divino que los ha diseñado incapaces de sustraerse al encanto de una criatura como tú, de una maravilla que es el resultado final de un truco evolutivo depurado durante milenios para garantizar la supervivencia de la especie.

Antes de conocer a tu padre yo estuve casi cuatro años manteniendo una relación con otro hombre, de la que entraba y salía como a través de puertas giratorias. Llevaba siempre conmigo su imagen obsesionante ceñida como un cilicio. Era como una montaña rusa emocional: un día estaba en lo más alto, en la cima del éxtasis y la felicidad, y al siguiente descendía en picado hasta las más negras simas del desamor y la desdicha. Acabé por aceptar su presencia en mi vida con la misma resignación fatalista con que hubiera aceptado una tormenta de granizo o cualquier otra catástrofe natural, sin preguntarme los motivos ni intentar huir de ella. Y durante esos cuatro años me perdí totalmente, dejé mi cuerpo por una temporada y vino a sustituirme una pálida fotocopia de la que antaño yo fuera. La nueva se pasaba el día llorando y compadeciéndose, nada queriendo y nada deseando, atrapada entre los cuatro muros de su propia impotencia. Puesto que el hoy es un prólogo del futuro, al no tener una idea del futuro, de lo que podía querer o aspirar, no vivía para algo ni por algo, y había quedado atrapada en la desolación del mero dejarse vivir, sin propósito, como un barco expuesto a tormentas, sin la más remota idea del puerto al que podría o debería acogerse.

Hasta que un día Consuelo se presentó en casa sin avisar y me pilló llorando a moco tendido, y me atreví a contarle cosas que hasta entonces no le había contado a nadie, no tanto porque tuviera mucha confianza en ella, aunque la tenía, como, y sobre todo, porque sentía que si no me sacaba aquel lastre de dentro iba a acabar por reventar. «Lo que tú me estás contando se llama maltrato», me dijo. «¿Qué maltrato, si él no me ha pegado nunca?», respondí yo entre lágrimas. «Hay muchos tipos de maltrato. Y por lo que dices, éste se llama abuso psicológico.» Yo ni me acababa de creer ni quería creerme lo que me estaba diciendo, pero aun así acepté un consejo: que fuese a ver a un especialista en el tema, un catedrático que había escrito muchos libros sobre el particular y al que ella conocía porque era tío segundo suyo o algo parecido.

El profesor resultó ser un chico joven poco mayor que yo, no el cincuentón con barba que había imaginado, y me vino a decir lo mismo que me había dicho mi amiga: que cortase inmediatamente aquella relación. Y añadió que, si podía, me uniera a un grupo de apoyo para mujeres maltratadas. Pero ni yo me veía como maltratada ni estaba segura de que la responsabilidad de todo lo que me pasaba no hubiera que atribuirla exclusivamente a mí, porque la culpa me desbordaba y me fluía en ríos de remordimiento, lágrimas y nostalgia de un pasado compartido que yo veía como mejor. Pero al fin y al cabo el que vive sin culpa muere sin historia, y la culpa es subjetiva, no se percibe su presencia sino su sentimiento, y de qué servía achacar responsabilidades o buscar culpables, me dijo el doctor, si lo importante, lo obvio, lo innegable, es que aquella relación se había estancado y ya empezaba a oler, que las posibilidades de hacerla avanzar se habían agotado hacía mucho, que ya no quedaba otra opción que expedir de una vez el certificado de defunción, y no arañar con ternura el cadáver, intentando rebañar los restos de lo que una vez fue, o no siquiera fue y sólo pudo haber sido. Y ahí sí que tuve que darle la razón.

4 de octubre.

No acabo de entender por qué, si tanto se han esforzado la naturaleza y la evolución en diseñarte de forma tan atrayente (tanta oxitocina, tanto efecto Bambi, tanto delinear hasta el milímetro la disposición de los rasgos faciales...), luego se han cargado el invento con la puñetera contrapartida esa de que cada tres horas haya que alimentarte, sacarte los gases y cambiarte el pañal. Desde luego, menudo demiurgo chapuzas.

En principio tu padre y yo habíamos acordado establecer un sistema de turnos, que no hemos cumplido porque entre nuestras virtudes no destaca, esencialmente, la de la organización (detalle que tendrás ocasión de descubrir en cuanto crezcas), y porque resulta imposible en la práctica que uno te atienda mientras el otro duerme, ya que el demiurgo evolutivo que tan ¿bien? te diseñó decidió que tu llanto se registrara en una frecuencia que el oído humano no puede ignorar, algo así como los silbatos de ultrasonidos para el adiestramiento canino, de forma que cada vez que lloras nos acabamos despertando los dos, con el resultado de que, por la mañana, estamos ambos muertos de cansancio e irritabilidad. Y eso que tú eres una niña de lo más buena, que pide educadamente su biberón con un *¿gueeeeé?* interrogativo casi inaudible, que se traga toda la leche sin rechistar y se queda dormida casi en seguida, pero a pesar de eso te tomas tu buena media hora en beberte tus obligados sesenta mililitros, media hora que se extiende a veces hasta la hora entera, o más, si además resulta que hay que cambiarte el pañal.

Y a veces me siento tan agotada que todo el amor que siento por programación genética, subidón de oxitocina o lo que sea, parece disolverse como por ensalmo, y entonces me encuentro preguntándome quién diablos me encargó a mí meterme en semejante berenjenal, cuándo desaparecerá esta barriga fofa y abultada que me ha quedado como recuerdo del embarazo, si alguna vez volveré a salir o tener vida privada de algún tipo o a disfrutar de tiempo para escribir. Y me pregunto también si tal vez, de la misma manera que tú estás diseñada para enamorar, yo no estaré diseñada para vivir una vida normal, teniendo en cuenta que últimamente de cualquier grano de arena hago una montaña y que, más o menos, así me he sentido siempre durante toda la vida. Y si casi no soy capaz de cuidar de mí misma, ¿cómo voy a ser capaz de cuidar de un bebé?

Mi vecina Elena, esta chica que te ha traído kilos de ropa que vas a heredar de su hija Anita (la misma que nació como resultado de una noche de amor y de una indigestión), dice que a los bebés se los quiere por una pura cuestión marxista: la inversión que se hace en tiempo y dinero en ellos es tan grande que luego uno no puede permitirse despreciar el resultado. Hasta los afectos responden a la economía de mercado.

Habían pasado unas dos semanas desde la visita al profesor cuando un periodista se presentó en casa para hacerme una de las primeras entrevistas a propósito de *Enganchadas,* que se acababa de publicar y ni era todavía un éxito editorial ni nadie sospechaba remotamente que algún día llegara a serlo. Al terminar acabé invitándole a un café porque me di cuenta de que al pobre le había apetecido tan poco hacerme preguntas como a mí responderlas. Él lo había hecho por dinero, y yo por educación. Cuando desconectó la grabadora y se relajó, me explicó que, aparte de trabajar para el semanario en el que aparecería nuestra charla, escribía también en una revista sobre parapsicología, y no lo hacía por dinero, sino porque de verdad le interesaban los temas esotéricos. De ahí a contarme que sabía echar las cartas y ofrecerse a hacerme una tirada no mediaron tres sorbos de café. Yo, que siempre había oído que para que las cartas digan la verdad nunca debes pedir que te las lean, ni mucho menos pagar por que lo hagan, pues el lector debe ofrecerse él mismo a echarlas desinteresadamente, acepté la propuesta del periodista, más por curiosa que por crédula, y escuché cómo, según él, las cartas decían que estaba viviendo una relación que no me convenía pero que, a partir del mes de septiembre, el curso de aquella historia iba a llegar a una encrucijada porque una mujer morena iba a interferir para acabar con ella. Y a partir de septiembre, siempre según las cartas —o según quien las leía o decía leerlas—, me tocaría a mí decidir si seguir o no. Y si no quería seguir, me dijo, tendría que escribir con tinta negra el nombre de mi pareja en un papel blanco, enrollar acto seguido el papel y meterlo dentro de una botella, sellar ésta con cera negra y enterrarla después en un lugar por donde yo supiera que no iba a volver. Así le transferiría la historia y el amor a la mujer morena pues, según me explicó, no hay mejor magia para librarse de una relación de inconveniencia que pasársela a un tercero.

Sorprendentemente, me vino a decir lo mismo, aunque con distintas palabras y metáforas, claro, que el profesor tío segundo o lo que fuera de Consuelo, que me había asegurado que los maltratadores son codependientes, que necesitan a su víctima porque sólo humillando a una persona se sienten reforzados y compensan su complejo de inferioridad. Por eso no pueden estar solos. Y por eso casi nunca sueltan a una presa si no han encontrado otra con que sustituirla. Y a esa necesidad que se enciende en la entrepierna como una llamarada y que incendia la razón la llaman amor, y dicen muero de amor porque mueren de la urgencia de la piel de otro, de verse reflejados en los ojos de otro. Pero hablan de un amor hecho a su propia imagen, lo invocan con triste acento de suspiros y lágrimas pautado, y a quien quiera escucharles le dicen y repiten cuánto sufren, cuánto aman, porque se han convertido en ridículos espías de los pasos de otro, en implacables jueces que condenan sin pruebas, y es que no en vano al niño amor lo pintan ciego, que ya lo dijo Tirso de Molina, porque ve lo que quiere ver y lo que inventa, y a veces lo que se llama amor es desvarío. Desvarío y cadenas.

Efectivamente, antes del verano intervino una mujer morena y este hombre me dejó. Ya me había dejado muchas veces, pero en todas aquellas ocasiones yo le había perseguido para que volviera, convencida de que si lo hacía, si finalmente le tenía para mí sola y conseguía vivir con él para embarcarnos ambos en una relación «normal», me redimiría a sus ojos, a los míos y a los del mundo, y dejaría de ser la mala que él decía que era, la mala que yo creía ser y la mala por la que muchos de nuestros amigos comunes me tenían, siempre creyendo lo que él, hecho un mar de lágrimas, les contaba cuando se los encontraba de copas. Aquéllos eran los amigos que tomaban partido resuelta y alegremente por el ofensor para convencerse así de que, en realidad, en aquella historia no había ofensa ninguna y sí mucho teatro, y de que no estaban, por tanto, obligados a intervenir. El caso es que yo me había empapado de esa imagen de mí misma hasta tal punto que llegué a olvidar quién era realmente y, al no quererme en absoluto, no hacía otra cosa que sabotearme. Repetía de nuevo el viejo esquema: dentro de una, dos, y las dos enfrentadas.

5 de octubre.

Olvídate de la oxitocina y del efecto Bambi y de todas esas puñetas. Hace un minuto me he estado planteando seriamente darte en adopción o hacerte beber una infusión a base de cogollos de la planta de marihuana que hay en la terraza (que creció casi por casualidad, sin que nadie se ocupara de ella, y con la que ahora no sabemos qué hacer, porque yo no tengo ni idea sobre recolección o procesamiento de las hojas o de los cogollos, y tu padre menos). Te has tirado toda la mañana llorando, y cuando ha quedado claro que no era ni porque quisieras comer (me has escupido la leche a la cara indignadísima), ni porque te faltara el chupete (que también me has escupido), ni porque tuvieras el pañal sucio, he descubierto que lo único que querías, pequeño bulto cagón y mimado, es que te tuviera en brazos, así que estoy escribiendo contigo encima, situación enormemente incómoda para mí pero que a ti parece encantarte, porque ahora estás calladita como una santa, mirando alternativamente a tu madre y al teclado con mucha atención, como si te estuvieras planteando seriamente la posibilidad de seguir, en un futuro, los pasos de la que te parió (visto lo visto, te lo desaconsejo de corazón).

Tengo un libro que me regalaron cuando me quedé embarazada en el que se afirma que en casos así no debería cogerte de ninguna de las maneras, que lo que tendría que

56

hacer es dejarte llorar en tu cuna hasta que te callaras de puro agotamiento. Y eso mismo es lo que viene a decir también mi madre. Vale. Pero yo estoy segura de que el doctor que escribió tan sádico manual no se habrá sacado su flamante carrera de Medicina dedicándose precisamente a cuidar a bebés, y estoy segura también de que a sus propios niños los habrá cuidado o su señora o la chacha, porque a ver quién es el guapo que tiene corazón o estómago para dejar a un bebé de dieciséis días llorando desconsolado.

Yo no, desde luego. Primero, porque cuando lloras tus berridos se me cuelan en los tímpanos y amenazan con provocarme la peor jaqueca de mi vida. Segundo, porque me asaltan dudas sobre si no iré a provocarte un tremendo trauma infantil y de mayor seré yo la responsable de que te hayas convertido en una *skinhead,* una asesina en serie o una especuladora inmobiliaria. Lo digo porque he leído en otros libros, escritos por doctores que nada tienen que ver con el anterior, que los niños a los que se deja llorar sin proporcionarles consuelo aprenden que no pueden generar una respuesta de su medio ambiente, que a nadie le importan sus necesidades, que están solos frente al mundo. Parece ser que, según los estudios realizados por no sé qué universidad yanqui (estos estudios siempre los realizan las universidades yanquis, que son las que tienen presupuesto para gastárselo en martirizar a bebés), los niños que presentaban un mayor nivel de desarrollo cognitivo y socioemocional tenían mamás muy reactivas, es decir, madres que respondían a la más mínima señal con la que sus hijos intentaran captar su atención.

O sea, que lo que para mi madre y para según qué doctores que creen saberlo todo sobre crianza de bebés es ser una exagerada y una histérica, para otros se llama ser reactiva. Y, si bien es cierto que la opinión de mi madre cuenta para mí más que la de un galeno que ni siquiera ha cuidado de sus hijos —no sólo porque madre no hay más que una, sino también porque mi madre sí ha criado cuatro retoños y lo ha hecho ella sola, sin ayuda de chacha o de cónyuge—, me consta que, por mucho que ella me diga que no te coja en brazos, no aplicaba la teoría con sus propios bebés, al menos conmigo, que era, según las crónicas familiares, un bebé berreón como el que más que se pasó los primeros años de su vida mecida por mi mamá primero y por tíos, tías, amigas y cualquier vecino que pasara por allí después. Ese bebé creció y se convirtió en tu madre, la madre que te escribe ahora, aprovechando esta media hora bendita en que ¡por fin! duermes como el bebé que eres.

Una noche de septiembre aquel amante, influido, según supe más tarde, por una mujer morena con la que por entonces tonteaba, me llamó para decir que lo nuestro se había acabado y que no quería verme más, afirmación hecha en el mismo tono y con las mismas o casi idénticas palabras con las que me había venido a decir lo mismo más o menos una vez al mes durante cuatro años. Así que, como más o menos una vez al mes durante cuatro años, me encontré en la barra de un bar de Lavapiés que llevaba y lleva aún el profético nombre de La Ventura, ahogando solitaria mis penas en alcohol cuando, como ocurría casi siempre más o menos una vez al mes durante cuatro años, se me pegó un individuo de esos que acuden como moscas a la miel en cuanto ven a una tía sin compañía bebiendo, por más que la susodicha les deje claro cien y ciento cincuenta veces que quiere seguir estando sola, sola y sola.

El tipo en cuestión llevaba una pinta que llamaba la atención incluso en aquel bar donde hasta el más extravagante aliño indumentario (que diría Machado) resultaba poco vistoso habida cuenta de la infinidad de crestas, pelos de colores, *piercings*, peinados rastas, minifaldas cinturón, maxifaldas jipiosas, pantalones de comando y monos de pintor que por allí se veían. Iba vestido con una especie de túnica bordada y llevaba una barba larguísima que inducía a elucubrar sobre cómo demonios podía comerse aquel señor, por ejemplo, un plato de espaguetis, aunque la verdad es que tenía aspecto de alimentarse sólo de zumos o de aire, de tan delgado como estaba. Se plantó a mi lado en la barra y acto seguido, interpretando como invitación a la conversación un gruñido emitido por mí que en realidad quería decir «déjame en paz», me largó un rollo incomprensible sobre el sentido de la vida, rollo que le aguanté sólo porque pensé que al menos se le veía tan concentrado en lo divino que no parecía muy factible que le diera por pasarse a lo terreno, y que mientras no intentara abalanzarse sobre mí, probablemente disuadiría con su presencia a otros que sí pudieran intentarlo. Y allí estábamos, él perorando sobre algo así como el *Todo Cósmico que debe ser Todo lo que realmente es y del que nadie sino el Todo mismo puede comprender su ser* y yo apurando copa tras copa sin molestarme siquiera en poner cara de que el tal Todo Cósmico o lo que fuera o dejara de ser me interesara poco o mucho, cuando en éstas, y sin venir a cuento, el tío rebusca en una especie de bolso que llevaba colgando y que era lo más parecido al jubón de Frodo Bolsón y extrae de él una especie de cajita redonda que brillaba, me coge la mano, me la abre hasta hacerme extender la palma, me pone allí la cajita y me dice: «Toma, para ti.» Y en ese momento se marcha sin decir más y sin darme tiempo siquiera a pedirle que pagase su zumo (claro que bebía zumo, ¿qué esperabas?), y es entonces cuando me fijo en la cajita, y al abrirla me doy cuenta de que lo que me ha regalado es una brújula.

A la mañana siguiente llamé al mismo periodista que me había leído las cartas para saber cuándo iba a salir mi entrevista publicada, y no sé cómo acabé por contarle la historia de la brújula. Él me dijo que sin duda aquello era una señal que significaba que yo había perdido el Norte y que debía encontrarlo de nuevo, y sus palabras me hicieron pensar que quizá me convendría tomar una bifurcación y dejar así de seguir la senda que me iban marcando los pasos de aquel hombre por el que estaba tan obsesionada.

Por cierto, desde entonces he vuelto miles de veces a La Ventura, pero no he visto al tipo raro de la barba y la túnica. Casi llegué a creer que había soñado ese encuentro, que no fue más que una alucinación de borrachera, pero aquí está la brújula sobre la mesa de mi estudio para confirmar con su presencia la realidad de la historia.

El caso es que tomé la decisión de no perseguir a aquel hombre, de no llamar, no presentarme en su casa, no enviarle cartas, no escribirle poemas, no extrañar el calor de sus manos, el olor de su cuerpo, el reflejo del mío en su mirada. Antaño, siempre que había recurrido a una de esas tácticas, él había vuelto a mi lado con la misma actitud de quien te hace un favor, de quien te salva la vida porque le das pena y porque si él no vuelve contigo te quedarás sola, ya que no vas a encontrar a otro que te aguante teniendo en cuenta lo loca que estás y lo mala persona que eres. Sin embargo esta vez no hice nada por recuperarle, más bien al contrario. ¿Cómo decía el tango? «De pie, sobre el más negro, el último peldaño que alcanza mi existencia, el más débil y oscuro, desde allí, con tristeza, contemplo tu partida y dejo que te vayas...» Y así, escribí su nombre con tinta negra en un trozo de pergamino, la caricia deseada, dos sábanas, dos piernas, lo enrollé, lo introduje en una botella, la sellé con la cera de una vela negra derretida para la ocasión, la metí en el bolso junto con un cucharón de sopa, el monedero y las llaves, lavé mis manos sucias en las tranquilas aguas de la esperanza buena, cogí el metro, quijotesca y absurda emprendí la cruzada, me bajé en la estación de Cua-

tro Vientos —a la que nunca regresé—, busqué un descampado, arrastrábamos juntos un pasado de ruinas, cavé
un hondo agujero con ayuda del cucharón, enterré la botella, tu mente estuvo grávida de oscuros apetitos, y regresé
a casa decidida a no volver a mencionar jamás, ni siquiera
por escrito, el nombre de aquel hombre, el mismo que ya
nadie lee en un papel encerrado en una botella enterrada
en un descampado en la zona de Cuatro Vientos, y dejo
que te vayas, y dejo que te vayas...

6 de octubre.

Mi vecina Elena (la misma que vomitó el Ovoplex y que detecta en los catálogos las tripas retocadas con aerógrafo) me
contó que cuando quería barrer la casa no le quedaba otro
remedio que colgarse a Anita de la mochila de paseo porque
si la dejaba en la cuna o en el cuco no paraba de llorar. Ahora
mismo, por cierto, has cerrado los ojos y esbozado una sonrisa de profunda satisfacción sin que te preocupe lo más mínimo la escoliosis que me estás causando (o que más bien estás agravando, porque ya me la había causado antes el
embarazo y mi consiguiente transformación de chica tetona
en monstruo de feria). Y sí, sonríes, sonríes desde que naciste.

Sonríes por mucho que la gente se empeñe en repetir
—presuntamente cargada de razón— que los bebés sólo
pueden sonreír a partir de las seis semanas, según afirman
los médicos y los psicólogos.

Tú sonríes cuando estás tranquila o cuando te despier-
tas y me ves, momento en que me dedicas un festival de gui-
ños y balbuceos, supongo que para hacerte perdonar los

lloros con los que arremeterás más tarde. Pareces encantada y aliviadísima al comprobar que no he desaparecido por la noche. Debe de darte mucho miedo perderme, porque tu padre asegura que cuando dormimos siempre estás agarrada a un rizo de mi pelo o tocándome la cara para comprobar que sigo ahí. (Sí, duermes en mi cama, práctica radicalmente desaconsejada por el inevitable doctor que escribe libros, pero después de despertarte a las tres de la mañana te niegas en rotundo a volver a tu cuna, y no estoy yo a esas horas como para intentar hacer entrar en razón a un bebé, así que te acuesto conmigo, única forma de que aguantemos las dos tranquilas hasta las siete.)

A los que dicen que no puedes sonreír (a los de antes) les respondo con estos dos argumentos: el primero, que si puedes llorar y hacer pucheros no veo por qué no vas a poder sonreír, si al fin y al cabo el mismo esfuerzo supone curvar las comisuras de los labios hacia arriba que hacia abajo. Y el segundo, que hace poco un científico inglés probó, gracias a las ecografías de última generación, que los bebés sonríen ya en el vientre de su madre, con lo cual resulta evidente que la sonrisa es un gesto innato y no un reflejo aprendido, hecho que de todas formas ya se daba por sabido porque los bebés ciegos sonríen. Además, hace nada unos japoneses probaron también que los fetos de cuatro semanas ya tienen actividad cerebral y responden a estímulos externos (lo vi hace muy poco en el telediario). Es como cuando, por fin, la ciencia médica reconoció que los fetos pueden comunicarse con la madre desde el útero después de siglos de hacer oídos sordos a todas las madres que afirmaban lo evidente: que el niño respondía tranquilizándose si ellas le hablaban o pegando patadas si ellas lloraban, error médico producto de una sociedad machista que prefería hacer caso a doctores varones que nunca han estado embarazados antes que a mujeres que sí sabían de lo que hablaban. El silencio de unas afirma las causas de otros.

Y así acabó una relación que había durado cuatro años y que apenas me dejó nada, ni huellas, ni pisadas tras de sí. En la distancia, ahora, parece como si se tratase de una historia que le sucedió a otra, algo leído en una novela barata, un enredo tonto y predecible alrededor de una mujercita boba y sufridora de las que suelen protagonizar los telefilmes de sobremesa.

Miento, algo dejó aquella historia: un miedo terrible a volver a amar, indeleble veneno de experiencias pasadas.

Aquel problema en particular, el que tenía nombre de varón, había acabado, pero eso no quería decir que mi vida estuviera libre de problemas. Sólo acudí una vez al grupo de apoyo de maltratadas que el profesor me había recomendado, y no tuve valor para decir qué me había llevado allí, una vez más me excusé en la presunta labor de documentación para un futuro libro (*Maltratadas: el retorno*, supongo). Las historias que escuché eran tan parecidas a la mía que casi daban miedo. Hombres que bebían mucho, que negaban abiertamente los ataques utilizando este mecanismo de luz de gas para que su mujer acabara pensando que era ella la que estaba loca; hombres que atribuían a su mujer la responsabilidad de sus propias conductas; hombres que nunca escuchaban, que no daban cuentas, que no respondían a las preguntas, que manipulaban las palabras de su mujer y las usaban contra ella misma, echándoselas a la cara en las discusiones como armas arrojadizas; hombres que no expresaban sentimientos ni respetaban los ajenos; hombres que nunca ofrecían apoyo en momentos de crisis; hombres que recurrían en los conflictos a los comentarios degradantes, a los insultos, a las burlas o a las humillaciones; hombres con los que cualquier intercambio de opiniones degeneraba en una pelea mayúscula pues no permitían que nadie les llevara la contraria; hombres que insistían en considerar a su mujer desequilibrada, estúpida o inútil excepto cuando ella estaba a punto de dejarlos, momento en que parecían olvidar lo poco que la valoraban; hombres que un día las miraban con desprecio y las culpaban de todos sus males para considerarlas al siguiente sus únicas razones de vivir, y vuelta a empezar después, adorándolas y odiándolas alternativamente, en un continuo subeybaja emocional que las dejaba desconcertadas e indefensas, incapaces de reaccionar ante los insultos y las amenazas; hombres siempre celosos, que nunca ofrecían explicaciones de sus actos, que se hacían las víctimas en público asegurando que eran ellas las celosas, las posesivas, las agresivas, las histéricas; hombres cuyo control estaba siempre justificado por las buenas intenciones y mujeres que siempre acababan por justificarlos y que aseguraban que, a pesar de todo, seguían queriéndolos. Exactamente igual que yo. Pero no, yo no era una maltratada, a mí nunca me habían pegado, yo no era una maltratada.

7 de octubre.

Esta mañana el efecto sedante de la oxitocina brilló por su ausencia y casi me entra un ataque de nervios. Y esto me pasa por soberbia. Cuando vino a casa Elena, la vecina, a traer el saco de ropa que has heredado de Anita, estuvo hojeando el libro *Vamos a ser padres,* que es una de las doce (sí, doce) obras sobre embarazo que devoré mientras te llevaba

64

dentro, y entonces leyó en voz alta un párrafo que venía a decir que casi todas las mujeres experimentaban depresión posparto, aunque a unas les duraba un día y a otras una semana. Y yo fui tan estúpida como para pavonearme de que no había tenido depresión posparto ni parecía que la fuera a tener. Pues bien, esta mañana, en el mismo momento en que estaba ordenando la ropa que Elena ha traído, me he encontrado de pronto pegándole gritos a tu padre por una estupidez tan grande como que no encontraba el conector del teléfono (que se había llevado mi amiga por equivocación, como descubriría más tarde) y de pronto me puse a llorar a moco tendido y a berrido limpio porque a mi alrededor todo está hecho un asco y porque me siento incapaz de ocuparme a la vez de poner orden en la casa, en tus horarios, en el correo y en todas las facturas que me esperan acumuladas sobre mi mesa de trabajo, y porque debo una pasta a Hacienda, y porque al paso que vamos tú vas a acabar heredando mi hipoteca y no sé cómo demonios voy a poder pagarla, y porque estoy cansada, y porque me duele mucho todo el cuerpo, y porque quiero una niña que no pida estar todo el día en brazos y un compañero con un trabajo y unos ingresos, que no me deje sola cada mañana contigo porque se marcha a un curso de español, y porque tú, al verme llorar, te pusiste a berrear también, y porque aquello había derivado en un pandemónium atronador de berridos. Así que te dejé en brazos de tu padre y me fui a llorar a mi cuarto. Y lo que me avergüenza reconocer aquí es que llegué a tener celos de ti, porque tu padre se dedicó a intentar consolar tu llanto y no el mío. Lo mismo que hizo en el paritorio: cuando por fin saliste, después de que yo me hubiera tirado mis buenas veinte horas dilatando, se fue inmediatamente tras de ti, con el pediatra y la comadrona, y no me hizo maldito el caso. Ni felicitaciones, ni loas ni alabanzas por el valor demostrado, ni siquiera una sonrisa de comprensión y apoyo. Desapareció en tu estela, hechizado como una rata tras el flautista de Hamelín.

En fin, que allí me quedé, tirada en la cama, hundida en la más negra ciénaga de autocompasión, hasta que recurrí a un libro que me leí como unas cinco veces mientras estaba embarazada y en el que busqué los síntomas que se supone describen la depresión posparto y que, siempre según la señora autora, son:

— Estoy siempre irritable.

— No puedo dormir.

— Me cuesta pensar.

— Estoy siempre nerviosa.

— Tengo náuseas.

— Me siento culpable.

— Me siento fea.

— Mi vida es un fracaso.

— Ya no me interesa el sexo.

— Lloro a la mínima.

— Todo me preocupa.

— No puedo dejar de comer.

— Estoy siempre cansada.

— Todo me da miedo.

— Me siento sola.

— Me siento avergonzada.

— No siento nada.

(Aprovechando que parecías haberte quedado dormida te he dejado en tu cuco y me he levantado a desayunar —es la una y diez y no he podido hacerlo hasta ahora porque no he sabido cómo desenvolverme contigo en brazos— y a hacer la comida. A los diez minutos te has puesto a chillar histérica porque, no sé cómo, ni merced a qué extraño radar interno, te has dado cuenta de que me he ido y no te has callado hasta que me has visto llegar para cogerte en brazos, bicho chantajista.)

La verdad es que los síntomas que describen la depresión posparto me los podía haber aplicado a la depresión preparto, pues más o menos durante todo el embarazo me sentí fea, gorda, confusa, asustada, nerviosa, sola, fracasada, llorosa, mareada, irritable, cansada, avergonzada... Eso sí, no se aplica el «me cuesta dormir» porque a mí no me costaba lo más mínimo, es más, no deseaba otra cosa que dormir, soñar acaso, que diría Hamlet, y me quedaba traspuesta a la mínima, en cualquier parte, en el tren, en el autobús, en salas de espera de aeropuertos, frente a la tele o en mitad de la lectura de un libro que acababa por caérseme de las manos.

Yendo más lejos, podría incluso decirte que los síntomas antes expuestos describirían cómo me he sentido durante prácticamente toda mi vida: fea, gorda, confusa, asustada, nerviosa, sola, fracasada, llorosa, irritable, cansada, avergonzada... eso sin estar embarazada ni recién parida.

Y es que la otra que llevaba dentro de mí no dejaba de darme la brasa todo el día: «¿Por qué no comes, Eva? Para adelgazar. Pero, ¿para qué adelgazas, Eva? Coño, aquí me has pillado. ¿Para qué adelgazo? ¿Para estar guapa? No, porque con el complejazo de tetona que tengo nunca me voy a sentir guapa. ¿Para gustarme un poco más? No, porque me odio de cualquier manera. ¿Para gustar a los demás? No, porque no les voy a gustar de ninguna manera. No sé para qué quiero adelgazar. Entonces, ¿quieres adelgazar, Eva? Creo que no quiero adelgazar, simplemente quiero no comer. ¿Quieres morirte, Eva? A veces. ¿Ahora te quieres morir? Ahora no, porque estoy escribiendo. ¿Cuando dejes de escribir querrás morirte? Puede que sí. ¿Hasta dónde quieres llegar, Eva? No lo sé. ¿Quieres desaparecer? Sólo a veces. ¿Crees que estas preguntas que te hago te sirven de algo? Lo cierto es que no. ¿Entonces por qué me prestas atención, por qué sencillamente no cierras los ojos, piensas en otra cosa y me haces desaparecer? Porque no puedo controlar esa parte de mí que me habla, me interroga, me juzga... O sea, porque no puedo controlarte a ti. ¿Quieres que desaparezca? No, porque me dejarías sola. ¿Crees que un psiquiatra te puede ayudar? No o al menos no podría si yo no pongo de mi parte. Perfecto, entonces, ¿estás dispuesta a poner de tu parte, Eva? No.»

Y así la otra que llevo dentro, porque siendo una soy también dos, me machacaba y me machaca, y no tiene pues nada de extraño que entonces y ahora me sintiera como me siento: fea, gorda, confusa, asustada, nerviosa, sola, fracasada, llorosa, irritable, cansada, avergonzada. ¿Por qué? Porque me lo merezco. Porque yo lo valgo. Porque hoy es hoy.

¿Es esto una depresión posparto?

Copio del libro: «La depresión posparto afecta entre el cincuenta y el ochenta por ciento de las mujeres en el primer mundo y repercute en un tremendo síndrome de abstinencia pues, después de que nazca el bebé, se produce un drástico descenso hormonal. Los niveles de estrógeno en sangre, que se habían elevado hasta el mil por ciento durante el embarazo, caen, un día después del alumbramiento, hasta los niveles normales.»

Y el efecto de un cambio tan radical (esto te lo explico yo, que el libro no lo dice) es el mismo que el de un síndrome premenstrual, pero multiplicado por un millar. Por otra parte, la placenta ha estado durante nueve meses estimulando la producción de endorfinas, que son opiáceos naturales, es decir, Prozac de lujo no imitable en laboratorio. Así se explica por qué tantas toxicómanas pueden dejar de tomar drogas durante el embarazo sin esfuerzo aparente (fenómeno de cuya existencia me enteré cuando entrevisté a las chicas de *Enganchadas*), o que las anoréxicas y las bulímicas vuelvan a alimentarse de forma normal durante los nueve meses de gestación. O cómo yo, que había recurrido sin éxito a todo tipo de métodos para dejar de beber, desde la hipnosis al autoencierro, no bebiera ni una sola gota de alcohol desde el día en que me tomé dos copas de vino con Consuelo para celebrar la noticia y vomité hasta la primera papilla. Pero cuando una pare, amén de expulsar al bebé, expulsa también la placenta, así que, tras el parto, adiós a la producción extra de endorfinas y vuelta a tu antigua vida.

Según esto, la depresión posparto no es otra cosa que un mono de endorfinas y de estrógenos agravado por factores como la falta de sueño, el cambio hormonal, el aislamiento, el cansancio y el lógico temor ante el cambio de vida radical que se avecina, y en base a esto, los hechos acaecidos y el exterior circundante nada tienen que ver con la tristeza.

Conclusión (aplicable a todo el género humano): la tristeza es una sensación antes que una reacción. Lo razonable nada tiene que ver con lo sensible.

Dicen que el verdadero sabio es el que aprende a ser feliz, o al menos a ser sereno, porque dispone su vida acorazándola desde la razón de modo que los desaires y desastres le afectan en lo mínimo posible. Pero no son tanto los acontecimientos como la forma de percibirlos lo que nos hace felices o desgraciados, y en la percepción no cuenta tanto la razón como la sensación. O sea, que uno no es feliz porque sepa que tiene motivos para serlo, es feliz porque así lo siente, y así lo siente en función de factores que se nos escapan, que tienen mucho más que ver con la biología o con el plan divino que con nuestras propias y pobres armas racionales. De forma que ¿habría que aislar el momento, ser feliz cuando se puede, enjaular al pensamiento en la sensación excluyendo cualquier otra aspiración? No, no creo. El único modo de superar la sensación es mediante la razón, decirse «esta sensación no es real, no responde a un motivo serio y, por tanto, debo sobreponerme». Lo que me aterra de todo esto es que cuando llegue a ser feliz piense lo mismo, que te mire y me diga: «este amor no es real, no es más que un truco biológico». Pero entonces toda la vida, MI vida, lo bueno y lo malo, no sería más que una ilusión o un fantasma. Porque si repudiamos el sufrimiento, abdicaríamos también de la felicidad: es la teoría del yin y el yang.

En cualquier caso, déjame decirte que depresión, lo que se dice depresión aguda, ya la había vivido antes de gestarte, y que además, si tomamos como indicadores los antes citados, resulta que yo me he pasado media vida deprimida. Y que, sinceramente y con la mano en el corazón, por mucho que ahora esté irritable e histérica y haya momentos en que me pongas de los nervios, creo que me prefiero ahora a como estaba antes de tenerte, y resulta increíble pensar que no querría mejor vida que estos lentos minutos pasados junto a ti, esta inacción sin salidas, enganchada al teclado y a tus berridos, este abandono de antiguos propósitos formados y ahora inconcebibles desde que tú existes. Este ocaso de la voluntad, antaño dispersa entre tantos esfuerzos vanos y ahora centrada en tu presencia y en lo que sobre tu presencia escribo.

Para cuando leas esto ya te sabrás de memoria el cuento de Blancanieves (porque yo me encargaré de contártelo por las noches) y ya sabrás que su madrastra tenía un espejo mágico en el que se miraba todas las mañanas (*It was a mirror framed in brass, a magic talking looking glass...*) y al que le preguntaba quién era la más bella del reino. Invariablemente, una voz desde el azogue le contestaba: «Tú, mi reina.» Hasta el día en que el espejito de marras, harto de repetirse, se salió por la tangente y le dijo aquello de que su hijastra era más bella. Y en ese mismo instante comenzó la ruina de la reina.

Todas las brujas tienen un espejo. También tienen, puestos a enumerar, una vara, un pentáculo, una campana y una daga. ¿Y una escoba? No, la escoba no es necesaria, en realidad era una forma de esconder la vara de avellano, por si se pasaba por casa un inquisidor, tú ya me entiendes.

Ahora cualquiera tiene un espejo, pero entonces, en los tiempos de Blancanieves, los espejos eran raros y caros. Mucha gente moría sin haber visto nunca su propio reflejo, sin saber cómo era su cara.

¿Y por qué tenían las brujas un espejo? Porque el primer conjuro que una bruja debe realizar es el de encantarse a sí misma en los dos sentidos de la palabra. Debe mirarse al espejo cada mañana y repetirse siete veces (ya sabes que siete es un número mágico, por algo tú naciste a las siete en punto): eres bella, eres adorable, formas parte del universo. Y este primer encantamiento le proporcionará la fuerza suficiente para poder realizar después cualquier otro hechizo.

Muchos terapeutas que nada saben de brujas ni de magia recomiendan lo mismo a sus pacientes. Lo sé porque cuando fui a aquella terapia para mujeres maltratadas se lo escuché a la psicóloga que dirigía el grupo. Había que levantarse cada mañana, plantarse desnuda frente al espejo y decirse «te quiero» a una misma. Como suena.

Yo lo intenté, pero me fue imposible. ¿Cómo iba yo a querer a ese ser deforme, de caderas anchas como el canal de Panamá, con semejantes ubres colgantes y aquellos rollos de grasa que destacaban flácidos allí donde deberían estar los abdominales? Mi espejito me estaba diciendo que yo no era la más bella, y yo era incapaz de decirme «te quiero» porque no me llevaba bien con la chica que vivía al otro lado del espejo, y por eso yo había perdido el poder sobre mí misma y se lo había cedido al primero que vino reclamándolo.

Y por eso me había embarcado en aquella estúpida historia que fue a la vez reposo y amenaza, porque los ojos en los que me miraba un momento eran tiernos y al siguiente reflejaban la fijeza del odio en las pupilas de vidrio, porque el afecto o su necesidad o su deuda acababan por pesar como grilletes, porque se aceptaban con calma los insultos y los gritos cuando pensaba, equivocada, que el rencor dolía menos que el olvido. Pero si alguna vez el deseo ofreció delicias llegaron a la boca envenenadas por el sabor amargo de la desconfianza. Y así vivía exhausta, al borde de morirme de mí misma por recordar al otro a cada instante como el ciego recuerda la luz. Ciega, sí: ya no tenía ojos porque sólo veía a través de los de otro, condenada a repetir en un laberinto de espejos el mismo dédalo sangriento y angustioso que tantas otras amantes dóciles, sumisas, sufridoras y abnegadas recorrieran antes que yo, sin encontrar jamás la salida, sintiéndose como sombra, sin peso, como si la propia presencia fuera apenas vibración leve en el aire inmóvil: retrato, copia, calco, reflejo, refracción de cristal, figura proyectada, doble, eco... pero no yo, no mi persona.

Y para verme a mí misma tenía que desechar todas esas imágenes, y quedarme con la imagen dibujada en la última soledad, en la más íntima, sin fusiones ni dobles. Aquella en la que otro no participara.

8 de octubre.

¿Cómo pretende alguien que escriba si te tengo que tener en brazos todo el rato? He probado a poner el cuco en la mesa, al lado del ordenador, de forma que me puedas ver, pero no es lo mismo. Reinterpretando a Breton, tú has decidido que «será en brazos, o no será» y ya no es que resulte de lo más heroico teclear y mantener al mismo tiempo en el regazo sin que se caiga una niña que pesa 4,200 kg, sino que además no puedo levantarme para ir al baño o a picar algo o coger el teléfono sin exponerme a una de tus rabietas. Estás perfectamente tranquila hasta que notas que he desaparecido de tu radio de visión, o quizá debiera escribir radio de olfato o audición, porque tengo entendido que lo que se dice ver, no puedes ver mucho, apenas unas manchas de color. Entonces empiezas a llorar: primero unos leves gemiditos de advertencia y luego, si no te he hecho caso, un berrido histérico y desconsolado. Sé que te dormirás plácidamente cuando llegue tu padre, así como hacia las dos, y él te encontrará toda mona soñando tranquilita en tu cuna y por tanto no me creerá cuando le diga que te has pasado cuatro inmisericordes horas despierta, martirizando a tu pobre madre. Tienes suerte de ser tan guapa (y no es pasión de madre, eres un bebé precioso: cuando fuimos a pesarte en la farmacia a todas las señoras, farmacéutica incluida, se les caía la baba), porque si ahora tuvieras la cara de tu prima Laura a tu edad (que parecía, te lo juro, una réplica de ET), seguro que no se te consentía tanta tontería. Lo dicho, y van tres: anatomía es destino.

Muchas de nosotras tenemos que mirar hacia afuera para atrevernos a mirar dentro y esperamos de los demás que nos valoren para poder así valorarnos nosotras mismas, lo que, inevitablemente, nos deja con el regusto amargo de sentirnos utilizadas e invadidas. Y permitimos esta invasión por miedo y por culpa: miedo al rechazo, a no gustar, a no estar a la altura de las expectativas del otro, y culpa cuando no se está. Porque tememos el rechazo de los demás permitimos que violen nuestros espacios y fronteras emocionales. Así confundimos amor con sumisión, intimidad con posesión, afecto con culpa, chantaje con deber, sexo con violencia, control con pertenencia.

Y es que del amor al odio media un paso o un tabique de obra, ya lo decía Chrissie Hynde: *There's a thin line between love and hate.* De la misma manera, una línea muy difusa hace de frontera entre un abuso y una relación de inconveniencia, y es muy difícil a veces establecer la diferencia, sobre todo si se trata de una diferencia que la afecta a una muy directamente.

Te pongo un ejemplo: en los años ochenta, cuando aún me paseaba por Madrid con la túnica negra y las muñequeras de pinchos, yo era fan pero que muy fan de Prince (antes de que se quitara el nombre primero y se hiciera testigo de Jehová después, y pese a que a Sonia y a Tania les pareciera una horterada) y me vi no sé cuántas veces *Purple Rain*, que no era exactamente una joya del séptimo arte, pero en la cual, qué diablos, salía Prince en tres cuartas partes del metraje. Pues bien, recuerdo una escena en la que Apollonia Kotero, recién estrenada novia de *El Chico* (ergo, Prince), se presentaba en la casa de su amor, toda contenta y pizpireta, a regalarle una guitarra y, de paso, a comunicarle la buena nueva: ha sido contratada como corista estrella de un grupo de chicas. Pero resulta que el factótum del grupo no es otro que Morris, el superenemigo de *El Chico*, así que, sin mediar palabra, *El Chico* le pega tal bofetón a Apollonia que la tira literalmente al suelo. Primer plano de una estupefacta Apollonia acariciándose la mandíbula no se sabe bien si porque le duele o para comprobar que no se le ha desencajado. Por fin se levanta como puede sobre sus tacones de aguja y se marcha indignada, recomponiendo la postura y la poca dignidad que le queda. Pero ¿te crees tú que se va derechita a la policía a denunciar a *El Chico*? No, qué va.

Apollonia enfila sin dudar hacia el club de moda para cantar, ligerita de ropa, *You are my sex shooter*, que es lo suyo. Es más, al final de la peli Apollonia y *El Chico* terminan juntos y acarameladísimos, como se veía venir (no se iba a quedar Prince solo, vamos, es lo que faltaba), y eso que aún la tira al suelo una vez más antes de que la cinta se acabe. Y nunca, jamás, le pide disculpas.

Y a nosotros, los de entonces, que ya no somos los mismos porque unas viven en Nueva York y con el otro ya no me hablo, no nos parecía que hubiese nada raro en aquella relación. Ni a mí, ni a Sonia, ni a Tania (a las que arrastré al cine pese a sus protestas, y que sólo entraron en la sala cuando comprobaron que ningún conocido del barrio las había visto), ni siquiera a David Muñoz, que se vino a ver la peli con nosotras (pues a él también le gustaba Prince, porque sólo a un hortera al que le gustan Los Secretos y a una tarada como yo les podía gustar Prince, o eso decía Tania) puesto que, a fin de cuentas, estábamos todos más que acostumbrados a vivir historias similares fuera de la pantalla, porque las habíamos visto repetidas en los amores de nuestros padres, de nuestros tíos o vecinos, en los culebrones venezolanos o en nuestros propios rollos de verano. Y no hablábamos de abuso y sí de amor, de pasión o de «qué pedo me cogí anoche, ni te imaginas cómo acabé, qué bronca más absurda...».

Pocos años más tarde se emitió en televisión un programa que presentaba Jesús Puente y que se titulaba «Lo que necesitas es amor». Se suponía que si tu pareja te había abandonado, tú ibas al programa y desde el plató le suplicabas en público la posibilidad de una reconciliación. Luego tu amor emergía de detrás de un decorado con un bonito fondo de violines de acompañamiento y, frente a toda España, te daba un sí o un no, normalmente un sí, que pa' eso estamos en la tele y pa' eso hay un presentador tan majo y que se pone tan contento cuando las parejas se reconcilian. No sé ni cuántos casos hubo de señor que reconocía haber pegado a su legítima pero que decía que aquello era cosa del alcohol y la mala vida y que no lo iba a hacer más. ¿Y tú te crees que alguien le decía a la buena y sufrida mujer: «Cuidado, señora, que un maltratador siempre reincide, que si lo ha hecho una vez lo va a seguir haciendo y que éste que dice que la quiere no la quiere nada y no es más que un hijo puta, por no decir un psicópata»? Pues no, casi siempre se reconciliaban, porque por la época nadie usaba el término maltratador, ni mucho menos el anglicismo ese de «violencia de género», y porque la pobre esposa solía ser una mosquita muerta a la que, después de tantos años de machaque exhaustivo por parte de aquel cabrón, no le quedaban trazas de autoestima ni arrestos, y sí le quedaba un único remedio: creerse de verdad, la muy ingenua o la muy ignorante o la muy ambas cosas, que si su Paco le había declarado su amor delante de toda España y en la tele, es que esta vez de verdad, de verdad de la buena, estaba dispuesto a cambiar.

Para entonces yo ya había tirado la túnica a la basura y había perdido la muñequera en algún bar de aquellos que tenían las paredes pintadas de negro, y ya me había leído algún que otro libro feminista sobre la necesidad de redefinir las relaciones de pareja, y también me había indignado después de ver tres veces el programa, hasta el punto que llegué a enviar enfurecidas cartas a Antena 3 exigiendo el fin de su emisión. Cuando lo explicaba en la facultad o en los bares, compañeros y amigos me tachaban de loca o exagerada, y recuerdo muy bien cómo alguno (el propio David Muñoz, si no me falla la memoria) llegó a decirme: «Una chica que está tan buena como tú, ¿qué necesidad tiene de ir por ahí de feminista?» Ojo, que hablamos de 1995. Anteayer, como quien dice.

76

Otra sobre la tele. Este mismo año en «Gran Hermano». Yo nunca he visto ese programa, pero no me hace falta, puesto que los momentos estelares los repiten hasta la saciedad en los programas de *zapping* y uno de esos grandes momentos Nescafé era el que sigue: una chica va persiguiendo por toda la cocina a otra, acosándola verbalmente y yo diría que insultándola: «Porque eres una maleducada y una soberbia y una engreída y... ¡Y no te quedes ahí callada! ¡Hazme caso! ¡Respóndeme!» La otra intenta ignorarla y fustigarla con el látigo de su indiferencia, pero la primera la sigue como un perro de presa hasta que la que era una maleducada, y una soberbia y una engreída se sirve con la mayor parsimonia un vaso de agua en el fregadero y, de pronto, se da la vuelta, y ¡zas!, se lo tira a la cara a la que reclamaba a gritos una respuesta, como si le dijera «aquí la tienes». Recién recuperada del susto, la atosigadora, tan empapada como indignada, persigue a la empapadora a gritos por todo lo largo del pasillo: «¡Hija de puta! ¡Si esto me lo llegas a hacer en la calle te corro a hostias!» ¿Era acoso verbal lo de la una? ¿Fue agresión la respuesta de la otra? ¿Y los gritos finales?, ¿se podían calificar de amenazas? Ni idea, nadie se pronunció al respecto, pero sí te puedo decir que por algo parecido echaron en una edición pasada a un concursante masculino que le pegó un empujón a una chica, en este caso su novia. Por el contrario, en el suceso de la regadora y la regada, la dirección del programa ni echó a nadie ni tomó cartas en el asunto. Se deduce que, por tratarse de dos chicas en lugar de chica y chico, no se exigían paternalismos ni intervenciones.

¿Qué te quiero decir con todo esto? Que a veces es muy difícil encontrar culpables o atribuir responsabilidades o definir qué es amor, qué es masoquismo y qué es la reacción aprendida después de años y años de condicionamiento cultural y/o familiar, porque la mayoría de los humanos estamos condenados a repetir, consciente o inconscientemente, lo que vivimos o aprendimos en la infancia.

O que yo nunca quise verme como una víctima, y creo que esa actitud tampoco me habría ayudado.

¿Y por qué te estoy contando esta historia? Pues porque, como verás más adelante, el hecho de haber tocado fondo en la piscina y remontar hacia la superficie influyó muy directamente en tu concepción. Pero aún no hemos llegado a eso. Ten paciencia, querida, que al fin y al cabo lo inmenso es la categoría de cada minuto, porque cada minuto contiene el germen de otra cosa futura, antesala a su vez de infinitud, y así porque cada cosa inevitablemente lleva a otra y cada minuto al siguiente, todos somos el fruto de los actos —de amor o no, en tu caso de amor— que nos preceden. No puedes entender tu historia si no entiendes primero la mía, aunque en principio no parezca que tengan mucha relación estas líneas que escribo con tu vida.

9 de octubre.

«Octubre es el mes de las buenas manzanas / octubre es el mes de los viejos recuerdos / y todas las cosas buenas suceden en octubre.»

Estos versos los escribí con trece años y los recupera la memoria, porque el cuaderno en el que escribía mis poesías lo tiré hace tiempo para bien o para mal (sospecho que para bien). Pero esta mañana me he levantado con una nube negra encima de mi cabeza y con la impresión de que este octubre será el profético inicio del invierno de mi descontento y que no habrá sol, ni de Madrid ni del Caribe, capaz de animarlo.

Me acuerdo que Sonia la actriz (también conocida como «*Sweet* Sonia» por lo cariñosa que es, nada que ver con mi antigua compañera de clase, que es Sonia la fotógrafa, también conocida como «*Slender* Sonia» por lo delgadísima que está, ni con Sonia la guionista, también conocida como «*Suicide* Sonia» debido a su conducción temeraria, ni con Sonia la DJ, también conocida por «*Senseless* Sonia» por su afición a los éxtasis...) me escribió un *e-mail* cuando me quedé embarazada en el que decía:

«*Vete preparando para los primeros meses. Lo que llaman depresión posparto no es más que una reacción perfectamente lógica y racional al hecho de verte de pronto convertida, de la noche a la mañana, en la vaca lechera de un ser que ni siquiera sabe sonreír para agradecértelo.*»

Estas palabras me las vino a confirmar una desconocida pocos días antes de tenerte a ti. Llevaba yo días de retraso sobre la fecha prevista de parto, me dolía todo el cuerpo y casi no podía andar por culpa de la sínfisis púbica y las contracciones ineficaces (el sentido de estos términos te lo explicaré más adelante) y necesitaba desesperadamente una distracción, así que esa semana fui al cine casi a diario. Y por casualidad me encontré en la cola del cine Ideal a mi agente, que por fortuna no se llama Sonia y que tiene un niño de más o menos un año. «Querida», le pregunté ansiosa, «¿son los primeros meses tan malos como dicen?». Con la mejor de sus sonrisas empezó a decirme: «No, mujer, no es para tanto...» Pero este intento de tranquilizarme se vio bruscamente interrumpido por el comentario de la chica que le acompañaba, en la que hasta entonces no me había fijado. «Ni cassso, osssea, ni cassso a ésta. ¡Es horrible! Osssea, como que te suicidas, tía, de verdad...» Resultaba tan tremendo el contraste entre el acento ultrapijo de la desco-

nocida acompañante —acento que suelo asociar a la hipocresía y al respeto estricto por las formas y los convenciona-
lismos— y la cruda sinceridad con la que me advertía que
no pude evitar creerla a ella antes que a mi muy bieninten-
cionada agente, y me marché a casa aterrada, previendo lo
peor.

Vale, no ha sido tan terrible, en absoluto, pero eso no
quita que a veces me levante como hoy, convencida de que
voy a ser incapaz de salir adelante contigo y con la vida en
general. Tu padre cogió la gripe, me la contagió a mí y me
temo que te la hayamos pasado a ti, porque ayer no hacías
más que quejarte no sabemos por qué y yo estoy agotada y
además me duele la garganta y cada uno de los huesos, por
no hablar de las hemorroides, que es un tema del que se supone que no se habla pues se sufre en silencio. Dice en la
guía *Vamos a ser padres* (sí, la misma que aconsejaba que avi-
saras a tu abuela tras la amniocentesis para que se pusiera a
tejer patucos) que las hemorroides «pueden ser muy dolorosas», pero no dicen que el dolor te puede llegar a paralizar y que excede, con mucho, al de las contracciones del
parto, con la diferencia además de que las contracciones
del parto sirven para algo. Excepto las ineficaces.

La psicóloga que dirigía el grupo de apoyo me atendió
muy amablemente y me regaló una guía de actuación
editada por la Comunidad de Madrid en la que leí cuáles
eran las secuelas del maltrato y cómo muchas mujeres las
vivían incluso años después de que la relación hubiera acabado:
— Autoestima pendular.
— Miedo.
— Estrés.
— Conmoción psíquica aguda.

— Crisis de ansiedad.

— Depresión.

— Desorientación.

— Incomunicación y aislamiento.

— Bloqueos emocionales.

— Complejo de culpa y asunción de la responsabilidad de los sucesos.

— Desmotivación, ausencia de esperanza.

— Trastornos alimentarios severos.

— Trastornos del sueño.

— Irritabilidad y reacciones de indignación fuera de contexto.

Me describían punto por punto: por entonces me odiaba y me acometían cada dos por tres todo tipo de tentaciones suicidas pensando que mi vida no servía para nada, ni para mí ni para nadie que me rodeara; se me ponía el corazón en la boca cada vez que campanilleaba el timbre del teléfono más allá de las diez de la noche, no te quiero describir ya si lo que sonaba era el pitido del telefonillo del portal; lloraba por cualquier cosa: si se retrasaba un autobús, si tenía que corregir un texto o si se me quemaba el cazo de la leche; no podía ir en metro porque de repente me asaltaba una claustrofobia aguda que me impedía respirar, como si se me hubiesen bloqueado de pronto las vías respiratorias, además me perdía siempre en los pasillos y al final no acertaba a recordar ni adónde quería ir ni de dónde venía (el viaje a Cuatro Vientos constituyó una afortunada excepción); me había quedado sin amigos porque no quería hablar con aquellos empeñados en decir que pobrecito él y que había que ver lo mal que le había tratado yo, así que había dejado de llamar a muchos de ellos, cuando no de devolverles el saludo, con lo cual me gané una fama de borde y maleducada que no te quiero ni contar, fama merecida, porque de repente me dominaban unos accesos de rabia injustificada

81

y lo pagaba a gritos con cualquiera: amigos, perro, portero o señor que me empujaba en el autobús. Y es que yo respondía a mis sentimientos más profundos de odio hacia mí misma, pues me sentía responsable de todo lo que me había pasado y me estaba pasando, volcando ese odio al exterior y traduciéndolo en agresividad, y pasaba por encima de los demás como una apisonadora para luego volver a odiarme por ello, en un círculo vicioso del que no conseguía salir; me sentía incapaz de volver a querer a nadie y, si por casualidad me liaba con alguien, dejaba siempre muy claro que lo nuestro no podía ir más allá de una noche o simplemente boicoteaba la relación poniéndome insoportable; pensaba que todo lo que me pasaba había sido mi culpa, que yo no era una persona a la que alguien pudiera querer, que estaba loca, que no tenía ni puñetera idea de escribir y que lo mejor era que no volviera a hacerlo, y que estaba gordísima. Y lo estaba: había engordado siete kilos en cuatro años a base de intentar calmar la ansiedad con atracones de chocolate, y me daba asco verme en el espejo. Y a todo eso se añadía un problema más: bebía como una cosaca.

El hombre al que una brújula eliminó de mi paisaje bebía mucho, lo que se dice mucho, salía todas las noches y se ventilaba un mínimo de tres o cuatro copas. Pero también bebía de día: las cañas del tapeo, los güisquis para la sobremesa y los carajillos de media tarde. El caso es que a base de seguirle el ritmo yo misma me había convertido, si no en una alcohólica anónima, sí en una borracha conocida, conocida en todos los bares de Malasaña y Lavapiés.

Pero no todo era negro en mi vida. Había perdido un montón de amigos, cierto, pero también conservaba muchos que habían demostrado una lealtad inquebrantable y que me habían aguantado en los peores momentos, cuando gritaba a la menor nimiedad o me ponía a llorar porque se me derramaba la taza de té; estaba redonda, pero no obesa, seguía teniendo una cara bonita y, desde luego, no me costaba ligar; había escrito un libro del que me avergonzaba, pero al menos había conseguido publicarlo; me había quedado sin novio, pero había ganado en tranquilidad; tenía casa propia (o que llegaría a serlo algún día, porque en realidad la casa era del banco), un perro al que adoraba, varios trabajos (por más que malpagados) y, sobre todo, tenía ganas de vivir, no demasiadas ni exultantes, pero desde luego muchas más de las que tuviera antes, pues por cada pensamiento suicida que surgía dentro de mí había dos momentos en los que pensaba: «Esto se puede arreglar, las cosas se pueden arreglar, todo puede ir a mejor.» Porque como te he escrito antes no disponemos de más armas que la razón para combatir los sentimientos.

10 de octubre.

Te explico lo que son «contracciones ineficaces». Son las que tuve yo durante casi un mes antes de que nacieras. Son muy fuertes y se diferencian por su intensidad de las «contracciones de Braxton-Hicks», que son, por así decirlo, unas contracciones de prueba, poco dolorosas, con las que el útero se va entrenando para el parto y que se notan desde el octavo mes de embarazo. Las que yo sufría, sin embargo, eran serias, de esas que te hacían doblarte en dos de dolor, pero resultaban ineficaces porque la capacidad de contracción del útero estaba disminuida y eran movimientos demasiado débiles como para dilatar el cuello de la matriz. Creo que a esto se le llama distocia uterina. En fin, el caso es que me tiré días doblada de dolor antes de llegar a parir. Cuando le conté esta historia a Miguel Hermoso me hizo una metáfora preciosa, me dijo que él conocía otro tipo de contracciones ineficaces: las que uno experimenta cuando escribe un guión por la noche y se siente convencido de que está escribiendo la escena del siglo y de que ya puede dar la obra por terminada para descubrir, a la mañana siguiente y cuando lee la escena bajo otra luz (la del día) y tras haber dormido, que lo que había creado ni tiene originalidad ni hace avanzar la acción ni resulta interesante ni nada, y que lo que se había tomado por el parto de la obra maestra no había sido más que un ataque de ineficaces contracciones... artísticas. Las mismas, me temo, que me llevaron a pergeñar esas novelas que tengo guardadas en el cajón y que algún día te dejaré leer para que veas lo pedante que podía llegar a ser tu madre antes de que siquiera se planteara concebirte, mucho menos escribir para ti.

Habían pasado escasos seis meses desde el asunto de la brújula cuando me invitaron a una fiesta en la que conocí a una chica aparentemente normal y corriente (unos treintaypocos años, rubia, ojos muy claros, sin un 666 tatuado ni un pentáculo colgándole al cuello ni una cabellera que le llegara por debajo de la cintura ni ningún signo externo que delatara algún interés esotérico ni vinculación con lo paranormal). No sé cómo salió a colación el tema de la cartomancia, pero cuando yo le conté que la única vez que me habían leído las cartas la predicción se había cumplido, ella me dijo que siempre llevaba a mano las suyas y que le gustaría hacerme una tirada. Acepté encantada y entonces la desconocida me llevó a una habitación apartada del salón donde la reunión hervía en plena ebullición para, lejos del mundanal ruido, extraer de su bolso dos barajas, una del tarot y otra española, proceder a mezclarlas concienzudamente, extender algunas cartas sobre la mesa, y hacerme las siguientes predicciones:

La primera carta que salió fue la de La Emperatriz, la carta de la fecundidad.

—Vas a ser madre —me dijo—. Está claro. En poco tiempo. Alrededor de un año.

«¡Anda ya...!», pensé yo. Hacía poco me había hecho una revisión ginecológica exhaustiva y el médico me señaló que, si bien no se me podía definir categóricamente como estéril, sí tenía un problema de infertilidad derivado de una endometriosis y de un desequilibrio hormonal. Este problema, según él, se podría solucionar con una intervención y un tratamiento a base de hormonas costosísimo tanto en tiempo como en dolor como en dinero, pero como a mí la maternidad como función biológica tampoco me llamaba gran cosa la atención, había decidido no someterme al tratamiento, de forma que la predicción de la bruja no es que me sonara imposible, pero sí bastante poco probable.

La segunda carta fue una Sota de Copas.

—El padre de tu bebé es más joven que tú —dijo ella.

«Pues sí, bonita...», dije para mis adentros, «mejor que hagas un curso de ofimática, que de bruja como que te veo poco futuro». Y es que en la vida me había liado con un hombre más joven que yo, nunca (o casi nunca, a excepción de mis escarceos con David Muñoz, al que apenas sacaba un mes, cuando aún íbamos a las clases de José Merlo, y eso sólo por darle en las narices a las pijas que babeaban por él y que nos miraban por encima del hombro a Sonia, a Tania y a mí porque no llevábamos Loden). Muy al contrario, tenía tendencia a colgarme de señores que me sacaban diez años, como me los había sacado, sin ir más lejos, el tipo aquel cuyo nombre estaba escrito en un pergamino encerrado en una botella enterrada en un descampado cerca de Cuatro Vientos.

85

A continuación descubrió la carta de El Colgado, pero colocada a la inversa, de forma que El Colgado no pendía, sino que se mantenía en pie.

—No te asustes —quiso tranquilizarme, aunque yo no me había asustado porque, a aquellas alturas de la tirada, creía tanto en las cartas como en los anuncios de la teletienda—. En esta carta se unen, según la Cábala, Hod (la mente) con Geburah (la severidad). En Geburah encontramos todas las órdenes y leyes que rigen en el universo, y una de ellas es la del Karma, que es la ley de causa y efecto. La letra hebrea que corresponde a este sendero es la letra Mem, que significa agua. Otros significados secundarios de la letra Mem son los de Madre Que Concibe y Fecundidad... ¿Me sigues?

Asentí con la cabeza pese a que no entendía nada.

—Por todo esto, yo diría que el padre de tu hijo vive cerca del agua. Un mar os separa.

Acto seguido apareció la carta de El Mago.

—Éste es. Esta carta representa al padre de tu hijo. En su trabajo transforma cosas. Creo que el padre trabaja en un laboratorio, quizá sea científico.

Mi escepticismo se iba convirtiendo en incredulidad pura y dura, porque yo siempre había salido con artistas o presuntos artistas o proyectos de (tres músicos, un cortometrajista, dos aspirantes a escritores y un artista conceptual), pero no con un científico. Nunca me atrajeron los hombres de ciencias, y mucho menos los de ciencias puras. La palabra laboratorio me sonaba a formol, vivisección, ratas abiertas en canal y monstruos de Frankenstein. Sinceramente, empezaba a dudar mucho de la fiabilidad de las predicciones que me estaba haciendo aquella aprendiza de bruja o lo que fuera.

El As de Copas cayó sobre la mesa:

—Éste es El Hogar —me dijo la bruja.

Le siguió La Templanza:

—Esto es un cambio a mejor. En breve vas a hacer reformas en tu casa.

«Esto sí que no», me rebelé yo. La casa la había tenido que reformar de arriba abajo al comprarla —una reforma que acabó, como la mayoría, alargándose varios meses más de lo previsto y excediendo con mucho el presupuesto que se me había ofertado al principio—, y había acabado tan harta de obreros, andamios y pintura como para no plantearme siquiera tirar un tabique o pintar una pared en muchísimo tiempo.

Aparecieron entonces un montón de cartas de bastos en sucesión y, por fin, la carta de El Juicio, invertida:

—Veo enemigos, una situación muy, muy mala. Vas a tener que ir a juicio. Y lo perderás.

«Ya.»

Luego vino La Fuerza:

—Esto es un triunfo, y ahora ya no sé decirte si pierdes el juicio o lo ganas. Quizá quiera decir ambas cosas. Que lo ganes en un recurso o algo así. O que el perderlo te acabe reportando algo valioso.

No es que aquello me sonara imposible, pero tampoco muy plausible, dado que yo no había tenido que ir a juicio en toda mi vida, excepto a los quince años, cuando la que era mi profesora de Historia nos llevó a toda la clase a ver uno como actividad extraescolar destinada a hacer de nosotros, el día de mañana, unos ciudadanos conscientes de sus responsabilidades con la sociedad. Aunque, teniendo en cuenta que la mitad de clase acabó politoxicómana o alcohólica (categoría que nos incluye a Sonia, a Tania, a David Muñoz y a mí) y la otra mitad creo que narcotraficante, la verdad es que no le arriendo la ganancia a la pobre señorita Esperanza en lo que respecta a su fe en la influencia de las actividades extraescolares como parte de la formación de mentes preadolescentes.

Finalmente, la chica rubia acabó diciéndome que, aunque estaba pasando un momento muy malo y pese a que aún me quedaban más malos tragos que apurar en ese año, con el tiempo todo se iba a arreglar y mi vida empezaría a ser muy feliz, pero eso no iba a suceder de la noche a la mañana.

Como conclusión afirmó al ver aparecer una larga sucesión de cartas de oros que, sobre todo, debería confiar siempre en mi trabajo, pues eso nunca me iba a fallar y al final de mi vida me iba a reportar muchísimos triunfos.

En fin, como comprenderás, en principio no me creí ni una sola palabra de lo que aquella chica dijo y la tomé por una farsante que, eso sí, sabía mentir con mucha teatralidad. Me tengo que tragar mis palabras porque las predicciones se cumplieron una a una como se verá más adelante. Excepto la del trabajo, o al menos de momento, porque si lo del éxito de *Enganchadas* se puede considerar un triunfo, casi que prefiero seguir yendo de perdedora por la vida.

Mucho tiempo después, ya con mi escepticismo digerido, estuve buscando a la bruja por activa y por pasiva. Pregunté entre los que asistieron a la fiesta a ver quién podía conocerla o darme rastro de su paradero, pero nadie recordaba a aquella chica rubia ni sabía quién pudo haberla llevado a la casa. La adivina se presentó y se marchó como el mismo azar, con todas sus fuerzas invencibles y sus constelaciones desatadas. Llegó y se fue tan inesperadamente como el mismo destino que anunciaba, esa ley misteriosa que un día se encarna y se hace realidad. Tan inasible y extraña como el azar y el destino, desapareció como si se la hubiese tragado la tierra y probablemente, quién sabe, hoy esté haciéndole compañía en algún universo paralelo al tipo aquel que me regaló la brújula.

11 de octubre.

No tienes gripe, ni faringitis, ni fiebre, ni nada. Te quejabas de puro vicio.

No sé dónde leí que existen dos tipos de madres: las que están hechas polvo y son conscientes de ello y las que lo están pero no lo saben. Ayer el médico le dio un nombre técnico a mi nube negra: «faringitis viral aguda». Te aseguro que en el camino de vuelta de la consulta tenía un ataque de depresión muy serio y no hacía más que pensar en todas las fiestas a las que ya no podría ir, todos los hombres a los que no podría seducir, todos los países a los que no viajaría... De ahí a decidir que soy un fracaso como amante, como madre y como escritora, sólo hay un paso. Intenté con todas mis fuerzas repetirme el mantra que suele funcionar en estos casos: «Concéntrate en lo que tienes y nunca en lo que no tienes.» Pero cuando lo que tienes es fiebre, dolor en las articulaciones, la nariz congestionada por un aluvión de mocos, una especie de nudo de alambre de espino en la garganta y una sensación rara en el estómago, como si te hubieras tragado una docena de sapos, casi es mejor pensar en lo que no tienes. Sí, podría haberme concentrado en lo que tengo: una niña muy guapa, muy sana y que sabe sonreír por mucho que la ciencia médica se empeñe en afirmar que no puede, pero, como de mayor descubrirás, tu madre es un poco tendente a anegarse en un pozo de autocompasión a la mínima, sobre todo cuando está cansada o enferma. En eso es muy masculina.

Ya te he dicho que la bruja que luego se esfumó acertó en sus predicciones, pero ahora voy a explicarte cómo se cumplieron una a una:

Respecto a lo que dijo de unas reformas en mi casa, resulta que durante casi dos semanas el cielo de Madrid estuvo llorando agua en cataratas con sincrónicos susurros cantarinos, y al cabo la lluvia se filtró desde el suelo de la terraza hasta el techo del vecino, que acabó decorado con una extensísima mancha de humedad. Hubo que levantar el suelo para cambiar las prehistóricas y picadísimas tuberías de plomo, y la rehabilitación, que en principio tenía que durar dos semanas, se alargaba y se alargaba como casi todas las reformas, por razones de todos los colores, y aquello amenazaba con durar más que las obras de El Escorial.

La historia del juicio es larga y merecería por sí misma una novela, o al menos daría para una en lo que a extensión e intriga se refiere y no sé cómo me las voy a arreglar para resumírtela en unas pocas páginas. Pero, en fin, ahí va:

Estábamos en que yo me acababa de separar del presunto maltratador psicológico, y más o menos por ese tiempo *Enganchadas* estaba recién publicada y aún no había agotado su primera edición, es más, nadie sospechaba siquiera que tamaña hazaña pudiera lograrse, algo que se consiguió mucho más tarde, al menos un año y medio después, cuando yo ya estaba embarazada de ti. Pues en ese tiempo aún anónimo y libre me llamó David Muñoz. Pero antes tal vez deba explicarte qué había sido de él: dejó colgada la carrera de Empresariales en tercero tras suspender cinco asignaturas de seis (creo que el único aprobado se debió a que un profesor se colgó tanto de él como José Merlo en su día) y estaba hecho un lío con su vida, sin saber por dónde tirar, así que para sacarse unas pelas se apuntó a una agencia de figuración, de esas que contratan público para los programas de televisión, y acabó saliendo en «La Quinta Marcha» haciendo el mono detrás de Penélope Cruz. Pues bien, como estaba tan bueno, el director del programa (víctima fulminante de idéntico flechazo al que sufrieran en su día José Merlo y el profesor de Dirección Financiera) se fijó en él, le dio un papelillo en la serie juvenil «Al salir de clase» y, encantado con la fotogenia y naturalidad del chaval, le recomendó que hiciera un curso en la escuela de interpretación de Cristina Rota. El caso es que pese a que la argentina le dijera en su día que ni tenía madera de actor ni la tendría nunca, el chico había acabado haciendo carrera en la tele, y para cuando me llamó llevaba ya dos años trabajando en «Los Arenales», una serie de televisión que giraba alrededor de los sosos y predecibles avatares de una familia feliz y bien avenida que vivía en un chalet que para sí lo quisiera un ministro y cuyos integrantes se pasaban el día en la cocina, más que nada para que pudiesen verse bien los tetrabrik de leche, los paquetes de cereales y los botes de cacao en polvo de las marcas de alimentación que patrocinaban aquella serie blanca y familiar dirigida a todos los públicos e inventada y gestionada por una productora muy conservadora. Se suponía que todos los actores protagonistas tenían que ofrecer una imagen irreprochable, pero muy en particular David, quien, a pesar de tener los treinta más que cumplidos, interpretaba el papel del hijo veinteañero, gracias al cual había conseguido un éxito arrasador y un más que nutrido club de fans. Su fama llegó a tal punto que acabó convirtiéndose en la estrella del culebrón y en el actor mejor pagado del elenco. Tanto la productora como su representante le habían dejado muy claro a la firma de la renovación del contrato que esperaban de él que se mantuviera a la altura de la filosofía familiar del programa y que *no diera escándalos de ningún tipo.*

Pues el escándalo lo dio, y mayúsculo, cuando su foto apareció en la portada de la revista *Cita*. Mejor dicho, más bien en una esquina, puesto que la portada lo ocupa cada semana, desde su primer número, la foto de una chica estupenda ligerita de ropa (generalmente aspirante a actriz o concursante de algún programa de telerrealidad) que promete un desnudo de la susodicha *starlette* en páginas interiores. Pues bien, en esa esquina en cuestión había una foto de mi ex compañero de clase bajo un titular que decía: «David Muñoz, ¡enganchado!»

Lo peor de todo es que en la foto David no estaba solo.

12 de octubre.

Como si quisieras compensarme por mis males, esta noche has sido buena como tú sola y apenas has llorado, igual que en tus mejores tiempos. Es más, esta mañana incluso te dignas a dormir a mi lado en tu cuco sin necesidad de que te coja en brazos ni nada, apoyando la cabeza en la manita como si estuvieras pensando en algo muy serio. Eso sí, tengo que estar ahí. Es matemático: se te deja durmiendo en cualquier parte, sea el cuco, encima de la cama, el cochecito e incluso el sillón, y ahí te quedas tan pancha, durante horas, siempre y cuando yo esté cerca. Pero supongamos que me ausento más de cinco minutos para ir a picar algo a la nevera. Entonces, no sé cómo, te enteras de que no estoy y arrancas a llorar según el procedimiento habitual: primero el gemidito interrogante, de aviso, que va *in crescendo* y que degenera, si no aparezco a consolarte, en berridos desgañitados que me hacen temer que los vecinos me denuncien por maltrato infantil. Pero ¿por qué lloras? ¿Porque abres los ojos y no me ves? En realidad es imposible que me veas, o al menos no a tanta distancia, ya que se supone que sólo diferencias los objetos cuando los tienes a treinta centímetros. ¿O acaso lloras porque no me oyes? Puede que eches de menos los ruidos del teclado, pero lo cierto es que a veces estoy leyendo sin hacer el más mínimo ruido y entonces no te quejas. También cabría la posibilidad de que disfrutaras de un sentido del olfato hiperdesarrollado o de un radar de murciélago que te permita captarme... En fin, el caso es que sólo duermes si estoy a tu lado. Una cuestión de supervivencia, supongo, porque un bebé que aún no ha cumplido el mes tiene muy pocas posibilidades de salir adelante si le dejan solo y no vuelven a por él.

Una pena no tener a mano uno de mis libros favoritos para explicar tu constante lloriqueo desde un punto de vista racional o científico. Es lo que pasa cuando una ha hecho casi quince mudanzas en diez años: que se hace budista zen por necesidad y aprende a prescindir de lo accesorio. Y no es que los libros fueran accesorios, pero no podía permitirme tener cientos de ejemplares e ir cargando con ellos de un lado a otro como un caracol con su concha, de manera que acababa por regalarlos con la convicción de que al menos harían tan feliz a otro como en su día me habían hecho a mí, autosugestión que atenuaba bastante el dolor de la pérdida. El libro que estoy echando de menos en este momento en particular se llama *Estoy aquí, ¿dónde estás tú?* y lo escribió el etólogo Konrad Lorenz, premio Nobel de Medicina 1973. Lo leí y releí innumerables veces desde los nueve años hasta los veintitantos, cuando lo regalé no recuerdo a qué afortunado mortal. (No me llames marisabidilla por leer libros de divulgación científica a tan temprana —tierna no era— edad. En mi descargo diré que el libro tenía unas ilustraciones preciosas y era muy divertido, aunque también es cierto que en casa mis hermanos, alucinados ante aquella cría que nunca salía a jugar a la calle porque prefería quedarse en casa leyendo todo lo que pillaba, lo mínimo que me llamaban era pedante, e incluso Laureta llegó a estar seriamente preocupada por mi salud mental, como me confesaría, o más bien me echaría en cara, años más tarde.) Creo que el libro está descatalogado en España, pero he visto en Amazon que existen un montón de ediciones sudamericanas y acabo de decidir que te lo compraré en cuanto seas mayor, aunque lo más probable es que me lo devuelvas asqueada por mis pretensiones de hacerte leer algo porque, como ya me advirtió Miguel Hermoso, los hijos acaban haciendo siempre lo que tú no quieres que hagan e interesándose especialmente por lo que a ti más te fastidie. Es lo que los psicólogos llaman «definición por oposición», razón por la que supongo que de mayor te harás torera, hincha del Real Madrid, *skin*, especuladora inmobiliaria o traficante de influencias.

En cualquier caso, el libro describía comportamientos idénticos a los tuyos: primero una llamada interrogativa, luego el gemido que aumenta en intensidad y, en cuanto el bebé comprueba que su madre no está, su degeneración en una crisis incontrolable de llanto. Los bebés cuyo comportamiento, tan similar al tuyo, se describía en el libro eran bebés gansos: ansarones, para ser más exactos. Un ansarón que ha perdido a sus padres no lo lamenta en silencio: llora con todas sus fuerzas, absolutamente incapaz de dedicarse a otra actividad. No come ni bebe, sólo vaga llorando desconsolado porque sabe que cuenta con escasas perspectivas de supervivencia mientras no encuentre a sus padres y, por eso, para el ansarón tiene pleno sentido el agotar hasta la última chispa de su energía para reunirse con quienes le faltan.

Supongo que, en tu caso, actúa ese mismo mecanismo instintivo de supervivencia que debes de llevar inscrito en alguno de tus genes. Respondes a ese precepto de la ciencia de que todo individuo está sujeto a leyes fatales, leyes a las que no se reacciona de forma consciente porque la reacción consiste en que ellas hayan hecho que reaccionemos, y ese precepto se adjunta a otro más antiguo, el del Plan Divino. Seas guiada por el Creador o por los genes, ya sabes que sin un adulto estás perdida, que tienes muy pocas posibilidades de sobrevivir si no cuentas con alguien que te ayude, y por eso gritas con tanta desesperación en cuanto notas que te has quedado sola. Es el gemido del abandono, que todos llevamos dentro. Por eso nos cuesta tanto afrontar la ausencia o la deserción de los que amamos, y no sólo cuando somos bebés.

El texto del reportaje que apareció en páginas centrales de *Cita* y que dinamitó en pedazos la imagen de buen chico de David Muñoz era el siguiente:

«Una ocasión especial bien vale una juerga salvaje. Y así se lo montaron David Muñoz y sus compañeros, entre otros su muy íntima amiga, la periodista Eva Agulló, en la celebración del cumpleaños del protagonista de "Los Arenales". Un desmadre en el que, como bien muestran las fotos, no faltó de nada.

»David Muñoz, protagonista de esta conocida serie televisiva, se lo pasó verdaderamente en grande en la fiesta de su último cumpleaños. El chico de moda eligió una conocida discoteca para dar rienda suelta a su lado más salvaje. Un desmadre en toda regla al que David invitó a su amiga, la periodista Eva Agulló, que se convirtió en su mejor compañera de correrías.

»Mucho cachondeo para una noche loca en la que no faltó de nada, aunque sí hubo ausencias notables, como la de la mujer

de David, la también actriz Verónica Luengo, que al día siguiente, muy profesional, presentó en Valencia la obra de teatro La importancia de llamarse Ernesto, con la que está realizando una extensa gira teatral por España que le ha obligado a permanecer lejos de su hogar durante la mayor parte de este año. Quizá Verónica, después de ver estas imágenes, debería calibrar "la importancia de hacer una gira", y si ésta merece dejar al chico de moda solo y expuesto a las tentaciones de la gran ciudad.

»Las fotos muestran a un atractivo David más desinhibido que nunca, ajeno a las miradas indiscretas de las muchas personas que abarrotaban el local que eligió para celebrar su cumpleaños. Una juerga de cuidado en la que Muñoz se dejó querer por su acompañante acaso sin pensar en las consecuencias que tendría semejante jarana en su relación con Verónica, con la que este mismo verano posaba para la prensa en su casa de Mallorca anunciando su intención de tener su primer hijo en un futuro cercano.

»Alcohol, mucho alcohol, y otras sustancias, además de los cariñosos apretones a su acompañante, que disfrutó como nadie de las caricias de David, como bien se puede observar en la instantánea en la que se ve a ambos tortolitos enardecidos ante el rumbo que la noche, cada vez más caliente, comenzaba a tomar.

»Hubo cava y muchas cosas más. Risas y desparrame. Tanto que, por momentos, David y su compañera se dejaron ver más que aturdidos, como muestran las fotos, y en aparente estado de casi inconsciencia.

»No es la primera vez que el protagonista de "Los Arenales" (serie en la que da vida al carismático Rubén) acaba alguna noche en semejante o peor estado. De hecho, David ha ingresado dos veces en la clínica de la Concepción de Madrid para someterse a sendos procesos de desintoxicación tras haber sufrido en el pasado varios episodios graves de abuso de drogas, algunos de los cuales requirieron tratamiento de urgencia en el hospital Ramón y Cajal. En cuanto a su compañera de juerga, tampoco es ajena a semejantes avatares, y de hecho acaba de publicarse su primer libro, Enganchadas, *en el que narra su relación con el mundo de las drogas. Enganchado estuvo ¿o está? David a la cocaína, y más que enganchado parece estar a su nueva acompañante.*

»*David y Eva se dejaron ver por el local en un estado de aparente embriaguez más que probable, resultado de la copiosa ingestión de alcohol y ¿otro tipo de sustancias no tan públicas ni permitidas? Pero se recuperaron, como muestran las imágenes, tras un cariñoso achuchón de los que despiertan a cualquiera y que sirvió como colofón de lujo para una parranda de cuidado que acabó muy de mañana, a eso de las seis y media, ya con las luces del alba. Como se ve en la foto de la página siguiente, la pareja abandonó muy abrazada el local tras una noche de marcha a tope de las que, seguro, David y Eva no olvidarán.*»

Las fotos que acompañaban al reportaje no tenían desperdicio. En una se nos veía a David y a mí abrazados y acarameladísimos. En la otra aparecía yo desmayada en un sillón con David a mi lado. Y en la tercera se nos veía salir del local, e íbamos amarraditos los dos, espumas y terciopelo, que diría la Pradera.

El subtítulo de la última foto rezaba: «David y Eva, enganchados.»

13 de octubre.

Ayer vino Sonia la actriz a verme (repito: Sonia la actriz, también conocida como «*Sweet* Sonia» por lo cariñosa que es, nada que ver con mi antigua compañera de clase, Sonia la fotógrafa, también conocida como «*Slender* Sonia» por lo delgadísima que está, ni con Sonia la guionista, también conocida como «*Suicide* Sonia» debido a su conducción temeraria; ni con Sonia la DJ, llamada «*Senseless* Sonia» por su afición a los éxtasis... ¿Te aclaras?), o más bien a verte a ti, y me encontró hecha un guiñapo, más triste que un entierro en un día lluvioso, bajo los efectos de la falta de sueño y la incubación del virus. Completamente olvidada del momento aquel en el que leí la nota de mi lectora y pensé que era una frívola por preocuparse tanto de que el cuerpo se le deformase, acribillé a Sonia a preguntas sobre cuándo iba a recuperar mi antigua figura, como si ella fuera una experta en *fitness*, endocrinología o dietética, que no es: su única credencial consiste en haber tenido ya un hijo. «Nunca», me dijo Sonia, «nunca se recupera». Iba a escribir que lo dijo «resignada», pero no fue así. Más bien lo dijo contenta, como si estuviera encantada de haber perdido para siempre la cintura y el culito respingón, ilusionada ante la perspectiva de que por fin dejen de acosarla los productores rijosos en los estrenos y en los platós.

Lo veo en mis hermanas: una y otra lucen mejor o peor tipo según quién se cuide más o menos o quién haga más o menos ejercicio (Laureta prácticamente vive en el gimnasio y Asun asiste tres veces por semana), pero, desde luego, ninguna de las dos tiene el tipo que tenía antes de parir, ni siquiera *La Triple Ele* o *La Linda Laureta* (así conocida desde su adolescencia en su círculo de amigos en razón de su elegancia, su altura y su figura juncal), a la que de todas formas creo que lo de la maternidad le vino bien, porque antes estaba demasiado esquelética, y es que Laureta no ha vuelto a comer un bollo de chocolate desde los quince años, cuando mi hermano Vicente la llamó culigorda en medio de una encendida discusión a cuenta de un jersey que no sé quién de los dos le había quitado al otro. Es la típica hermana que ha nacido para acomplejar a las que le rodean. Acaba de cumplir cuarenta y cinco años y sigue teniendo un tipo que yo no he tenido ni tendré nunca y una larga melena negra y lacia, como oriental, de anuncio de champú, que le cae por debajo de los hombros. (La melena se la alisa, eso sí, al igual que Asun, y las dos van por la vida siempre como recién salidas de la peluquería —¿o sin el como?—, con lo cual marcan aún más la diferencia con su hermana pequeña, rubia de pelo rizado, casi siempre enmarañado, con cierto aspecto de estropajo de fregar.) Los que no nos conocen mucho piensan a menudo que Laureta es más joven que yo, y Todo El Mundo afirma que es clavada a mi madre, pero como yo nací cuando tu abuela ya era mayor, siempre he conocido a mi madre con el pelo blanco y corto, o al menos no recuerdo otra cosa. Desde luego, en las fotos de la boda sí se aprecia el parecido: los mismos ojos negros, la misma cara de talla de Salzillo, sencilla, espiritual, esa cara de virgencita ensimismada que nunca ha roto un plato. Los que la conocieron de joven dicen que mi madre era un bellezón que se llevaba de calle a medio Alicante, e incluso una vez le escuché a la tía Eugenia decir, después de una de las algaradas más sonadas que mis padres tuvieron y de que mi madre se fuera a pasar tres días a su casa, que no entendía cómo su Eva había acabado casándose con semejante pelagatos cuando, con lo guapísima que había sido, hubiera podido elegir entre los mejores partidos de Alicante, que ofertas nunca le faltaron.

A tu madre tampoco le faltaron ofertas en su día, te lo juro. Lo que pasa es que casi siempre se decidía por las peores.

El caso es que David y yo ni siquiera nos habíamos besado aquella noche y no nos habíamos metido una sola raya de cocaína. O al menos yo. Sí era cierto que él había celebrado su cumpleaños y que yo era una de las invitadas. No era cierto que nuestra amistad pudiera calificarse de íntima (o no al menos en el sentido de intimidad que la revista sugería), ni que yo hubiese alcanzado en ningún momento de la noche un estado de semiinconsciencia.

La foto a la que la revista se refería cuando hablaba de «el cariñoso achuchón» reflejaba en realidad un momento bastante inocente en el que yo estaba hablándole al oído al «chico de moda» no llevada por ningún impulso amoroso o lascivo, sino por la sencilla razón de que el atronador chunda chunda del garito no permitía mantener una conversación a una distancia superior a quince centímetros del interlocutor. Y sí, David me pasaba el brazo por los hombros. No, no se trataba de un trato especial ya que idénticas atenciones había dispensado a la mitad de sus amigos y amigas aquella noche.

La otra foto a la que se refería la revista cuando hablaba de «el estado de semiinconsciencia» reflejaba en realidad el momento en que yo, borracha como estaba, tuve que sentarme en un sillón del local para no desmayarme. David, de lo más solícito, se sentó a mi lado y me apretó la mano con fuerza, y no era aquél tanto un gesto afectuoso como una manera de transmitirme que no me estaba dejando sola, que estaba dispuesto a sacarme a tomar el aire si hiciera falta.

Cosa que hizo, pero no a las seis de la mañana, sino más bien alrededor de la una. Momento inmortalizado también por el fotógrafo. De forma que la foto a la que la revista se refería cuando hablaba de «la pareja que abandonaba acaramelada el local» reflejaba en realidad cómo yo salía de Pachá agarrándome a David para no caerme.

La cuestión es que estuvimos en la calle tomando el fresco apenas cinco minutos, hasta que apareció Consuelo, a la que no habíamos podido encontrar dentro del follón de la discoteca pero que, convenientemente avisada mediante un SMS, acudió presta y veloz para tomar el relevo de David, que volvió al local a seguir la juerga por su cuenta. Ignoro si él acabó a las seis de la mañana. Lo que sé es que yo a las dos estaba en mi casa, sola.

De hecho, ni siquiera sabía que David estaba casado ni tenía por qué saberlo, ya que nunca me lo dijo. Porque él se había casado en Bali por algún rito exótico de esos según los cuales lo estás a los ojos de Vishnú, Brama o Shiva y a los de los lectores de la revista que pagó por la exclusiva, pero no a los de Hacienda y el Registro Civil español, por si las moscas, no sea que en el futuro David quisiera divorciarse y a la otra le diera por intentar llevarse la mitad de sus bienes o por reclamar una pensión. Así que no nos invitó a ninguno de sus ex compañeros de clase y los que no leíamos prensa del corazón ni siquiera nos enteramos de la noticia de su matrimonio. Sí sabía que a él le encantaba la compañía femenina porque por entonces frecuentábamos los mismos bares y muy de cuando en cuando quedábamos en reuniones nostálgicas con los viejos amigos del instituto, y solía encontrármelo en ellas siempre con chicas muy jóvenes, evidentemente emocionadísimas de estar a su lado. Además, una vez nos había invitado a su apartamento, para tomar la última copa, y allí no había trazas, ni tan siquiera indicios, de una presencia femenina: el pisito estaba inmaculado como una habitación de hotel. Y tan inmaculado, como que no vivía allí. Tras casarse (o lo que fuera) había conservado su guarida de soltero a pesar de haberse ido con su mujer a un chalecito en una urbanización de la sierra madrileña. La excusa que a ella le ofreció para mantener lo que iba a ser su picadero era la necesidad de conservar un piso en el centro de la ciudad por razones de trabajo, puesto que él era actor y tenía que acudir a estrenos de cine y teatro para establecer contactos, hacerse ver y que se notara que seguía estando en el «candelabro» y no se veía capaz, tras las consabidas copas del estreno, de coger el coche y hacerse sesenta kilómetros en mitad de la noche y habiendo bebido. Por supuesto que su mujer le acompañaba a los estrenos siempre que podía, pero podía poco, porque ella trabajaba en el teatro y se pasaba la vida de gira por provincias. Y es que las obras en las que actuaba Verónica eran de esas que casi nunca llegan a estrenarse en la capital, y con esto supongo que ya se entiende que Verónica era más conocida por ser la mujer del chico de moda que por su talento como actriz. Pero de todo esto, claro, me enteré yo mucho más tarde.

14 de octubre.

Soy una de esas incautas que creían que la maternidad no me iba a alterar el cuerpo lo más mínimo y que me iba a convertir en una cuarentona estupenda, una cincuentona impresionante, una sesentona magnética y una setentona incendiaria (Ángela Molina, la Paredes, Pilar Bardem y Julieta Serrano, para entendernos). Se me había olvidado que la mayoría de los modelos de mujer que se nos ofrecen desde los medios de comunicación se han hecho reconstrucciones de todo tipo (pre y posparto), de forma que cualquier parecido entre esos clones de mujeres y la cruda realidad es mera coincidencia.

Me contó Sonia (la actriz, coletilla que hay que añadir siempre para no confundirla con las otras Sonias) que cuando ella dio a luz en la clínica Nuevo Parque vino una enfermera a preguntarle si iba a aprovechar para hacerse la liposucción. Al parecer es una práctica normal entre las modelos: cesárea y lipo, dos en uno, y sales de la clínica con los mismos vaqueros ajustados con los que te hiciste el Predictor. No me lo acababa de creer por más que ella me asegurara que era verdad, y verdad de la buena, lo que me contaba. Pero lo que sí me parecía increíble del todo era la costumbre, muy extendida en Hollywood según Sonia, de inducir una cesárea al iniciarse el octavo mes de gestación para evitar que se produzca el temido ensanchamiento del hueso de la cadera, que se da justo al final del embarazo, y asegurar así que la futura madre no rebasará jamás su talla 38. Sonaba casi a experimento nazi y no tengo constancia de que se realice de verdad, pero lo cierto es que sólo así puedo explicarme cómo salen en los programas del corazón tantos reportajes de madres de dos y tres niños exhibiendo modelito playero en Ibiza, modelito que apenas cubre un cuerpo que para sí lo quisiera tu prima Laurita (hija de Laura, el diminutivo en castellano para diferenciarla de su madre, a la que a día de hoy mucha gente aún llama Laureta) a sus diecisiete años (y eso que a tu prima Laurita siempre la toman por modelo).

Esta obsesión por mantener a toda costa un cuerpo prepúber será todo lo vergonzosa que tú quieras, pero se ha convertido en una pandemia. Leí en el periódico anteayer que en Brasil, país en el que el sesenta por ciento de las cirugías que se realizan son estéticas, la mayoría de las mujeres no amamantan a sus hijos. Las razones que esgrimían las encuestadas para no hacerlo no se basaban en la comodidad, o en la necesidad perentoria de volver al trabajo, o en la indicación de su pediatra o ginecólogo, sino en el temor a la flacidez mamaria. En fin, sin comentarios. Intento decirme que el cuerpo no es tan importante y contagiarme un poco de la serenidad de Sonia, pero me temo que estoy demasiado condicionada por el bombardeo mediático y por años de asumir que toda la atención masculina que recibía estaba más concentrada en mis tetas que en mi ingenio o mi encanto, tanto, que me resulta muy difícil aceptar que una de mis principales monedas de cambio en el mercado de la interacción social se ha devaluado de la noche a la mañana.

La Bolsa cayó el día en que el Predictor dio positivo.

La cuestión es que si yo hubiese leído prensa del corazón o hubiera sido asidua a los programas de cotilleo, a aquellas alturas ya sabría que David se casó en su día (o lo había pretendido) con una actriz de poco prestigio pero bastante popularidad y que ambos eran tema recurrente del *couché,* siempre dando la imagen de pareja envidiable: jóvenes, guapos, exitosos y enamorados. Imagen que a ambos les convenía vender.

Y cuando esta imagen se desmoronó David lo pagó carísimo, porque Nutrespan, la compañía alimentaria que esponsorizaba la serie, y cuyo presidente y dueño absoluto era un *self made man* numerario del Opus Dei en la más rancia tradición Ruiz Mateos, exigió a la productora que rescindieran el contrato a la joven estrella para no continuar dañando la imagen del producto. Así que los guionistas le buscaron rápidamente a Rubén, su personaje, un máster y una novia en los Estados Unidos, poniendo punto final a su fulgurante carrera televisiva.

El escándalo fue mayúsculo. Todos los programas de cotilleo y las revistas del colorín se hicieron eco de la noticia. Media España sabía mi nombre y por unas semanas me hice más famosa que el perdido carro de Manolo Escobar.

Y me vi también en las mismas de David, porque la cadena de radio en la que yo colaboraba era propiedad de un grupo mediático católico, de forma que mi trabajo estuvo pendiente de un hilo. Y si no me echaron con cajas destempladas fue porque el director del programa, un sesentón ca-

tólico y sentimental como Bradomín y al que sospecho ligeramente enamorado de mí, se negó en rotundo a firmar mi
carta de despido y dijo que si me despedían a mí tendrían
que despedirle de paso a él, y como el popular locutor y
periodista tenía un contrato blindado y llevaba más de cuarenta años trabajando para aquella sacrosanta casa, a la cadena le podía salir carísimo prescindir de mis servicios, lo
que hizo que se lo pensaran dos veces.

A mi madre casi le dio un infarto, literalmente, porque
sufría del corazón, y hubo que ingresarla de urgencias aque-
jada de una taquicardia. Mi padre no me habló durante muchísimo tiempo. Dos editoriales dejaron de llamarme/aten-
derme. La editora de una de ellas me explicó, en *petit comité* y
muy amablemente, que desde dirección le habían exigido
que mi nombre no se relacionara con ellos, ya que querían
mantener una imagen de «seriedad literaria». En cristiano:
que ya podía despedirme de mis traducciones y mis encargos
de edición. (Se trataba de la misma empresa que, en la entrevista para escoger a la editora de libros infantiles, había incluido la pregunta «¿Te consideras decente?». Esto me lo
contó después la propia editora, que acabó contratada porque había respondido con un sí meridiano y sin asomo de ti-
tubeo, no tanto porque se considerase decente como porque
necesitaba el trabajo.) De la otra editorial, directamente,
nunca más supe. Y en la calle ocurría lo mismo: en el banco,
en el que siempre me habían dispensado un trato exquisito,
se portaban de lo más gélido conmigo, situación no muy
agradable cuando estás en pleno papeleo de renegociación
de la hipoteca y encima no tienes avalista y tus ingresos fijos
demostrables son bastante exiguos. Y ojo, si estás pensando
que por aquel entonces ya tenía el libro publicado, debo re-
cordarte que apenas acababa de salir la primera edición y yo
aún no me había revelado como una escritora supervende-
dora (me temo que el escándalo de *Cita* contribuyó a dispa-

rar las ventas del libro, y luego el boca a boca hizo el resto), por lo que debía seguir manteniendo mi trabajo semanal en la radio, llamar con insistencia a las editoriales proponiéndoles nuevos libros del tipo de *Enganchadas* y, por supuesto, pasarlas canutas para pagar las mensualidades de la hipoteca. Los vecinos, si me encontraban en el ascensor, miraban a otro lado. Incluso el portero del karaoke/bar de alterne que está al lado de mi portal me ponía mala cara y desviaba la mirada cuando yo pasaba frente a su local.

Hubo que desconectar los dos teléfonos, fijo y móvil, porque no dejaban de sonar. Hasta el correo electrónico se colapsó. De repente parecía que todo el país conocía mis números y mis direcciones, incluidos los becarios de *El Adelantado de Granada,* la presidenta, vicepresidenta tesorera y secretaria del club de fans de David y varias de sus antiguas amantes, que querían mostrarme su solidaridad. En la puerta de mi casa tuve apostados a varios *paparazzi* durante semanas, y no podía salir de casa porque me encontraba siempre con un reportero, micrófono en mano y la misma pregunta en los labios: «¿Qué hay de tu relación con David Muñoz?»

Me llamaron también desde la mismísima revista en la que se había publicado el reportaje ofreciéndome una millonada por un desnudo. Y desde dos programas de televisión directamente relacionados con ella, pues compartían colaboradores. Les mandé sin contemplaciones a la mierda a gritos y les advertí que iba a denunciarlos. Aún me acuerdo de la respuesta, al otro lado del teléfono, del subdirector de uno de los programas: «Si eres lista y sabes lo que te conviene, no lo hagas.»

Después recibí llamadas de todos los programas sensacionalistas habidos y por haber ofreciéndome cantidades de seis ceros por mis declaraciones, cantidades que me hubiesen permitido cancelar la hipoteca y comprarme de paso un chalet en una urbanización de lujo. Y cuantas más ofertas rechazaba, más me llegaban y a más iba ascendiendo el montante de las mismas. Calculo que si hubiera hecho la gira de rigor por todos los programas de la tele, habría sacado limpios alrededor de cien millones de pesetas de las de entonces.

Pero no la hice por tres razones básicas:

La primera porque a mi madre, que siempre había mantenido la consigna de que una dama sólo debe aparecer dos veces en la prensa, el día de su nacimiento y el de su boda, la habría matado del disgusto.

La segunda porque, si bien era consciente de que mis posibilidades de acabar labrándome una carrera literaria eran escasas, tenía muy claro que si participaba en semejante circo iban a dejar de ser remotas para pasar a ser sencillamente inexistentes.

Y la tercera, porque a mí me educaron en el respeto a conceptos como la ética y la dignidad, y me resultaba imposible librarme de semejante condicionamiento. Todo lo que ganara me lo iba a gastar después en psiquiatras, pues no iba a poder perdonármelo.

Así que opté por una solución muy distinta: la de cumplir la amenaza que le había hecho al gilipollas con el que hablé. Llamé a Paz y le dije que quería interponer una demanda contra el semanario.

15 de octubre.

He tenido que interrumpir mi teclear frenético porque a las doce has abierto los ojos y te has empeñado, para variar, en que te coja en brazos. Y me he pasado el resto de la mañana cantándote nanas desafinadas. Hasta las dos, hora en que ha venido tu padre y te has puesto a dormir. Es un patrón de conducta. Empiezo a darme cuenta de que lo haces todos los días. A las doce de la mañana y a las ocho de la noche abres los ojos y gimes. No quieres el chupete ni el biberón ni que te cambie el pañal. Sólo quieres que te coja en brazos. Son tus horas brujas.

Lo que pasa es que por la noche aprovechamos para bañarte y resulta menos pesada la obligación de entretenerte (dejando al margen que por la mañana siempre recibo alguna llamada importante justo cuando empiezas con tus exigencias. Es matemático, una prueba empírica de la Puta Ley de Murphy). O más bien aprovecha para bañarte tu padre, porque no te gusta nada la esponja y siempre que te la pasan por el cuerpo montas un escándalo digno de la Castafiore, y tu papá o bien tiene los tímpanos menos sensibles que yo o la virtud de la paciencia más desarrollada (esto último no es que sea muy difícil). Conste que te perdono la brasa que me das porque la verdad es que eres muy mona y muy divertida (y no es pasión de madre). Por ejemplo, sonríes si te hago cosquillas, y pones cara de profunda concentración cada vez que te canto, como si intentaras identificar la melodía (tarea imposible no sólo porque seas un bebé: de mayor te va a costar igual, porque desafino mucho, aunque comparada con tu padre sea la Callas). Tu padre te llama «la esponja de amor» porque estás diseñada para gustar. Me acuerdo que en uno de estos días en los que me estaba quejando me dijo algo así como: «Venga, no te puedes deprimir... Mira esta niña: es Prozac natural.» Y es verdad, sea porque todos los bebés sois así o sea porque el día en que tú naciste (*nacieron todas las flores*) Venus estaba en su regencia de Libra, lo que significa que los astros te conceden tal belleza y talento artístico que resultará muy difícil sustraerse a tu encanto. En esa novela que he dejado a medio escribir y cuya acción sucedía en Santa Pola, la protagonista (que lleva tu mismo nombre) también había nacido bajo la misma conjunción planetaria. Y por eso resultaba irresistible.

Había una entre doce posibilidades de que el día de tu nacimiento Venus cayera en la casa de Libra.

Fíjate qué casualidad.

O no.

Paz trabajaba por entonces en uno de los bufetes más prestigiosos de Barcelona, y aunque era una de las abogadas más jóvenes, se la consideraba muy prometedora. Un caso como el que yo le proponía le resultaba sumamente apetecible puesto que, de ganarse, supondría un gran triunfo para el bufete y para Paz en particular, quizá el último empujoncito necesario para que sus jefes la hicieran socia de una vez. Sin embargo, tenía muy claro que la cosa iba a resultar muy difícil por muchas razones. La principal venía a ser que la revista *Cita* ostentaba el dudoso honor de ser el medio escrito español que había acumulado mayor número de demandas interpuestas por difamación como de sentencias en firme en su contra. Creo que estas últimas ascendían a ciento dieciocho en poco más de veinticinco años de existencia de la publicación. Sin embargo, sólo prosperaba una de cada diez demandas interpuestas, y esto era porque dicho semanario vivía del escándalo y, por lo tanto, tenía organizada una calculada infraestructura para sustentarse que venía a ser, a grandes rasgos, la siguiente:

En primer lugar, el semanario publicaba cualquier noticia que pudiera suponerle ventas incluso cuando estaba clarísimo que ello conllevaría una demanda. Porque, haciendo cuentas, resultaba rentable aventurarse ya que una posible indemnización futura nunca saldría más cara que el beneficio que la noticia podría rentar no ya en ventas sino, sobre todo, en publicidad. Vayamos a un caso concreto: una noticia como la de la presunta infidelidad de David se reseñó en cientos de medios que al hacerlo siempre debían citar el nombre de la revista, lo que suponía un incremento de notoriedad de la publicación que llevaba aparejada que ésta podía aumentar sus tasas de publicidad a los anunciantes. De hecho, *Cita* no vendía tantos ejemplares como podría pensarse, pues la mayoría de los lectores la leían a través de Internet. El dineral que la revista ganaba llegaba principalmente de lo que cobraba por inserción de anuncios, bien en papel impreso o en su sitio web.

En segundo lugar, si la demanda se presentaba resultaría muy difícil que prosperara, puesto que un particular no podía pagarse a un abogado a la altura de los ocho abogados, ocho, que la revista, perteneciente a un grupo mediático enorme y muy poderoso, tenía en plantilla, cada uno cobrando al mes un sueldo de ministro; abogados más que avezados tras muchos años y muchos casos de experiencia en el uso de todo tipo de tecnicismos legales destinados a lidiar con demandas por calumnia, difamación o delitos contra el honor.

Finalmente, en el caso de que la demanda, pese a todo, prosperase, los abogados iniciarían un recurso tras otro para derrotar al contrario por puro cansancio, pues lo más probable es que un particular no pudiera permitirse semejante gasto en minutas de leguleyos. Y si el particular fuera lo suficientemente rico como para no darse por vencido y se revelara capaz de aguantar el proceso recurso tras recurso (al estilo de la Preysler o la Obregón), la sentencia podría retrasarse hasta diez años después del juicio, cuando ya el honor dañado fuera irrecuperable.

—Mira —me explicó Paz—, resulta baratísimo difamar y contaminar. A una empresa le sale más rentable lanzar vertidos a un río que reformar su fábrica porque las multas por delito ecológico son ridículas. De la misma forma, a cualquier medio le resulta más económico difundir noticias falsas. Casi nunca tienen que pagar nada y, cuando les toca hacerlo, la cantidad es irrisoria en comparación con los millones que ganan. Y, para colmo, lo normal es que un particular que litigue se gaste más en abogados de lo que pueda llegar a recibir por la indemnización, así que una gran mayoría de los perjudicados no se atreven a denunciar, sencillamente, porque no cuentan con medios para hacerlo. La justicia es cara, ya sabes. O más bien la injusticia sale barata para quienes la practican. Y con todo esto, ¿qué te quiero decir? Pues que si interpones una demanda te meterás en un follón tremendo, porque el grupo mediático de esta gente es muy poderoso y te pueden hacer la vida imposible. Piensa, Eva, que vas a estar en la lista negra de un montón de medios con los que ya no podrás trabajar y que intentarán hundir cualquier libro que saques. David, por ejemplo, no va a demandar, ya me he informado.

—¿Y eso?

—Pues mira, su abogada no me ha querido aclarar las razones, pero me he enterado por otras fuentes. Por lo visto, en *Cita* tienen toda la documentación referente a sus curas de desintoxicación y a la cantidad de veces que ha ingresado en urgencias por sobredosis, y amenazan con publicarlo todo. Y ahí sí que se le acabaría la carrera a tu amigo, para siempre.

—No sé, quizá hasta le viniera bien... Ya sabes, que hablen de mí aunque sea mal.

—No, no creo, a nadie le conviene tener fama de yonqui, sobre todo en el cine. A Guillaume Depardieu, por ejemplo, nadie quería asegurarlo por la fama que tenía, y dime tú qué productora se arriesga a contratar a un actor que no esté asegurado. Por eso David lo tendría muy difícil, a no ser, claro, que estuviera dispuesto a ir a «Tómbola» a contar cómo ha dejado las drogas. Pero parece ser que está a punto de hacer una película más o menos seria, y como se meta en el circuito de programas basura el director prescinde de él en el acto.

—¿Y cómo te has enterado tú de todo eso, Paz?

—Ya ves, los de *Cita* no son los únicos que tienen contactos. Por cierto, también sé cómo les llegó toda la documentación del Ramón y Cajal y de la clínica de la Concepción, lo de los internamientos de David, que se suponía que era confidencial. Normalmente estas cosas se consiguen sobornando a un enfermero que trabaje allí, pero en este caso en *Cita* contaban con una fuente de lujo. A ver, ¿quién crees tú que les puso en la pista?

—Ni idea.

—No te lo vas a creer... ¡Su mujer!

16 de octubre.

Esta mañana te he llevado al pediatra: pesas 4 kg y 950 g. O sea, que pesas cinco kilos. ¡Eres enooooorme! Al parecer, los niños criados con biberón engordan más ya que nunca se quedan con hambre.

Como sigo enferma, porque la faringitis se curó pero apareció la temida traqueítis (y no voy a extenderme en detalles sobre el historial médico de tu madre: baste decir que sufre una traqueítis crónica de origen alérgico que cualquier gripe o resfriado agudiza), mucha gente, cuando me ve por la calle estornudando y moqueando, me pregunta si te estoy dando el pecho. Presuponen que la leche materna inmuniza y el biberón no, y que si mamas de mí no te contagiaré nada. Sin embargo, sin leche materna, tú sigues sana como una manzana. Cuando respondo que no, que doy biberón, se me mira con recelo, como tomándome por una madre desnaturalizada. La cara de la dueña del herbolario, por ejemplo, era todo un poema: ¿cómo yo, defensora de la alimentación natural, vegetariana, asidua de su establecimiento, había faltado al mandamiento número uno de la madre naturista? Al principio me deshacía en explicaciones sobre mis problemas médicos, pero a la larga me acabaron tocando las narices con tanta pregunta y ya no doy cuenta alguna. Y si hubiera decidido no amamantarte simplemente porque soy una mujer frívola y me apetece seguir disponiendo de mi vida, ¿qué? ¿Acaso no tendría derecho a resolver por mí misma si quiero convertirme en tu central lechera o prefiero seguir siendo un ser semoviente? ¿Qué fue de aquel dicho que afirmaba que *Nosotras parimos, nosotras decidimos*? Sí, ya sé que la leche materna es lo mejor y lo más aconsejable y bla, bla, bla, y sin embargo el caso es que tú te estás criando maravillosamente y, según el pediatra, estás sana como un balneario.

Además, últimamente no hago otra cosa que escuchar historias de mujeres que me cuentan que sus hijos lloraban sin parar durante los primeros meses hasta que al tercero se les empezó a dar el biberón y por fin se callaron, y entonces la madre se dio cuenta de que lo que le pasaba al bebé era que se estaba muriendo de hambre. Frente a lo que dicen el doctor Carlos González y sus acólitos de que la leche materna siempre es suficiente y de que ninguna mujer tiene poca leche, contrapongo el sentido común: con esta vida moderna de estrés, tabaco, alcohol, mala alimentación, etc., no es de extrañar que la producción de leche resulte insuficiente en algunas mujeres del mismo modo que está decayendo la producción de espermatozoides del varón medio occidental. Es más, de toda la vida en Elche, el pueblo de mi madre, muchas familias recurrían a las amas de cría porque la madre biológica no tenía leche suficiente para alimentar a su recién nacido. Y dado que en ese tiempo no existían las mujeres ejecutivas ni en aquel pueblo por entonces había alta burguesía (mujeres tipo la Bovary, que contrataban a una nodriza porque entre las de su clase no se estilaba rebajarse a tan ingratas tareas o a estropearse el pecho), podemos suponer que se recurría al extremo de la madre sustituta por necesidad y no por frivolidad o capricho.

Por otra parte, si una mujer decide que no le apetece pasarse seis meses con un rorro amorrado a la teta, teniendo que dar de mamar cada tres horas y no pudiendo por tanto salir al cine, de copas, a trabajar, a la peluquería... ¿Hay que culpabilizarla por eso? Sinceramente, y conociendo mi carácter, al Orden Cósmico hay que agradecerle de alguna manera mi incapacidad como fuente alimenticia porque, para una persona hiperactiva como yo, esos meses hubieran resultado una tortura. Sí, ya sé también que dicen que te lleves al bebé a todas partes y le des de mamar donde haga falta, en el autobús, en la peluquería o en la cola del Instituto Nacional de la Seguridad Social (donde tengo que ir el lunes, por cierto, a reclamar la baja por maternidad), pero esa gente no piensa que cargar con un bebé de casi cinco kilos no es tan fácil, y dudo que vieran con muy buenos ojos que yo me sacara la teta sin más en medio de una institución pública (sobre todo una teta tan evidente como la mía, que me habría incapacitado para dar de mamar con recato o disimulo). Amén de que ¿iba a cambiarte también allí? ¿En un cuarto de baño sucio y estrecho? ¿En el suelo? (porque el único cuarto de baño a mano tiene un retrete y un lavabo, pero no una superficie en la que acostarte).

El doctor González se olvida de que en el mundo hay muchas madres solteras o madres con compañeros en paro o madres a las que sus jefes les exigen que no cumplan el permiso de maternidad completo bajo amenaza de rescindirles el contrato, madres que no pueden quedarse en casa cumpliendo el papel tradicional de esposa sumisa y abnegada, apéndice del varón proveedor. Y quizá tampoco querrían hacerlo aunque pudieran.

A veces me parece que esa insistencia en la lactancia materna contra viento y marea oculta en realidad una promoción del retorno a los valores tradicionales. Sí, de acuerdo, dar de mamar es lo más natural, también lo más natural sería salir de paseo en taparrabos y follar al aire libre. Pero lo que me ha acabado de reafirmar en mi postura es un dato del que me acabo de enterar vía Internet: ¿sabes quién es la presidenta de La Liga de la Leche en Texas? Laura Bush. Acabáramos.

Por lo visto la tal Verónica Luengo (cuyo aspecto de pálida princesa de flor desmayada en su boca de fresa ocultaba en realidad una mujer de las de rompe y rasga y armas tomar) debía de estar más que harta de que su marido o no marido (la calidad de marido de David depende de que uno crea o no que un rito balinés certifica un matrimonio) le pusiera los cuernos. Por eso, cuando vio el momento de matar dos pájaros de un tiro, ella debió de decirse que si a la ocasión la pintaban calva ella estaba dispuesta a agarrarla de los pelos de los sobacos si fuera preciso. Así que por un lado se vengó de él y por otro encontró motivo para firmar una exclusiva millonaria con *Hola* (la primera portada de su vida) para la que posó como esposa sufriente y llorosa, contando los duros años que había pasado al lado del chico de moda que había resultado ser un lobo bajo su bella piel de cordero.

—Ya sabes —continuaba Paz—, no es oro todo lo que reluce, el triste drama de la mujer maltratada...

—¿Maltratada?

—Ella asegura a quien quiera oírla que David le pegaba cuando iba drogado.

—Eso no me lo creo de ninguna manera. Conozco a David de toda la vida y...

—Pues es lo que ella cuenta, qué quieres que te diga. En fin, eso vende muchísimo. Por de pronto se le han acabado las cutre giras por teatros de mala muerte, y creo que ya le han ofrecido hacer de presentadora en la tele. Y con todo esto lo que te quiero decir es que con David no puedes contar para nada. Y si él, que es el principal perjudicado de esta historia, no demanda ni te apoya, tú lo vas a tener aún más difícil de lo que lo tienes de por sí.

—O sea, que me estás aconsejando que no demande.

—No, al contrario: yo te aconsejo que demandes aunque crea que vayas a perder. No sólo porque pienso que esto es un atropello que no se puede consentir y porque sé de buena tinta que desde el principio ellos sabían que estaban publicando una historia falsa, que tú no tenías nada que ver con David y que organizaron todo el montaje para vender, porque lo de que hubieras publicado un libro con un título como el de *Enganchadas* les venía al pelo. También te lo recomiendo para que les pares los pies, para que vean que vas en serio y se lo piensen antes de seguir con el culebrón, para que evites que te sigan a la playa y te saquen en portada en un *top less* robado o que aparezca cualquier foto que te hicieras a los quince años en la piscina, yo qué sé. Además, de este modo limpias un poco tu nombre, porque si demandas se verá que no te haces partícipe de lo publicado, que ya es algo. Si no demandas, de algún modo parecería que admites tácitamente que lo publicado era verdad.

—Sí, pero tú misma has dicho que me va a salir carísimo.

—Conmigo no. De eso te vale tener amigas de la infancia. Pero, por supuesto, esto de mis honorarios queda en secreto entre tú y yo.

Así que demandé.

17 de octubre.

Volvía del pediatra arrastrando el cochecito en el que dormías plácidamente (y es que siempre te quedas traspuesta según te monto en el carro, y no hay método mejor de que se te pase una crisis de llanto vespertino que pasearte en cochecito pasillo arriba, pasillo abajo), cuando en la calle Carretas me paré frente al escaparate de una tienda enorme de ropa para bebés. Los trajecitos me atraían como la luz a la polilla y, casi sin saber cómo había llegado allí, me encontré curioseando entre el género, ávida de comprarte ropa que en realidad no necesitas. La ropa talla un mes estaba separada en dos grandes anaqueles, rosa pastel y azul celeste, de forma que me dirigí a la señorita y le pregunté muy educadamente:

—Perdona, ¿tenéis algo para bebé que no sea rosa o azul?

—Sí, mira allí.

Y me indicó una estantería enorme con ropita multicolor.

—Sí, pero es que allí pone «A partir de tres meses», y esta niña tiene veinte días —dije, señalando a mi bebé, tú, que ibas de lo más moderna con tu ranita malva y tu chaquetita verde, todo un alegato indumentario en contra de los estereotipos sexistas, aunque me temo que tu abuela no hubiera estado muy de acuerdo conmigo y le hubiera dado un conato de infarto (otro) si te hubiese visto. (Es por eso por lo que cuando vamos a comer a casa de mi madre te llevamos vestida de blanco y rosa porque, como me dijo la pediatra cuando me recomendó la lactancia artificial, bastante estrés tengo yo en mi vida como para añadirle más.)

—Pues lo siento, señora. De talla de un mes sólo hay eso —me respondió muy seria la dependienta, como si la pretensión de vestir a un bebé de naranja o amarillo fuese algo tan descabellado como comer hamburguesas con salsa de chocolate.

Así que me marché de allí muy digna, empujando mi cochecito y sin llevarme nada de la tienda, refunfuñando para mis adentros y meditando sobre algo que leí hace tiempo: puedes vestir a una niña de azul, pero nunca vistas a un niño de rosa. Y sobre la posibilidad de abrir una tienda *Hip Bebé...* Pero algo en mi interior me dice que me arruinaría.

Eso sí, antes de presentar la demanda intenté por todos los medios llamar a David, porque sabía que mi reclamación perdería peso sin su apoyo. Nunca me respondió. Cuando llamaba a su móvil o a su casa me encontraba indefectiblemente con el contestador, en el que dejé varios mensajes que jamás obtuvieron respuesta. Y así, de un certero e irreversible corte de guillotina, se acabó una amistad que venía durando casi veinte años, desde los tiempos del instituto, cuando me enamoré de José Merlo, al que sabía un amor imposible no sólo porque me llevara veinte años o porque a él no le gustaran las mujeres, sino por la opresiva sensación de inferioridad que se apoderaba de mí cada vez que quedaba a tomar un café con él —se trataba de un educador de aquellos progres que animaban tertulias literarias y actividades culturales fuera de las paredes del aula, y que estaba siempre dispuesto a charlar con cualquier alumno después de clase— y éste, absorto en su propia fascinación literaria, se olvidaba de mi ignorancia y de mi incapacidad para seguir sus elucubraciones y se embarcaba en monólogos inacabables en los que iba salpicando nombres de autores y títulos de libros que yo no había leído o, peor aún, de los que jamás había oído hablar hasta entonces y, para colmo, haciendo pausas que parecían invitarme a que participara silenciosamente en sus pensamientos, invitación que forzadamente yo debía declinar pues ni remota idea tenía sobre lo que podía José estar pensando. Puede que fuera por eso por lo que me lié entonces con David, no tanto por darle en las narices a las pijas que babeaban por él y que nos miraban por encima del hombro a Sonia, a Tania y a mí porque no llevábamos Loden, como por restregarle en la cara mi conquista al profesor que secretamente la deseaba para sí, o quizá por sentir que me acercaba más a él, que algo de José Merlo conseguiría yo si besaba a quien él besaba en sus sueños nocturnos; si probaba su saliva, por muy imaginaria que fuera, en la saliva que con la suya se mezclaba por las noches y en su cabeza. Pero siempre me mantuve reservada, fingiendo que no era consciente de que nuestros morreos no eran sólo producto de la curiosidad sexual propia de la edad, de que los juegos estaban animados por algo más que por un acuerdo de exploración mutua sin ulteriores compromisos o por un muy particular concepto de extensión de la amistad, de que bajo aquellos juegos aparentemente irrelevantes latía un impulso de acercamiento más profundo por parte de David, demasiado orgulloso para expresarlo verbalmente, mientras yo permanecía desdeñosa, indiferente a sus insinuaciones, y aún hoy no sé decir con exactitud si era orgullo feroz el que mantenía inconmovible en mi postura (antes morir que liarse en serio con un chico que escucha a Los Secretos), o si se debía a que me estaba reservando para un futuro más brillante, o si no me comprometía, simplemente, porque, parafraseando a Groucho Marx, no quería ingresar en ningún club que admitiera a gente como yo.

El caso, decía, es que David nunca se puso al teléfono, y ni siquiera se dignó responder un solo mensaje y pararse a explicarme lo que yo ya sabía: que no quería, que no podía, que no pensaba ayudarme. Me dolió mucho darme cuenta de que ya no quería saber nada de mí, que su carrera estaba muy por encima de sus antiguas amistades, y ni siquiera me valía el consuelo de pensar que, por muy profundamente que me propusiera en adelante despreciar a David Muñoz, era casi seguro que él se despreciaría a sí mismo con mucha más virulencia aún.

18 de octubre.

En la planta baja del edificio en el que vivimos hay un karaoke cuya clientela es de lo más variopinta: a partir de las siete vemos a mucho viejecito que debe de ir a gastarse allí el cheque de la pensión mientras que, después de las diez, proliferan cantidad de gañanes con pinta de llevar el carnet del Atleti en la cartera, y bastantes guiris, sobre todo *hooligans* británicos. Hemos visto a más de uno sacarse muy ufano una foto con una titi en la puerta del establecimiento, supongo que para fardar después entre sus coleguillas de Manchester. ¿Fardar de qué?, te preguntarás. Pues fardar concretamente de la titi a la que han conocido en el local, porque el presunto karaoke en realidad no es otra cosa que un club de alterne bastante popular, que no llega a ser de alto *standing* pero que se precia de ser de los más famosos de la capital. El «negocio» cuenta con un portero que se aposta en la entrada desde las diez de la noche hasta las seis de la mañana. Es un tiarrón negro-negro —vaya, que el tono de la piel le tira más al ébano que al chocolate—, formato armario ropero y debe de medir casi dos metros de altura y un metro de hombro a hombro. A mí me vino como caído del cielo: por fin podía llegar a casa de noche a la hora que quisiera sin pasar un miedo terrible al abrir la puerta del portal y sin tener que mirar por encima del hombro cada vez que viera a un tipo con pinta rara bajar por la acera, porque el barrio está plagado de individuos con pinta sospechosa: tenemos traficantes marroquíes y colombianos, yonquis, pastilleros y borrachos, bakalas rapados e incondicionales del Real Madrid. Sabedora de que nadie iba a intentar atracarme en el portal —como ya pasó una vez— mientras el negro cancerbero montara guardia a la puerta del garito, cada vez que entraba o salía de casa siempre le saludaba de lo más amable y le dedicaba una sonrisa agradecida. Al principio el portero me ignoraba soberanamente y ya te he dicho que cuando *Cita* me hizo famosa incluso me esquivaba la mirada. Lo cierto es que al tipo le tomó su tiempo devolverme el saludo —igual es que no sabía si yo estaba intentando ligármelo o qué— y al principio hacía como que no me oía. Después empezó a responderme con una escueta inclinación de cabeza y más o menos a los cuatro meses ya se dignaba a pronunciar entre dientes un «hola». Un día incluso me ayudó con las maletas cuando bajaba del taxi. Muy caballero pero muy frío, eso sí.

El caso es que este señor me ha estado viendo entrar y salir a diario durante meses y ha podido, por supuesto, verificar el avance de mi tripa. A veces yo pensaba si no le resultaría raro ver llegar a una embarazada de ocho meses a las dos y tres de la mañana (porque hasta el último día de embarazo yo he seguido saliendo y entrando cuando me ha dado la gana), pero me decía que, teniendo en cuenta su entorno laboral, el tipo ya debería de haber visto de todo y estar acostumbrado a cualquier cosa. Quizá eso justificase su indiferencia ante el mundo. Así que yo le seguía saludando al llegar, como siempre, fuera la hora que fuera, y él me respondía, como siempre, con un hola apenas mascullado y gélido.

Me lo encuentro el otro día al salir a comprar algunas latas de cerveza para Sonia la DJ (también conocida por «*Senseless* Sonia» por su afición a los éxtasis, repito, y te recuerdo que no has de confundirla con Sonia la guionista, también conocida como «*Suicide* Sonia» debido a su conducción temeraria, ni tampoco con mi antigua compañera de clase, Sonia la fotógrafa, también conocida como «*Slender* Sonia» por lo delgadísima que está, ni mucho menos con Sonia la actriz, también conocida como «*Sweet* Sonia» por lo cariñosa que es, y sí, ya sé que me repito más que el ajo, pero es que si no no te enteras tú y ni siquiera yo), que había venido a conocerte. Evidentemente, no podía agasajarle con psicotrópicos, pero tampoco podía ofrecerle un té con pastas a una chica como ella, así que tuve que bajar a por cervezas porque en la nevera no había.

—¿Ya has tenido al bebé? —me pregunta el negro.

—Sí —respondo sorprendida al comprobar que Supernegro sabe hilar más de dos palabras seguidas, pues a mí nunca me había dirigido más que el hola de rigor.

—¿Y es niño o niña?

—Niña.

—Ah, qué bien. Yo tengo cinco hijos, ¿sabes?

Y pasa acto seguido a contarme vida y milagros de sus hijos, para mi pasmo y asombro, pues nunca hubiera creído que Supernegro fuera un honrado padre de familia si hasta incluso dudaba de que fuera capaz de sonreír, ser amigable y enzarzarse en animada conversación con la vecina. Cuando acaba de darme el parte de la vida y milagros de sus retoños, acaba con el tópico de siempre: «Pues nada, ahora a criarla con salud.»

Sonia se fue de casa con tres hojas de maría recién arrancadas de la planta. Dice que ya encontrará la forma de prensarlas.

Paz presentó en mi nombre una demanda contra la revista *Cita* por intromisión en el derecho al honor, término técnico que venía a decir que yo quería dejar claro ante *Cita* y ante el país entero que no era una cocainómana ni una robamaridos.

Cita contestó a la demanda sosteniendo que ellos nunca habían afirmado en su artículo ni que la demandante mantuviera una relación amorosa con David Muñoz ni que fuera adicta al consumo de drogas, por lo que —siempre según su contestación a la demanda— en modo alguno habían podido lesionar mi honor. Añadían además que no podía hacerse responsable de las interpretaciones, propias o individuales, que sobre el artículo pudiera hacer cada uno de los lectores.

Así que durante el juicio a Paz le correspondería demostrar que en el artículo no se dejaba nada a la interpretación del lector, sino que se afirmaba meridianamente que yo estaba enganchada a las drogas y también a David.

En fin, querida, al contrario que a la mayoría de los espectadores, a mí nunca me han gustado las películas de juicios, siempre me aburrieron soberanamente, así que no te voy a dar un informe pormenorizado de cómo transcurrió la vista porque fue tan aburrida como podría serlo una película, o más, puesto que ni tuvimos a Harrison Ford haciendo de fiscal, ni a Calista Flockhart interpretando a Paz, ni allí nadie era guapo ni iba bien vestido. Muy al contrario: los abogados de la parte contraria eran todos gordos y calvos, la jueza necesitaba urgentemente una *esthéticienne,* todo fue lento y tedioso e incluso la sala donde se celebró el juicio era poco cinematográfica. Estaba sucia y polvorienta, mal iluminada, olía a humedad y resultaba tan deprimente como para poder predecir sólo por su aspecto el resultado del proceso.

Intentando demostrar que yo nunca había sido adicta a la cocaína, Paz aportó, amén de los diferentes análisis de sangre que yo había tenido que hacerme por motivos varios a lo largo de los años (uno de ellos, las pruebas en las que se basó el ginecólogo para afirmar que resultaba altamente improbable que tú nacieras) y cuyo valor probatorio, a tenor del tiempo pasado, no hubiera resultado concluyente, unos análisis de cabello que tuve que hacerme pocos días antes, porque esa prueba capta el uso de cocaína hasta tres meses después de haberla consumido, mientras que el test de orina revela consumo sólo de dos a tres semanas previas.

Lo que yo no entendía era a qué venía tanta insistencia en demostrar que no tomaba drogas si en la contestación de la demanda los propios abogados de *Cita* ya daban por hecho que no, que no las tomaba. Pero, por supuesto, me quedé en mi rincón, contemplando todo aquello sin decir palabra, como me había recomendado Paz, calladita, monísima y como ausente en mi traje de chaqueta rosa estrenado para la ocasión (convenía dar imagen de chica formal), y cruzando una mano sobre la otra para que el temblor no delatara mi nerviosismo.

Me explicó Paz más tarde que aunque mi presunto consumo de drogas no fuera el tema de debate, pues lo que se venía a demostrar allí era si la revista me había *deshonrado* o no (cual si yo fuera una tierna doncella y *Cita* un truhán sin escrúpulos que de mí se hubiera aprovechado), teníamos que convencer a la jueza de que yo nunca tomaba drogas, para dejar claro que el artículo era del todo gratuito y malintencionado. Y no, yo no tomaba drogas, al menos no drogas ilegales, pero no porque estuviera más o menos de acuerdo con su consumo, sino porque cada cual tiene su droga de elección, la más importante, la que más le pone, aquella sin la cual no sabe vivir, y para mí ésa siempre fue el alcohol y, por tanto, consideraba la cocaína como un polvo caro para niñatos, nada que a mí me llamara demasiado la atención. Porque yo era una enganchada más, porque mi Otra se empeñaba en hundirme la vida dándome de beber y liándose con quien menos pudiera interesarme, porque como persona escindida y autodestructiva era una adicta, una drogadicta pero, eso sí, una drogadicta legal.

19 de octubre.

Ayer noche salí con Sonia, Sonia la actriz (ya sabes: no hay que confundirla con las otras Sonias), que me invitó al estreno de una obra de teatro. Me resultaba un poco extraño encontrarme allí, como una cucaracha en un plato de nata, entre todas las actrices, modelos, cantantes y artisteo en general que lucían sus mejores y más ajustadas galas para la ocasión mientras que yo iba vestida con uno de los tres únicos pantalones que ahora me caben y con una pinta de trapera que haría que, en comparación, cualquier mendigo colgado de su tetrabrik de Don Simón resultara un prodigio de distinción. Normalmente me preocupa un pimiento mi aspecto y ya tengo muy asumido que entre los muchos o pocos dones que se me concedieron al nacer no figuraba el de la elegancia, pero no es lo mismo llevar unas pintas horribles cuando eres una simple chica gordita pero todavía con un pasar que cuando eres una matrona recién parida con unas ubres que te caen hasta la cintura y unas caderas anchas como el olvido. Le pregunté de nuevo a Sonia, que ya ha tenido un hijo pero sigue teniendo un tipo estupendo:

—Sonia, ¿después de haber parido, cuánto se tarda en recuperar el cuerpo que una tenía?

—Ya te lo dije, pesada: nunca.

—Pero tú sí que lo has recuperado —miento piadosamente, porque lo cierto es que Sonia es una Sonia menos juncal de lo que era, pero también es cierto que la diferencia no le resta atractivo.

—Pues entonces échale un año.

—¿Un añooooo? ¡Pero yo no me puedo tirar así un año! Me da algo...

—Bueno, nena, si haces mucho ejercicio y una dieta equilibrada, puedes reducirlo a... once meses.

Nos sentaron a una mesa al lado de un actor que me solía gustar muchísimo por la época en la que aún suspiraba por José Merlo. Yo daba por hecho que él nada podía interesarme, en primer lugar porque su juventud, como la mía, ya se ha esfumado, pues si tenemos en cuenta que su juventud era menos juventud que la mía —o sea, que me saca unos años—, el señor ya está a punto de dejar de ser un apetecible cuarentón para pasar a ser un cincuentón venerable, y a mí nunca me han gustado los hombres maduros, y en segundo lugar porque no me gustan los actores por mucho que pueda llegar a admirarlos: demasiado egocéntricos y neuróticos para mi gusto. (Y para muestra un botón: David Muñoz.) Pero resultó que este señor no era de los que empiezan todas sus frases con el inevitable *yo* y, para colmo, se hallaba sorprendentemente bien conservado para su edad, por lo que me estaba poniendo tan nerviosa tenerle cerca que me metí tres copas de champán entre pecho y espalda. Craso error, porque después de casi diez meses sin beber me sentaron como un tiro y ya se sabe que el alcohol agudiza los sentimientos, así que al rato ya estaba yo hundiéndome otra vez en la fosa de la depresión y pensando que años atrás hubiera podido al menos intentar seducir a este señor y a cualquier otro (conste que escribo *intentarlo*, no *conseguirlo*), mientras que ahora cualquier intento estaría condenado al ridículo más espantoso porque ¿qué galán maduro iba a fijar sus ojos en la réplica femenina del muñeco Michelin?

Bajé de un taxi frente al portal a las tres de la mañana, no borracha perdida pero sí un poco tambaleante, saludé a Supernegro y me dispuse a intentar que encajase la llave en la cerradura, tarea harto difícil dado mi cansancio y mi ligera intoxicación etílica. En ese momento escuché la voz de Supernegro.

—¿Sabes lo que dicen en mi tierra en estos casos?

—No, ¿qué dicen? —respondo, pensando que va a hacer algún tipo de chiste sexual sobre llaves grandes que no encajan en cerraduras estrechas.

—Pues dicen: «Mujer parida, en casa y tendida.»

Cuando llego a nuestro cuarto te encuentro dormida de lo más plácidamente al lado de tu padre, que ni se entera de que he vuelto. No así tú, que te pones a gimotear en cuanto percibes mi presencia. Descubro entonces que tu indiferente o agotado progenitor no ha advertido que te has hecho una caca enorme y que te molesta el pañal, así que me dispongo a cambiarte. Pero entonces se me viene a la cabeza una escena del libro *Corre, conejo*, de Updike, cuando Janice, borracha perdida, intenta bañar al bebé y acaba por ahogarlo, y me acosan horribles imágenes de una madre beoda intentando cambiar un pañal y un bebé que se le resbala entre los brazos como una pastilla de jabón. Aun así, de alguna manera consigo cambiarte sin que tu integridad física peligre en momento alguno y me meto en la cama con tu padre y contigo. No consigo dormir y el tiempo se me pasa dando vueltas en la cama e intentando no aplastarte, porque me agobio al pensar que no sirvo para esto, que no sirvo para nada, que ni voy a recuperar mi antigua vida ni me voy a saber adaptar a la nueva, e imagino que la luz de la luna, apoyada en los postigos entreabiertos, arroja al pie de la cama una escala encantada ofreciendo una salida mágica hacia una vida celestial y distinta. Entonces me llaman la atención unos gemiditos casi inaudibles de satisfacción, vuelvo la cabeza para mirarte y me doy cuenta de que te has quedado dormida otra vez con uno de mis rizos enganchado al minúsculo puño que parece de juguete, pero que se aferra como una tenaza.

Paz llamó a declarar a Consuelo, que estuvo allí aquella noche, y que podría explicar todo el malentendido. Cuando, antes de tomar su declaración, la jueza le preguntó si mantenía alguna amistad o enemistad manifiesta con alguna de las partes, Consuelo se quedó mirando a la letrada con los ojos muy abiertos como si no supiera qué responder.

—Ehmm, yo es que soy amiga de Eva, por eso lo puedo contar todo, porque estaba allí...

El abogado de *Cita* tachó a Consuelo como testigo, y la jueza lo aceptó.

Después llamó a declarar a un tipo al que yo no había visto en la vida y que afirmó trabajar de camarero en Pachá. El abogado le preguntó si me reconocía. El chico me miró y afirmó tranquilamente que sí, aunque a mí ni siquiera me sonaba su cara. Después dijo que estaba en Pachá la noche del día tal y que recordaba perfectamente cómo yo había desaparecido abrazada al «señor Muñoz» (al que había reconocido perfectamente, aseguró, no sólo porque salía en la tele sino por ser un habitual del local) por la puerta de acceso a los cuartos de baño.

Cuando le tocó el turno a Paz ella le preguntó: primero, si aquella noche había mucha gente en el local; segundo, si él había estado todo el tiempo en la barra atendiendo a clientes; y tercero, y una vez hubo contestado afirmativamente a las dos primeras preguntas, cómo, al estar trabajando en la barra y entre el trajín que supone estar yendo y viniendo para buscar botellas, coger hielo, servir vasos, dar el cambio, etc., había podido apreciar tan claramente las evoluciones del señor Muñoz y su representada. Aquí, el camarero se quedó blanco, apretó los labios, como si le hubieran pegado una bofetada, y cuando recuperó el color y el habla, afirmó con rotundidad que los (nos) había visto, y punto.

Después, el abogado de la parte contraria (esto es, uno de los abogados de *Cita*) solicitó a la jueza que le permitiera aportar cierta documentación. La jueza le preguntó de qué se trataba. El abogado, extrayendo con gesto muy teatral una carpeta de su cartera, le informó que tenía un informe del hospital La Paz, lugar en la que la demandante (yo) había sido internada con evidentes síntomas de intoxicación por consumo de drogas.

Paz me dirigió una mirada en la que creí leer un «¿De qué están hablando?», a lo que respondí con un encogimiento de hombros que quería decir: «Ni idea.»

—Señoría —interpeló Paz con un aplomo digno de Perry Mason—, solicito que se me permita ver dicho informe.

La jueza asintió con un leve movimiento de cabeza.

20 de octubre.

Copio literalmente una de las preguntas del test «¿Qué tipo de madre eres?» publicado en *Padres*.

«Estás sentada completamente exhausta en la cocina tomándote un pequeño descanso y un café. ¿Qué se te pasa por la cabeza en un momento así?

»a) Me compensa, porque así mi familia es feliz.

»b) Y ahora me tocará planchar y también debería limpiar los cristales. Están fatal.

»c) ¡Sería fenomenal estar sentada ahora en una terraza en Roma!

»d) Sólo cinco minutos de tregua y luego seguiré.»

Me entran ganas de enviar una carta a la redacción de *Padres*.

«Estimado equipo de Padres*:*

»Respecto a la pregunta número 11 de su test "¿Qué tipo de madre eres?", publicado en su número de octubre del 2003, me complace informarles de que si mi familia se sintiera feliz de tener una extenuada esclava a su disposición para plancharles la ropa y limpiar los cristales, mi vida no me compensaría lo más mínimo, amén de que pronto ellos dejarían de ser tan felices, cuando me convirtiera en una neurótica amargada y victimista enganchada a los tranquilizantes y entrometiéndome todo el día en la vida de mi hija para compensar de alguna manera los sinsabores y las carencias de la mía. Es por ello por lo que me alegro de no poder contestar a su pregunta número 11, ya que tengo la suerte de trabajar fuera de casa y contar con un compañero y una asistenta que hacen que

nunca me halle en situación de encontrarme sola y exhausta en la mesa de la cocina por culpa de las tareas domésticas. De paso, les sugiero que dejen de fomentar estereotipos sexistas en su publicación.

»Saludos de una madre trabajadora, de las que hay tantas en España, aunque parece que para su publicación no existamos.»

De hecho, ya la he enviado, aunque mucho me temo que no la publicarán.

El informe se refería a una ocasión, dos años atrás, en la cual el hombre cuyo nombre está escrito en un papel de pergamino y encerrado en una botella enterrada en un descampado cerca de Cuatro Vientos y la presunta deshonrada (yo) habíamos tenido un accidente. Serían las tantas de la mañana, volvíamos de no recuerdo qué garito, conducía él, borracho como siempre, y se saltó un semáforo en rojo. Nos estampamos contra otro coche. Afortunadamente todos llevábamos el cinturón de seguridad (incluyendo al conductor del otro vehículo) y la cosa se quedó en un abollón en la carrocería. En la carrocería del coche y en la mía, pues me di de frente con la luna delantera y me hice una brecha que en principio parecía cosa seria, por la abundante sangre que manaba, pero que se reveló como un simple rasguño en cuanto me limpié con un pañuelo. En cualquier caso fuimos al hospital por aquello de que es lo que se debe hacer cuando te das un golpe en la cabeza. Como llegué desorientada, la enfermera me preguntó si había bebido. Yo contesté que sí, y debí de añadir, aunque la verdad es que no lo recuerdo con seguridad, que había tomado una o dos rayas. Y por lo visto aquello constaba.

Después de echar un vistazo al informe, Paz volvió a dirigirse a la jueza.

—Señoría, impugno estos datos solicitando no se tengan presentados por extemporáneos por cuanto se debían haber presentado en el momento de la contestación de la demanda. Pero, además, dese parte al Ministerio Fiscal, ya que la obtención de este informe ha sido irregular por cuanto se trata de documentos privados cuya presentación en este tribunal supone una intromisión en el derecho a la intimidad de mi representada. Se trata de datos personalísimos que deben permanecer en su esfera personal, según Ley Orgánica 15/1999, de 13 de diciembre, de Protección de Datos de Carácter Personal.

Una vez acabados los interrogatorios (en realidad, un solo interrogatorio, el del camarero, puesto que a Consuelo no se le permitió declarar), las partes debieron hacer su alegato final, bastante previsible, por supuesto.

Paz sostuvo que la redacción y presentación del artículo afirmaba claramente que su representada (yo) había mantenido relaciones con un hombre casado con el que además había consumido drogas, y que por mucho que el reportaje nunca afirmase tajantemente ambas cosas, las daba a entender con tanta claridad como para no dar lugar a ninguna otra interpretación, y resultaba evidente que cualquier lector así lo entendería, pues si no no se explicaba por qué todos los medios que habían recogido la noticia de *Cita* afirmaban que el semanario había sorprendido a David Muñoz consumiendo drogas y siendo infiel a su mujer.

El abogado de la parte contraria volvió a repetir lo que decían en la contestación: que en el artículo nunca se afirmaba claramente nada, que simplemente la periodista había interpretado lo que las fotos sugerían, y que lo que las fotos mostraban era a una pareja abrazada y en evidente estado de estupor o desorientación.

Finalmente, un hombre vestido de gris que había permanecido sentado al lado del abogado de la parte contraria y en quien yo no había reparado en todo el tiempo que duró la vista se levantó y, en tono monocorde, vino a repetir uno por uno los argumentos que ya había expresado el representante de la revista. En otras palabras, que los lectores eran tontos y que qué culpa tenía *Cita* de que lo fueran.

Pues bien, ese señor era el fiscal. Y en España, le corresponde al Ministerio Fiscal *promover la acción de la justicia en defensa de la legalidad, de los derechos de los ciudadanos y del interés público tutelado por la ley, de oficio o a petición de los interesados, así como velar por la independencia de los tribunales, y procurar ante éstos la satisfacción del interés social.* Esto es, que lo que aquel señor acababa de hacer era expresar su opinión, teóricamente independiente, sobre lo que había visto en el juicio, opinión que la señora jueza estaba obligada a tener en cuenta.

21 de octubre.

Tu tía Sonia (Sonia la guionista, también conocida como «*Suicide* Sonia» debido a su conducción temeraria y a su manifiesta inclinación a manejar el vehículo en estado leve — y a veces no tan leve— de intoxicación etílica; nada que ver con mi antigua compañera de clase, Sonia la fotógrafa, también conocida como «*Slender* Sonia» por lo delgadísima que está, ni con Sonia la actriz, o «*Sweet* Sonia», llamada así por lo cariñosa que es, ni con Sonia la DJ, también conocida por «*Senseless* Sonia» por su afición a los éxtasis...) subió a casa a hacerte una visita vestida de espía francesa de la

Resistencia, con una falda de tubo, unas medias de rejilla, una gabardina cruzada y una boina que quedaría muy garrula sobre la cabeza de Marianico *el Corto*, pero que sobre sus rizos rubios resultaba un prodigio de *glamour*.

—¿Sabes lo que me ha dicho el negro de abajo? —obvia decir que Supernegro la conoce, la ha visto entrar y salir de casa, conmigo y sin mí, infinidad de veces—. Me ha dicho: «Qué bien te sienta el *bonnet*.» No ha dicho boina, sino *bonnet*. Es cultísimo, ese señor...

La sentencia del juicio llegó dos meses después, y venía a decir lo que ya nos esperábamos, que —siempre según su texto— *Cita* no era culpable de nada, pues la jueza estimaba que *«su actuación no había supuesto una intromisión en el derecho fundamental al honor, a la intimidad personal y a la propia imagen de la demandante»* (cito textualmente) ya que había sido *«lo suficientemente diligente en la recapitulación de datos como para ser amparada por la libertad de información»*.

La propia Paz cogió un avión y se presentó en Madrid para comunicarme personalmente la noticia.

—En cristiano, lo que viene a decir esta sentencia es que la supuesta diligencia a la hora de contrastar la noticia ampara su publicación, incluso aunque la noticia resulte ser falsa. Alucinante. Y tal diligencia consiste en que tienen a un fotógrafo sacando fotos y a una periodista que luego escribe un texto malintencionado, pero que, eso sí, es tan lista como para que no se olvidara nunca de añadir «probable» o «aparente» en las frases en las que sabía que estaba mintiendo. Así se curaba en salud, porque no se la puede acusar ya que ellos pueden decir que nunca han afirmado nada categóricamente. Sin embargo, lo único que su redacción me prueba a mí es que llevan tantos años jugando a hacer esta basura que ya han aprendido a bordear peligrosamente el límite de lo legal sin cruzarlo nunca del todo. —Suspiró aparatosamente y hundió la cabeza entre las manos—. No, si es que yo cuelgo la toga...

—Paz, por favor, no te pongas así... No va a acabar la abogada más deprimida que la cliente.

—No es por ti, es que estoy harta de ver este tipo de cosas. Hace poco tuvimos un caso de un chico que se había matado en una obra. Ni llevaba casco, ni el arnés reglamentario ni nada... La obra incumplía las más elementales normas de seguridad. Pues al final el juez concluyó que el chico se había matado por su culpa, porque él no se quiso poner el casco. Increíble. Pero claro, la empresa constructora tenía un capital social de miles de millones y ahí estaban untados todos. Estoy harta de ver casos de este tipo...

—Pero aquí no se ha muerto nadie, Paz... No es lo mismo.

—¿Tú te fijaste en el alegato del fiscal?

—Pues claro. ¡Si casi me pongo a llorar allí mismo!

—Ya, pero tú no caíste en la cuenta de dos cosas. Primero, se supone que durante la vista el Ministerio Fiscal debe tomar notas, y él no tomó ninguna. Y segundo, cuando leyó sus conclusiones estaba repitiendo, punto por punto, la contestación que *Cita* presentó a nuestra demanda.

—¿Y...?

—Que él no la podía haber leído. Que se supone que la Fiscalía debe hablar sólo desde lo que ha visto, sin información previa. Que no podía haber leído ni el texto de nuestra demanda ni el de la contestación de esos hijos de... —A punto de perder los papeles Paz, que jamás dice tacos, respiró hondo y recuperó la compostura—. Es decir, que el fiscal nos estaba enviando un doble mensaje.

—¿Qué quieres decir?

—En primer lugar, nos dejaba claro que ya había tenido contactos con *Cita* y, además, que no le importaba que lo supiéramos. Al repetir casi punto por punto los argumentos de la revista nos estaba amenazando, avisándonos de que la publicación no se anda con chiquitas, por si estábamos pensando en apelar.

—¿Y vamos a apelar?

—¿Tú qué crees?

—Que no.

Y no, no apelé. Así que las vecinas de mi madre seguirían creyendo para los restos en la leyenda de Eva Agulló, cocainómana y robamaridos. Y así estaban las cosas: sola, sin trabajo o con poco, acosada por los medios y por los acreedores y para colmo con la reputación por los suelos y la autoestima por el subsuelo. Pero todo, ya se sabe, es según el color del cristal con que se mira.

Analicemos mi situación: había sido infeliz en mi relación durante muchísimo tiempo y no hacía más que fantasear con el día en que por fin aquella tortura se acabara, pero cuando mi torturador desapareció me olvidé de lo desgraciada que me había sentido a su lado, concentrada exclusivamente en lo sola que de pronto me encontraba y envenenada por el vano y grato residuo de las horas felices que pasé en su compañía, que también las hubo, pues de no haberlas habido nunca hubiera podido aguantar las malas. Por primera vez en mi vida había publicado un libro, pero un libro que no sentía como mío y del que íntimamente casi me avergonzaba. Y para colmo aquella obra me había hecho famosa, pero famosa en el peor sentido de la palabra, en su sentido original, pues la palabra *famosa* deriva del original latino *fama*: cotilleo y mala reputación. Me sentía impotente e indefensa, a merced de los golpes de cualquier desconocido, y me enredaba en constantes espirales de autocompasión creyendo que mi vida era un fracaso, que yo misma era un fracaso. Pero en algún momento pensé que no podía quedarme todo el día en casa sintiendo pena por la pobrecita Eva, que yo era humana y que, como humana, estaba condenada a equivocarme, pero que, como humana, si quería crecer, tendría que aprender a lidiar con lo inesperado. Existían infinidad de factores en mi vida sobre los cuales no tenía control. No podía controlar, por ejemplo, a una periodista sin escrúpulos que quería medrar en su revista de tercera sin que le importase hundirle la reputación a quien se interpusiese en su camino, pero sí podía controlar la forma en que yo misma respondiera a las circunstancias, sí podía controlar hasta qué punto me importaran o me dejaran de importar la periodista o el fiscal. Al fin y al cabo no me estaba muriendo de hambre, no había nacido en Tailandia, donde mi padre me habría vendido a un burdel de Bangkok por menos de quinientos dólares; ni en Nigeria, donde podrían haberme lapidado por adúltera; ni en Somalia, donde me habrían extirpado el clítoris a los once años; ni en Afganistán, donde no me habrían dejado enseñar ni mi rostro por el implacable burka, así que mis penas resultaban manejables, y podía aprender a responsabilizarme de ellas y plantearme creativamente la manera de sobrellevarlas en el futuro. Si persistía en la estúpida idea de que los demás debían cambiar para que yo fuera feliz, resultaba evidente que nunca lo sería. Porque mi ex novio no iba a cambiar, ni David Muñoz iba a cambiar, ni la periodista de *Cita* ni el fiscal corrupto tampoco iban a cambiar. Pero yo sí podía cambiar, podía elegir tomarme las cosas de una manera distinta. Porque sólo no anhelando lo imposible sería feliz, porque sólo quien no busca finalmente encuentra, sólo quien no busca ya tiene.

Comprendía, como en una iluminación, que la mejor manera de apurar aquel trago de angustia consistía en cen-

trarme en ideas positivas sobre el futuro que me conduci-
rían, como un puente, al otro lado del abismo próximo que
me espantaba, el de mi propia e inmediata soledad. Y entonces se me vino a la cabeza una estupidez que leí en un libro de autoayuda: que el carácter de caligrafía chino para
la palabra *crisis* resulta de una combinación de los caracteres
«peligro» y «oportunidad». Una estupidez, porque cuando
se lo comenté a Susana, la hija de la dueña del chino todo a
cien de la esquina (Susana es el nombre español, el chino
no lo sé transcribir, es algo así como Chun suán), que habla
y escribe español y cantonés perfectamente, me dijo que
era la primera vez que oía algo así, pero que de todas formas en la escritura china hay casi cincuenta mil signos cali-
gráficos y, probablemente, muchas formas de escribir crisis.
En cualquier caso, la idea se me quedó, y para traducirla a
mi idioma, que se escribe con un alfabeto y no con signos
conceptuales, pensé en aplicar una máxima que solía repetir mi madre cuando hablaba de los tiempos de posguerra:
lo que no te mata, te hace más fuerte.

2.   ESTE VALLE DE LÁGRIMAS

—

Menuda invención son las madres. Espantapájaros, muñecos de cera para que les clavemos agujas, simples gráficos. Les negamos una existencia propia, las adaptamos a nuestros antojos: a nuestra propia hambre, a nuestros propios deseos, a nuestras propias deficiencias. Como he sido madre, lo sé.

MARGARET ATWOOD,
El asesino ciego

PANCREATITIS: *La pancreatitis aguda es una inflamación brusca, causada por el daño que se produce en el propio páncreas por la activación prematura de las sustancias que éste produce para la digestión. La pancreatitis aguda se manifiesta con la aparición de un fuerte dolor de vientre. Además del dolor, el enfermo suele encontrarse muy afectado en su estado general y puede tener náuseas y vómitos.*

Las dos causas más frecuentes de la pancreatitis aguda son las piedras en la vesícula de la bilis y el alcoholismo. Se cree que cuando la causa son los cálculos, la inflamación se produce si alguno de éstos se escapa de la vesícula y viaja por un conducto denominado colédoco hasta atascarse en la desembocadura del intestino. Como muchas veces el conducto principal del páncreas desemboca en el mismo sitio que el colédoco, la piedra es capaz de iniciar la inflamación del páncreas.

Otras causas más raras de pancreatitis aguda pueden ser, entre otros motivos: virus, medicamentos, alteraciones congénitas de los conductos del páncreas, obstrucciones de la desembocadura del conducto de Virsung por motivo distinto que un cálculo, aumento mantenido de calcio en sangre (hipercalcemia), falta de riego en el páncreas, golpes en el abdomen por accidentes y algunas intervenciones quirúrgicas... Entre un diez por ciento y un veinticinco por ciento de las pancreatitis agudas pueden ser de origen no conocido (pancreatitis aguda idiopática).

En el veinte por ciento de los casos las pancreatitis agudas son graves. Esto se debe a que el páncreas se destruye en un proceso que se llama necrosis. La necrosis facilita que el organismo tenga una fuerte reacción generalizada que puede provocar el fallo de sus órganos y funciones más vitales (riñón, pulmón, corazón...). Si además se infecta la necrosis, el proceso se agrava todavía más.

Fallecen entre el dos y el cinco por ciento de todos los pacientes con pancreatitis. Los casos de muerte se dan en los supuestos más graves, que son aquellos afectados altamente por la necrosis, sobre todo si se acompaña de infección de la misma. La causa de muerte suele deberse, como ya se ha dicho, al fallo de funciones y órganos vitales o fallo multiorgánico.

Enciclopedia Médica y Psicológica de la Familia

22 de octubre.

Mi madre, tu abuela, ingresó en urgencias con una crisis de vómitos y quejándose de un dolor abdominal agudo. Lo que en principio se tomó por simple gastroenteritis acabó resultando ser una pancreatitis aguda recidiva. Lo de recidiva significa, me acabo de enterar, que no es la primera. Al parecer, mi madre ya había tenido varios episodios de pancreatitis previos, pero yo no tenía ni idea.

Los médicos nos explicaron que es muy posible que no se hubiera podido diagnosticar entonces la existencia de pequeños cálculos de la vesícula no visibles en la ecografía, y nos hablaron de que había surgido un montón de complicaciones colaterales a la pancreatitis: derrame pericárdico, absceso mediastínico, disminución de los campos pulmonares, oliguria prerrenal, hemorragia digestiva... términos que nos sonaban a chino y a los médicos a noventa por ciento de riesgo de mortalidad.

La trasladaron a la UVI el domingo por la mañana después de una intervención de emergencia para eliminar un cálculo atascado e intentar limpiar lo más posible la zona del páncreas, que se había necrosado, y sus inmediaciones.

Dicen que es un milagro que haya sobrevivido a la operación teniendo en cuenta su edad y patología, y que ahora el peligro más grave lo supone la infección mediastínica que ha sobrevenido. Más o menos en cinco días debería saberse si la batalla la gana la infección o su sistema inmunodefensivo, aunque esta estimación es siempre aproximada. La salud de tu abuela lleva años siendo mala así que, en cierto modo, estábamos preparados a pesar de que nadie está preparado nunca para algo como esto.

Sólo nos dejan verla media hora al día. Eso sí, nos hacen esperar una hora o más en la sala de espera de la UVI antes de que lleguen los muy postergados treinta minutos de visita. Está entubada e inconsciente, así que nuestra presencia es más simbólica que otra cosa. Mi padre está convencido de que puede oírnos, por eso le hablamos todo el rato. Yo no sé si semejante convicción responde más al deseo de mi padre que a la realidad, aunque por si acaso procuro hablarle en el tono más animado posible, teniendo en cuenta lo difícil que resulta hablar en tales circunstancias y que nunca sé qué contarle, puesto que durante años nuestra comunicación ha sido de lo más superficial. Por eso sólo le hablo de ti.

Te copio un *e-mail* que he recibido de Alicante:

«Sé por experiencia personal (me tiré mucho, muchísimo tiempo en una UVI) que cuando los demás creen que estás dormido y sin sentido tú sientes algo. Yo sentía cómo la gente entraba y salía, y aunque de una forma difícil de definir, podía escuchar a los que hablaban. De hecho, aunque durante mucho tiempo no pude reconocer a nadie, yo supe siempre que estaban allí, así que haz caso a tu padre y háblale, no muestres pena e intenta que no se sienta como si fuese algo terrible. Te lo repito, mi experiencia avala lo que digo.

»Besos,

JAUME*»*

23 de octubre.

La han cambiado de planta. Ayer por la tarde un médico muy amable se sentó con nosotros y nos dijo, textualmente, que se trataba de una «situación dramática». Creo que fue la primera vez que me di cuenta de la gravedad del asunto, pues hasta aquel momento mantenía intacta mi fe en que las cosas se arreglarían.

Virginia Woolf, que no podía o no quería aceptar que el tifus le había arrebatado a su hermano, ideó una extraña estratagema para negarse la brutal realidad. En sus cartas a su amiga y antigua mentora Violet, que también se encontraba enferma, urdió una fantasía según la cual Thoby continuaba recuperándose y su salud se restablecía. Durante un mes envió cartas aderezadas con informes médicos y detalles esperanzadores, y sólo puso fin a aquellas imaginativas notas cuando Violet descubrió por fin la verdad en una nota del periódico. Finalmente ingresaron a la joven Virginia en una casa de reposo víctima de una crisis nerviosa, la primera de la larga serie que padeció a lo largo de su vida. Entiendo perfectamente su reacción, porque durante un tiempo estuve obsesionada con Virginia y leí primero todas sus novelas y después amplié otras obras hasta devorar todo lo que se había escrito sobre ella (o al menos todo lo que yo pude encontrar), desde biografías a estudios críticos. Además, yo también siento ahora la tentación de desviarme de este diario y escribirte una carta distinta, una carta redactada desde un universo paralelo en el que tu abuela esté en su casa, en su sillón, hojeando una revista y refunfuñando como de costumbre. Me siento incapaz de decir nada sobre su enfermedad aquí. Ése siempre ha sido uno de mis principales recursos de defensa: si algo me duele mucho, no hablo sobre ello. No soy de las que llama a los amigos buscando consuelo. Muy al contrario, si me encuentro mal prefiero que los demás me hablen de sus cosas.

Por otra parte, ¿qué hace un escritor más que construirse una realidad alternativa para huir de la presente? (Y en la categoría de «escritor» incluyo también a las novelistas inéditas y a las periodistas con ínfulas.)

Hacía mucho que no pasaba tanto tiempo con mis hermanas y mi hermano, tus tíos, con los que tuve que compartir la larga noche del sábado en la sala de espera. Ninguno acaba de entender por qué te llamé Amanda. Demasiado «antiguo» según Laureta; o «pretencioso» según Vicente, o «raro» según Asun. Asun habría querido un nombre más normal, de los de toda la vida, tipo Cristina o Elena o María; Laureta uno de los que salen en las revistas, Alba, Cayetana, Inés o Alejandra; y Vicente... Vicente no habría pensado en ello siquiera, pero ahora que ya tienes uno se apresura a dejar claro que ése no le gusta. Desde el embarazo estuvieron intentando convencerme de que renunciara a la idea de llamarte así. El caso es que, desde que yo recuerdo, mis hermanos nunca han aprobado nada que yo haga, así que tampoco resultaba muy sorprendente que no les gustara tu nombre. Podría haber elegido cualquier otro y lo más probable es que también le hubiesen puesto pegas. Pero sus críticas me afectaron y, a mi pesar, empecé a pensar en cambiarte el nombre que era tuyo por derecho, porque ya lo llevabas antes de nacer, antes incluso de ser concebida, en cualquier sentido, cuando no eras ni embrión y ni siquiera concepto, apenas una posible bendición futura imaginada en la cabeza de tu madre, que cuando todavía escuchaba a The Cure y a Bauhaus solía tararear, para pasmo de Tania y escándalo de Sonia, una canción de Víctor Jara que le encantaba y que decía: «*Te recuerdo Amanda, la calle mojada, corriendo a la fábrica donde trabajaba Manuel, Manuel, Manuel, la sonrisa ancha, la lluvia en el pelo, no importaba nada, ibas a encontrarte con él, con él, con él, son cinco minutos, la vida es eterna, en cinco minutos suena la sirena de vuelta al trabajo y tú caminando lo iluminas todo, los cinco minutos te hacen florecer.*»

Evidentemente aquella canción no la escuché por primera vez en casa, que en mi casa había discos de Gardel (tía Reme, ya sabes, y, por contagio, mi madre) o de Serrat (Asun), o de Leonard Cohen (Laureta) o de Genesis (Vicente) o de Wagner (mi padre), pero de Víctor Jara nunca hubo nada. No te devanes la cabeza que te lo aclaro, aunque debiera ser fácil de adivinar: la canción me la descubrió José Merlo, quien, siempre innovador a la hora de proponer textos para comentarios (ya he dicho que él era un profe de los de progresía y buena onda), nos la puso un día en clase en un radiocasete cascado que había traído de su propia casa y en el que el tema se oía con un siseo de fondo, como de reverberación de película antigua, que hacía que la voz del chileno tuviese un deje cascado y abatido que más le hubiera convenido al tango que a la canción protesta. Fue José Merlo el que nos contó que cuando Víctor Jara se enteró de que su hija era diabética escribió esta canción para su esposa y su niña, que compartían el mismo nombre. La imagen de una mujer corriendo bajo la lluvia sólo para poder ver a su marido escasos cinco minutos sugería un amor tan entregado que conmovía al mismísimo Merlo, al que dudo que las historias de amor heterosexuales conmovieran demasiado. Cuando nuestro profesor nos explicó que aquel ritornelo, *la vida es eterna*, sugería en la letra de la canción la conexión entre la madre y la hija, decidí, recién cumplidos los diecisiete años, que mi hija se llamaría Amanda, por mucho que Víctor Jara, definitivamente, no estuviera de moda, y fuera aún peor visto que Los Secretos entre la pandillita de modernos de pro que llevábamos muñequeras de pinchos, fantaseando en mi yo más íntimo con una hija fruto del amor del mismísimo profesor que nos hizo escuchar aquel tema a dos Amandas dedicado. Y más tarde, ya en la facultad, me ratifiqué en mi decisión, porque amanda, en latín, es la forma gerundiva dativa femenina del verbo amar, es decir, que amanda significa «para ser amada». Pero lo que me acabó de convencer a la hora de darte tu nombre fue enterarme de que no se conoce ninguna santa Amanda, de forma que así podría seguir una antigua tradición familiar, y es que mi bisabuelo, el abuelo de mi madre, que era ateo y masón, llamó a sus tres hijas Palmira, Flora y Sabina, nombres romanos y no de santas, pues no quería que ninguna de ellas pasase por la pila bautismal o tuviera nada que ver con el santoral católico, y a mí siempre me encantó aquella idea, y me ha hecho ilusión recuperarla y darte un nombre pagano que explica que tu madre te concibió en abstracto y en concreto, como concepto y embrión, para amarte.

Porque al pensarte te di forma y al nombrarte te creé: tú eres mi *logoi*.

No debieran afectarme las pegas familiares, tendría que estar acostumbrada a ellas, tendría que tener asumido que nunca les gustará la ropa que visto, los libros que leo, la gente que frecuento, tendría que entender de una vez que cada familia es como una compañía de teatro en la que los roles se reparten, que la unidad familiar depende en parte de que cada uno cumpla el papel adjudicado y así Vicente tiene que ser el galán, Laureta la primera actriz, Asun la actriz de reparto y Eva —la desastre, gorda, inmadura e histérica— la cómica. Pero como a veces se me olvida esta verdad creí que las críticas iban en serio y pensé en algún momento en darte el nombre de Eva para que fueras la tercera de la familia que lo llevaras (tu abuela, tu madre y tú). Pero tu padre seguía empeñado en que fueras Amanda pese a que yo, no él, hubiera elegido el nombre.

Y elegí Amanda porque al nombrarte quería crearte, y crearte distinta a mí. Mi Otra. Una Otra que machacara por fin a aquella primera Otra que me consumía. Una Otra luminosa, invencible.

Tenías que ser distinta, no podías ser como yo, y por eso, aunque a punto estuviste de ser Eva, te quedaste con Amanda, porque así había de ser y por sugerencia (no me atrevo a escribir imposición) de tu padre —que no estaba acostumbrado a acatar decisiones o aceptar indicaciones de nadie, y mucho menos de una familia que no era la suya, ni siquiera por matrimonio puesto que conmigo no se ha casado— y, desde luego, porque siempre te habíamos llamado Amanda, desde que supimos que existías como embrión, pese a que mis hermanos pusieran el grito en el cielo y aseguraran que nadie sabría pronunciar tu nombre y que todos los niños se meterían contigo en el patio del colegio. Cuando se lo comenté a Paz me aconsejó que si tal cosa sucediera, te enseñase a decir: «Voy a llamar a mi tita Paz y te pondrá una demanda por acoso que te vas a cagar.»

Te quedaste con Amanda y no fuiste Eva, y las gracias sean dadas a tu padre, porque Eva es nombre de suplantadora, porque es la sumisa que le quitó su puesto a la primera esposa, a aquella Lilith que no nació de la costilla de Adán, la que fue creada a la vez que su compañero y modelada a partir del mismo barro, a aquella Lilith que exigió copular a horcajadas sobre su pareja, a aquella Lilith a la que un Dios padre masculino y vengativo expulsó del Paraíso (un Dios también suplantador que le había robado el puesto a Elohim, el creador/creatriz que no tenía género, que era a la vez Él y Ella pero que en la segunda versión del Génesis fue sustituido porque algún escribiente, varón, decidió que el Creador era padre y no madre, y que a Lilith mejor la echaban no sólo del Paraíso sino también del libro) y que fue burdamente reemplazada por una Eva segundona de Adán, una Eva como la que no te llamas, porque tú nunca vas a ser una segundona y porque dice Alejandro Jodorowsky que trae mala suerte llamar a los hijos como a los padres, que así nunca desarrollan personalidad propia. Debe de tener razón, mira si no cómo salí yo, siempre intentando a la desesperada averiguar quién soy, en permanente búsqueda de una identidad que desde el principio me fue negada pues ni mi propio nombre tenía: nunca fui Eva en mi casa, siempre Evita, siempre niña incluso cuando dejé de serlo, una niña que seré siempre para ellos hasta que muera.

Seguía tu tío insistiendo, entre calada y calada de su purito —haciendo caso omiso al cartel de «No fumar» que colgaba bien visible en la pared frente a nuestro banco—, en que a los niños hay que ponerles nombres de toda la vida y no inventos sudamericanos. De todas formas, poco nos importa que tu tío conozca o no la etimología de tu nombre porque dudo mucho que vayas a tener demasiada relación con él en un futuro. Y es que tu tío Vicente, tu narilargo y estiradísimo tío Vicente, no es precisamente el mejor amigo de tu madre. Está dotado de una visión muy peculiar del mundo según la cual éste se divide en dos partes: una, Vicente Agulló Benayas; la otra, los demás. Eso sí, con la particularidad de que la segunda debe girar siempre alrededor de la primera. Por eso a tu formalísimo, organizadísimo, correctísimo y perfectísimo tío Vicente le molesta muchíiisimo tener un caos de hermana pequeña como la que tiene, porque no logra encajarla en ninguno de esos dos segmentos.

Lo cierto es que, si como embrión te llamábamos Amanda, curiosamente ahora, en casa, en tu casa, esa que habitamos tu padre, el perro, tú y yo, nunca te llamamos por tu nombre. Eres siempre «la nena», quizá porque ahora que por fin te vemos nos pareces tan minúscula que aún no te hacemos con nombre de mujer. (Y entiendo por fin por qué nuestra amiga de Marbella se quedó con el nombre de *Nenuca*, porque como sigamos a este paso, *Nena* vas a llamarte el resto de tu vida.) Quizá respondemos a un mandato latente del inconsciente colectivo que nos ata a otros mundos dentro de éste, a organizaciones distintas, más sabias que la nuestra, porque he leído que en muchas culturas no se los nombra a los niños hasta que tienen tres meses. En Bali, por ejemplo, los bebés no pisan tierra firme hasta pasado el primer trimestre porque están siempre en brazos o colgando de las hamacas-cuna, ya que los balineses creen que los recién nacidos no pertenecen a la Tierra puesto que son hijos de los dioses. Sólo transcurrido ese tiempo se les da de beber a las criaturas su primer sorbo de agua y se les impone nombre en una ceremonia ritual. Quizá a los tres meses, cuando por fin puedas enfocar objetos, girar la cabeza, sonreír, susurrar y responder con gruñidos a mi voz, empezaré a llamarte por tu nombre. Y al nombrarte te crearé de nuevo, y dejarás de ser un bebé para ser una niña en miniatura cuando vuelvas la cabeza para sonreírme.

Otro *e-mail* que te transcribo:

«Pasé por algo parecido con mi padre, así que entiendo perfectamente cómo te sientes, con la diferencia de que yo no tenía que hacerme cargo de un bebé, que debe de hacer las cosas más agotadoras todavía. Llámame para lo que necesites.

PAZ»

Tiene razón, un bebé agota. Pero ayuda muchísimo. Me acuerdo que cuando mi hermana Laura —la linda Laureta, la joya oriental— se separó de su primer marido, me contaba que no tenía tiempo para deprimirse, porque al llegar a casa tenía que ocuparse de que los niños merendaran, cenaran y se bañaran —o más bien de supervisar que su niñera lo hiciera diligentemente—, de leerles el cuento antes de acostarse y, sobre todo, de que no la viesen triste. Y a base de fingir alegría acababa por sentirla, que es lo mismo que de pequeños nos decían las monjas en las catequesis de la parroquia: «Lleva una sonrisa en la cara y acabará sonriendo el corazón.»

Es cursi, pero es verdad. Si no te tuviera a ti llegaría a casa y acabaría bebiendo, o tomando tranquilizantes o entonteciéndome con la tele o tirada en la cama sin poder moverme, víctima de un paralizante ataque de autocompasión. Pero tengo que darte el biberón y acunarte y cantarte, y no necesito forzar la sonrisa, porque verte me hace sonreír de verdad. Otra vez cursi, otra vez verdad. Como dice tu padre, eres Prozac natural.

Ocuparse de ti me hace feliz no sólo por la oxitocina o *el efecto Bambi* o porque estés diseñada para gustar. También porque está demostrado que proporcionar felicidad o consuelo a alguien también hace feliz a quien lo ofrece. Por eso sobrevive la especie, dicen, porque si estuviéramos programados para aniquilarnos los unos a los otros, no habríamos durado ni tres generaciones. Estamos diseñados —imperativo del Plan Divino o de los genes— para tomar parte en juegos de resultado positivo, aquellos en los que todos los jugadores salen ganando algo, mientras que los de resultado negativo son aquellos en los que uno sólo puede ganar algo si el otro lo pierde, de forma que cuantos más juegos de resultado positivo haya en una cultura, más posibilidades tiene ésta de prosperar, y por eso nuestra especie está diseñada para desarrollar estrategias de juego positivo, para moverse por empatía.

O eso dicen los antropólogos, aunque miro a mi alrededor y empiezo a dudarlo seriamente.

El hospital, por ejemplo, está colapsado, y no me atrevo a quejarme de lo antipáticas que son algunas enfermeras, que lo son, porque me doy cuenta de que soportan un estrés tremendo. En la sala de espera de urgencias hay diseminadas unas fotocopias que dicen: «Nos faltan médicos, enfermeros y asistentes sanitarios. No podemos atenderle como se merece porque la Administración nos niega el dinero para contratar más personal. Por favor, si no se siente bien tratado, eleve una queja a las autoridades competentes.» Pero ¿qué país es este que escatima recursos al presupuesto de sanidad y se gasta una millonada enviando soldados a Irak? Un país que considera normal regalarle trescientos millones de euros a Bush para que pueda seguir jugando a soldaditos. Y lo peor es que parte de ese dinero lo he pagado yo, con mis impuestos.

No me creo una palabra de lo que digan los antropólogos: lo divino siempre me ha sido indiferente, y ahora empiezo a despreciar lo humano.

La misma mañana del día en que ingresaron a tu abuela hablaba yo en la mesa de la cocina con tu padre sobre la conveniencia de parir más hijos que siguieran haciéndonos sentir útiles e importantes. Yo, en principio, pensaba que contigo bastaba y sobraba, y tu padre se mostraba de acuerdo por más que a los dos nos vuelvan locos los niños en general y tú en particular. Pero después de lo mal que lo pasamos ambos durante mi embarazo, a ninguno nos quedaban ganas de repetir la experiencia. Yo le aseguré que, siguiera con él o no, probablemente adoptaría otro niño en el futuro por varias razones. Una, porque me gustan los niños. Dos, porque ya que tú has tenido la inmensa suerte de venir a nacer en un país en el que hay agua corriente, electricidad y vacunas, casi me siento obligada a darle la misma oportunidad a un niño que haya nacido sin ella. Tercero, porque te llevo los años que te llevo, y si de mayor te toca vivir con una madre enferma que te haga perder dos terceras partes de tu tiempo tratando con médicos, prefiero que tengas alguien con quien compartir la preocupación o las guardias en el hospital. Espero que te hayas dado cuenta de que no cito aquí el manido argumento de la soledad del hijo único. Porque yo, de pequeña, quería ser hija única. Sentía una envidia tremenda por las niñas a las que los Reyes Magos colmaban de regalos, niñas que dormían en cuarto propio, que no tenían que heredar la ropa de sus hermanas, que no temían los coscorrones de su hermano mayor, que no se veían obligadas a hacer turnos para el cuarto de baño ni a contar los buñuelos de la bandeja para averiguar a cuántos se tocaba exactamente por cabeza ni a pelearse con uñas y dientes para defender su ración (pelea que en cualquier caso casi nunca se ganaba, pues siempre acababa algún hermano mayor comiendo un buñuelo de más). Niñas que no crecían sintiéndose inferiores y poca cosa a la sombra de unos hermanos que siempre eran más fuertes, corrían más rápido, hablaban más alto y escupían más lejos. Y a la sombra también, en mi caso, de unas hermanas unidas por una relación matemática y exacta que me excluía de su habitación y de sus juegos. Además, estoy por leer el estudio que me pruebe que los hijos únicos crecen siendo más asociales o depresivos que los demás.

¿Y si trajéramos otro niño y te murieras de celos? ¿Y si te convirtieras en una sosias de tu tío Vicente, amargada para el resto de tu vida porque llegó otro bebé que te robó tu trono de princesa, tus juguetes y la atención que te mereces? Yo, que nunca he sido monógama, empiezo a serlo contigo. En cierto modo, me parece una traición querer a otro niño tanto como te quiero a ti.

Pero los últimos días no he hecho más que repetirme: gracias sean dadas al Todo Cósmico (aquel que debía ser Todo lo que realmente era y del que nadie sino el Todo mismo podía comprender su ser, aquel que me trajo una brújula que me condujo aquí a través de un visionario perdido en La Ventura), gracias por tener una familia numerosa. Porque por poco y mal que la aguante, sé que peor hubiera sido aguantar todo este estrés sola.

En el hospital, en la cama contigua a la de tu abuela, hay un niño en coma que no llegará a los doce años. Ha sido intervenido de un tumor cerebral intraventricular y, por la expresión de sus padres, presumimos que el pronóstico no debe de ser muy halagüeño. Estuve a punto de acercarme a su madre para decirle que lo sentía mucho, pero en el último momento me faltó valor, pues no sabía si ella podría tomárselo como una intromisión. Más tarde, cuando salimos de la UVI, tu tía Laureta comentó que es imposible medir la magnitud de una desgracia, porque siempre hay algo que te hace ver que hay tristezas más grandes que la tuya. Porque tu abuela, al fin y al cabo, ha tenido una vida larga que ha dado sus frutos en forma de cuatro hijos, y podía estarle muy agradecida a su dios porque los cuatro se han sacado su título universitario y ninguno ha salido drogadicto (¿ninguno? bueno, al menos siempre lo ha creído así, y me parece que ella no considera al alcohol o al tabaco drogas duras). Pero un niño de doce años tiene toda la vida por delante, apenas acaba de estrenarla.

Laureta dijo entonces que no hay desgracia peor que la muerte de un hijo, que nadie se recupera de algo así.

Me he pasado la noche atenta a tu respiración.

Llamaron al sacerdote para que le administrase a tu abuela la unción de los enfermos. Ya no se llama «extremaunción», supongo que para no pasarse de extremistas (mal chiste). La cama de al lado de tu abuela —no la del niño, la otra— la ocupaba un señor que estaba consciente y que, en cuanto el sacerdote sacó el misal, empezó a quejarse a la enfermera para que corriera la cortinilla. Como dijo luego tu tío Vicente, en un arranque de humor negro inusual en él —no lo de negro, sino lo de humor—, la visión del cura debió de ser para el pobre señor como la de un buitre para una cabra moribunda. En un momento dado del sacramento el sacerdote leyó: «Señor, libra a nuestra hermana de todo pecado y toda tentación.» Pero ¿qué tentación puede experimentar tu abuela en semejante entorno? Miré a tu tío. Los ojos azules se habían quedado fijos en el misal, como dos lagos insoportablemente helados, y me di cuenta de que estaba pensando exactamente lo mismo.

Una de las Sonias, ahora no recuerdo cuál, me contó que a su abuelo, que estuvo dos meses ingresado aquejado de un cáncer terminal, le administraron la unción cuatro veces. Al final, cada vez que el buen hombre veía al cura le decía: «Pero padre, ¿para qué voy a confesarme otra vez, si aquí no tengo oportunidad de pecar?»

A tu prima Laura le habían pedido en el instituto que escribiera un trabajo sobre el tema «Cómo era la vida sin contestador, sin teléfono móvil, sin avión y sin televisión».

Para realizarlo, había entrevistado a tu abuela, única persona —además de tu abuelo— a quien conocía que vivió tiempos así, y luego había dado a la entrevista formato de cuento. Hablo de Laura hija, que sigue siendo Laurita a los dieciséis años y que a este paso lo será el resto de su vida, y es que una de las razones que más me pesaban para no llamarte Eva era porque te ibas a quedar con Evita para los restos, y el nombre me suena demasiado a aquel chiste que solía repetir mi padre según el cual Perón le envió un telegrama a su mujer, que se encontraba de viaje oficial, en el que decía: «Evita besos y abrazos.»

Después de entrevistar a mi madre, Laura-Laurita escribió cinco páginas en las que contaba los rigores de la posguerra y en donde aparecían un montón de anécdotas que yo desconocía. Ignoraba, por ejemplo, que Antonio Machín había comenzado su carrera española actuando en la Explanada de Alicante y que en los años cuarenta no había en esta provincia más salas de fiestas ni cines que los de la capital y, por esa razón, todos los mozos de los pueblos iban allí los fines de semana a buscar novia, a pesar de que poco pudieran hacer en una época en la que canciones como *Bésame mucho* o *Fumando espero* estaban prohibidas (no hablemos ya de los tangos de Gardel que tanto le gustaban a mi tía Reme y que hablaban de cosas tales como «calzones de seda con rositas rococó») y no se podían escuchar en la radio ni bailar en público y mucho menos ver u oír en el cine, porque una mano delante del proyector censuraba cualquier escena de amor en películas que, para colmo, ya se habían censurado previamente. Fue por aquella época cuando se prohibió el tradicional carnaval de Alicante, por indecente. Tampoco sabía que la playa del Postiguet fue el escenario de los primeros amores de tu abuela con un veraneante madrileño —amores que se frustraron cuando conoció a su segundo novio, que acabó siendo su cuñado

157

(pero ésa es otra historia, que diría Moustache)—, un romance de lo más inocente ya que un bando del alcalde ordenaba expresamente que los bañistas llevasen albornoz fuera del agua y prohibía los juegos en la playa, y que debía cumplirse a rajatabla so pena de condena, como el arresto de quince días que sufrió una mujer por lucir «un traje de baño inmoral». Pero yo nunca había oído hablar de todo aquello ni conocía tampoco detalles del hambre que tu abuela había llegado a pasar pocos años antes de iniciar aquellas relaciones, cuando el azúcar, el arroz, las judías y el aceite estaban racionados, cuando los hogares se iluminaban con carburo y candil, cuando los caldos se hacían con un raquítico hueso de jamón que todos se peleaban por saborear, cuando afortunado era aquel que podía probar la carne o el pescado pues había quien incluso llegaba a comerse las cáscaras de naranja que se encontraba por la calle, cuando los agricultores vendían de estraperlo la mayor parte de sus cosechas en connivencia con los altos cargos de la jerarquía franquista, enriqueciéndose de forma rápida a costa del hambre de media España. Y mucho menos sabía que tu abuela se había pasado casi toda la juventud vestida de negro, porque el color de los lutos llegó a ser casi el habitual de las prendas de vestir pues rara era la familia que no había sufrido la pérdida de algún familiar. Además, resultaba el atuendo más barato, ya que la sarga negra podía usarse sin que se notaran en demasía el paso del tiempo y los mil y un lavados. Otra de las cosas que ignoraba es que tu abuela no tuvo un traje rojo hasta el año sesenta debido a que en la posguerra aquel color pasó a estar tácitamente prohibido, y también desconocía que la tía de mi madre, Sabina, sospechosa de roja porque tuvo un novio que cayó luchando a favor de la República, se quedó soltera pese a haber sido guapísima de joven porque en Elche nadie se atrevía siquiera a hablarle, temerosos de las represalias, y por este motivo los padres de mi madre, Blai Benayas y Palmira Lloret, decidieron trasladarse a Alicante al poco de su boda después de que alguien denunciara a Sabina, no fuera que luego fuesen a por mi abuela, que no se había significado nunca pero que no dejaba de ser una *Lloreta,* hija de un ateo y masón reconocido y para colmo hija «natural», como decían entonces, dado que sus padres no se habían casado por la Iglesia. Y eso que Elche nunca fue fascista, muy al contrario, siempre se dijo en Alicante que era «la ciudad del marxismo» debido a que era una zona textil con un movimiento obrero muy fuerte, donde casualmente se fundó en 1870 la primera logia de toda la provincia, la «Illecense» (aunque mi bisabuelo no pertenecía a ésta sino a la «Constante Alona»), creada bajo los auspicios del Gran Oriente Nacional de España. Pero aun así mis abuelos seguían teniendo miedo, pues eran conscientes de que en aquellos tiempos cualquiera denunciaba al vecino aireando antiguas afrentas o celos nunca solventados. Sin embargo, Flora y Sabina, las tías de mi madre, se quedaron en Elche a cargo de la turronería de la primera.

De repente entendí el porqué de las manías de mi madre. Su obsesión, por ejemplo, de guardar siempre el terrón de azúcar que ponían en las cafeterías. En casa la palabra «azúcar» nunca figuró en la lista de la compra porque tirábamos de los montones de terrones y sobrecitos que mi madre acumulaba. También era una maniática de las latas y por ello siempre había cientos de ellas acumuladas en la despensa: de pisto, de fabada, de albóndigas, de lentejas, de pimientos fritos, de atún en escabeche y, sobre todo, botes y botes de berenjenas en salmorra, una cosa rarísima de encontrar que no nos gustaban a nadie excepto a mi padre, que se volvía loco por ellas. Mi tía Reme siempre bromeaba con mi madre y le preguntaba que por qué, ya puestos, no construía un refugio atómico en la despensa.

—Pues igual lo hago —respondía ella—. Nunca se sabe.

En la redacción de Laurita tu abuela concluía con su frase estrella, frase que le he escuchado repetir del orden de diez veces al día desde que tengo uso de razón, ya fuese al hablar de su juventud en Alicante, ya fuese para convencernos de que nos tocaba ir al colegio andando porque ella no se encontraba bien aquella mañana (una de tantas) y no podía llevarnos: «Lo que no te mata te hace más fuerte.»

Al acabar de leer el trabajo me di cuenta de que no sé nada de mi madre, de tu abuela.

Peor aún, de que nunca me he parado a escucharla.

24 de octubre.

El banco me niega el aval.

Las desgracias nunca vienen solas.

Ayer fuiste oficialmente presentada a Supernegro, que ya no se llama Supernegro sino Tibi. Y es portugués, de Madeira. Cuando se enteró de que te llamabas Amanda me preguntó cómo se me había ocurrido ponerte un nombre tan raro.

—¿No había una cantante que se llamaba así? —me dijo ex-Supernegro, ahora Tibi—. Amanda Lear, que era travesti o transexual, no me acuerdo. Que tenía una pinta muy exagerada. Es que el nombre suena a eso... a nombre de chica de las que trabajan aquí.

—Y tú, ¿cómo te llamas de verdad? —le pregunté, ligeramente ofendida—. ¿Tiburcio o Tibidabo?

Se rió.

Vi a una cantante famosa en la tele haciendo de modelo de excepción en un desfile de L'Oreal. Pero si esta mujer parió cuatro semanas antes que yo, me dije, ¿cómo diablos ha hecho para recuperar la figura? Teniendo en cuenta que durante la cuarentena no se puede hacer ejercicio, o se ha pasado un mes haciendo abdominales o dos sin probar bocado. En ese momento una de las tertulianas del programa del corazón en el que las imágenes se mostraban dijo exactamente lo mismo que yo estaba pensando: «Pero, ¿cómo ha podido recuperarse tan rápido?» Otra tertuliana respondió: «Liposucción, hija.» Y una tercera apostilló: «No, no, querida, sé de buena tinta que Marta no se ha hecho ningún retoque» (últimamente, querría decir).

Me avergüenza reconocer que estaba viendo semejante programa, y no sé si sirve de excusa o de eximente decir que necesitaba un desahogo en medio de tanto caos y que me faltaba la necesaria concentración para leer. En cualquier caso, pensé que mejor hubiera hecho Marta no retocándose o no yendo al gimnasio o no haciendo lo que quiera que haya hecho para conseguir milagro semejante, porque si las mujeres nos acostumbráramos a ver en la tele a otras mujeres normales, de carne y hueso, de esas cuya figura se resiente tras un embarazo, estaríamos orgullosas de nuestras caderas anchas y nuestros pechos colmados en lugar de añadir otro motivo más de estrés a nuestra ya estresada vida.

Marta, por favor, por todas nosotras te lo pido:
Engorda.

Una cosa de la que nunca te advierten cuando te quedas embarazada: la incontinencia urinaria posparto. De alguna manera, al dilatarse el canal de parto, se hace imposible que puedas aguantarte. Teóricamente tienes que hacer unos ejercicios para recuperar el tono y la musculatura que a mí no me sirven de nada. Acabo de ir corriendo al cuarto de baño y no he llegado, en mitad del pasillo he sentido el agua corriendo entre las piernas y no he podido hacer nada por evitarlo, de forma que he tenido que desandar el camino e ir a la cocina a por la fregona. Como el perro está tan celoso de ti, también se desahoga por toda la casa, como si fuera un cachorro, así que este piso empieza a oler a urinario público.

Me pregunto si Marta conocerá este tipo de problemas.

A mi madre la han cambiado de planta. Ha pasado de la UVI de neurocirugía —a la que la enviaron debido a la falta de camas— a la de digestivo, que es en la que hubiera debido estar desde un principio. Cambio para mejor, porque en esta nueva UVI la mayoría de los pacientes están despiertos y no se respira ese ambiente tétrico de muerte inminente que se percibía en la otra. A los familiares se los ve también mucho más animados. Además, una de las enfermeras de aquí es un encanto que acicaló con mimo a tu abuela. La ha peinado, le ha cortado las uñas y le ha puesto vaselina en los labios. Y es evidente que esto lo hace más por nosotros que por ella, para que el impacto de ver a tu abuela absolutamente amarilla conectada a veinte tubos, un respirador y cuatro máquinas se amortigüe un poco. La enfermera, que se llama Caridad, debe de andar más cerca de los cincuenta que de los cuarenta, pero igual se trata de una mujer guapa, con ese tipo de belleza que se siente antes de verse: es bella porque transmite armonía, no porque se ajuste a ningún canon. Me hizo mucha ilusión enterarme de que era una de las lectoras de *Enganchadas*. Creo que fue Savater el que dijo aquello de «No hay mejor antídoto para la vanidad que conocer a tus admiradores». Y es cierto que esta mujer me borró de un plumazo cualquier resto de vanidad, pero no por las razones que el filósofo imaginaba. Me hizo sentir pequeña a su lado porque me di cuenta de que mi trabajo no vale nada comparado con el suyo.

Por la mañana el médico le dijo a mi padre que nos fuéramos preparando, que a mi madre le había fallado el riñón varias veces, que el hígado no funcionaba y que tenía los dos pulmones encharcados.

Hago memoria de lo que me han contado y me remito a los años de antes de la guerra para hablarte de mi abuela y sus dos hermanas, a las que en Elche apodaban *les Lloretes* —las Lloretas—, porque Lloret era su apellido. Siempre iban las tres juntas a todas partes y las consideraban las muchachas más bonitas de la ciudad. Ya te he contado que se llamaban Flora, Sabina y Palmira por convicción anticlerical del padre, don Trino Lloret, mi bisabuelo, que no quiso cristianarlas y por eso escogió para ellas tres nombres romanos. Sin embargo, debido a esta fiebre radical y anticlerical del buen señor, años más tarde mi abuela Palmira descubriría que sí estaba bautizada, y no una sino tres veces, porque cada una de sus tías la había bautizado por su cuenta a escondidas de su padre y en una parroquia distinta. («Me llevo a la nena a dar un paseo», anunciaban, sin especificar que se trataba de un paseo a la iglesia, donde esperaba el cura, conchabado para imponerle el sacramento a la niña sin decir nada al resto de la familia, especialmente a su padre, el feroz ateo.) El tal Trino era todo un personaje: la suya fue una de las seis (o siete, menos de diez desde luego) uniones civiles que se celebraron en la provincia a principios de siglo y, empeñado en permanecer lejos de los curas hasta el final, dejó escrito en el testamento que quería un entierro civil (aprovechando que Elche, junto con Crevillente y Alicante, era una de las únicas tres ciudades de toda la región que tenían cementerio «neutro»), pero el pobre acabó enterrado por la fuerza en el católico, cuando la dictadura prohibió los camposantos laicos, pues fue a fallecer en el año cuarenta y dos. Aunque, bien pensado, hubiera dado lo mismo que hubiese muerto antes de la dictadura, porque por mucho que en Alicante hubiera cementerio civil durante la República, casi todos los socialistas acababan enterrados en camposanto, y es que bien se encargaba la Iglesia de persuadir a los supersticiosos familiares de la inconveniencia de sepultar al pariente en tierra no sagrada. Trino Lloret perteneció a una logia de Elche, era miembro del Círculo Obrero Ilicitano —en el seno del cual estalló una dura polémica cuando su presidente fue acusado de admitir el retrato de Pablo Iglesias pero no el de Carlos de Borbón— e hizo algunos pinitos literarios publicando artículos de fondo en *El Alicantino Masón* y en el *Mundo Obrero* alicantino, que había fundado el socialista Miguel Pujalte, mentor y amigo suyo. Siendo muy joven, cuando aún no había cumplido los dieciocho, fue uno de los redactores de un famoso panfleto editado por los socialistas en respuesta a los ataques del párroco de Santa María, que había afirmado que los socialistas pretendían que en la sociedad futura no hubiera intercambio de productos y que las mujeres fueran comunes a todos los que las desearan. Conviene recordar que en el Alicante de la época era posible ser masón o espiritista sin quedar por ello relegado en los asuntos ciudadanos de importancia, pues la persecución no comenzó hasta después de la República, cuando se fundó el Tribunal de Represión de la Masonería. De hecho, diez de los once diputados alicantinos electos tras los comicios de 1931 eran masones. El propio Pujalte era espiritista y fundó la Sociedad de Estudios Psicológicos La Caridad y la revista espiritista *La Revelación*. Y es que desde la izquierda, incluso la obrera, las inclinaciones paranormales eran muy bien acogidas en la lucha contra la oligarquía católica, y por eso en la época había sociedades espiritistas también en Alcoy, Santa Pola, Elche y Villena. De hecho, en Villena sigue habiendo una comunidad espiritista muy nutrida (pero eso es otra historia, que diría Moustache) y en Elche se ha mantenido incólume un gusto por lo paranormal que lleva a consultar a brujas del estilo de la Juli, la vidente ilicitana por antonomasia de la provincia de Alicante, que tiene fama de infalible y a la que mi propia madre consultó en su día.

De las tres Lloretas sólo Palmira, mi abuela, tuvo hijos, dos: Eva, mi madre, y Blai, su hermano menor, que falleció muy joven por culpa de la tuberculosis, una muerte muy usual en los tiempos de posguerra —tanto que los niños se tomaban a chufla la desgracia y cantaban una canción que decía: *Somos los tuberculosos / los que más nos divertimos / y en todas nuestras reuniones / arrojamos y escupimos / es el Bacilo de Koch / el que más nos interesa / y estamos llenos de taras / de los pies a la cabeza / pasando por los... cordones*, y que más de una vez le he escuchado cantar a mi tía Eugenia cuando estaba más que achispada—, aunque probablemente lo que de verdad le mató fue el hambre y la ínfima atención médica. Sabina tuvo un novio que cayó en la guerra, luchando en el bando republicano, y después de aquello nunca se volvió a casar. En cuanto a Flora, se había casado a los dieciocho con un marino mercante oriundo de Benidorm, pero enviudó a los veinte y tampoco quiso volver a saber nada de hombres desde entonces. Creo recordar que mi madre me contó que su tía había conocido a su futuro marido en el velatorio de su antiguo profesor de matemáticas, pues el marino era pariente del profesor, así que el difunto que propició la feliz unión enseñó a mis tres tías abuelas en el Instituto de Elche, que se cerró en la dictadura porque se aseguraba que la República lo había creado sólo para perjudicar a las órdenes religiosas, y mira que ya tiene mérito intentar hacerle la competencia precisamente a los colegios de curas y monjas, porque por entonces había en Alicante setenta y nueve escuelas y sólo tres de ellas eran laicas. Por lo visto, el flechazo fue instantáneo: se gustaron en el velatorio, se enamoraron en el funeral y acabado el entierro ya eran novios formales. A los tres meses se casaron. No era raro que Flora, tan avanzada y culta como era, se sintiera atraída por un marino, porque de siempre en Alicante los pueblos del interior han sido más tradicionales y los pueblos marineros y las partidas municipales más liberales y matriarcales, aunque sólo fuera por necesidad, debido a que los hombres no estaban mucho en tierra. Pero poco les duró la dicha. El novio, que trabajaba para la Compañía Transatlántica, la naviera mercantil más importante de la zona por entonces, contrajo unas fiebres en un viaje a Cuba y murió en el mismo barco. Después de aquello Sabina y Flora se fueron a vivir juntas y, con el poco dinero que a Flora le había dejado su marido, abrieron un negocio que era heladería en verano y turronería en invierno. De hecho, su especialidad era el helado de turrón, tan exquisito como el de Xixona, una mezcla de almendra, azúcar y miel que habían aprendido a hacer en casa pues durante mucho tiempo su fabricación había sido un proceso de carácter familiar. Como las dos señoras vivían solas y todo lo compartían, y como además leían mucho y encargaban de Alicante libros y revistas, acabaron creándose fama de raras.

Pues bien, años después, cuando murió la que había sido suegra de Flora por poco tiempo, se descubrió que la había mencionado en el testamento, conmovida tras comprobar que su nuera, tan bonita y bien plantada, había permanecido fiel a la memoria del marido y nunca se había vuelto a casar. El legado no era nada del otro mundo: las tierras fértiles y cultivables las destinó la buena señora a sus hijos vivos y, a la que fuera nuera, le legaba un solar situado en la Partida del Saladar, en el término municipal de Benidorm, escriturado en cuatro mil pesetas de las de entonces. Vaya, que tuvo el detalle de dejarle lo que entonces eran unas tierras salitrosas demasiado cerca del mar y malas para cultivar, de hecho frente a él, justo en la playa de la Xanca, que se llama hoy playa de Poniente. El terreno tenía pues más valor simbólico que otra cosa. Como ya he dicho, no era fértil ni tampoco valía para hacerse una casita porque por aquella época tan cerca del mar sólo vivían los pescadores más paupérrimos debido a que el salitre que la brisa del estero transportaba desde el agua se colaba en las casas y estropeaba los muebles. Además, y en el improbable supuesto de que una familia medianamente pudiente se arriesgara a asentarse allí sacrificando el buen estado de sus preciados enseres, también permanecía en el inconsciente colectivo de Benidorm como una prohibición inherente, como un riesgo que sólo los muy irreflexivos o muy pobres podían asumir, la idea de que una casa frente al mar no era segura. Antaño la localidad había sido víctima de innumerables saqueos berberiscos y moros, y por eso había perdurado a través de los años una norma no escrita: la gente de posibles se instalaba en lo alto de la montaña. Sólo los pobres vivían en la playa, pero siempre con la aspiración de subir la cuesta.

Años después de casarse, mi madre heredó de su tía Flora aquel terreno de Benidorm que, como ya he dicho, muy poco o nada valía en el momento en que la Lloreta se lo legó en testamento.

Pero mucho más tarde, con el *boom* inmobiliario, cuando ya casi no quedaba un palmo de tierra sin urbanizar en la provincia, una inmobiliaria le ofreció a mi madre un buen puñado de millones por aquella tierra antaño yerma y recién convertida en filón en la que se construiría el edificio de apartamentos Principado Arena que, según tengo entendido, sigue en pie a día de hoy. Y así fue como mi madre se vio de la noche a la mañana, si no rica, sí al menos muy bien situada. Y además le pertenecía sólo a ella porque, según la ley, aquel terreno no entraba en bienes gananciales sino en parafernales, dado que lo había heredado tras casarse. Claro que, según los artículos vigentes por aquel entonces en el Código Civil sobre esta materia, para cualquier acto de disposición relativo a los bienes parafernales se necesitaba licencia marital. Es decir, que ella no podía disponer como le diera la gana de su terreno o su dinero si no contaba con la rúbrica previa de su esposo, aunque ese terreno o ese dinero fueran sólo suyos. Y es que en aquella época era un hecho perfectamente reconocido por la ley que *la mujer carecía de la plena capacidad de obrar*. Como suena, no me lo invento, pregúntale a cualquier abogado de cierta edad. Por eso las mujeres necesitaban de autorización del padre o del marido para poder disponer de su sueldo, si lo tenían, o para salir del país, o incluso las primeras abogadas necesitaban, para entrar en una prisión a visitar a sus clientes presos, permiso de sus maridos.

Poco sé de lo que se hizo o se dejó de hacer con aquel dinero —sospecho o me suena que el capital se invirtió con tino—, pero sí que mi madre tenía cuentas corrientes propias y bien nutridas porque en alguna discusión con mi padre se lo oí decir, que ella no le necesitaba para nada, que tenía capital suficiente para vivir sola y sin su ayuda el resto de su vida si quisiera, y que como le siguiera gritando iba a agarrar el portante en aquel mismo momento y nunca más le veríamos el pelo. En el calor de una de esas discusiones él le dijo unas palabras que se me quedaron grabadas a fuego, algo como que ella era una desagradecida, que así le iba a pagar *el favor que le hizo al casarse con ella y traerla después a Madrid.* Como comprenderás, no es una frase de la que una se olvide fácilmente. Lo peor es que esas palabras me dejaron una duda que, desde que las oí, me asaltaba recurrentemente cuando pensaba en mis padres: no sé qué favor era ése. Yo siempre había creído a pies juntillas lo que contaba Eugenia, la mejor amiga de mi madre, que no se cansaba de repetir que el que salió ganando en aquel matrimonio había sido él (siempre tuve la impresión de que a Eugenia mi padre, por lo que fuera, no le caía demasiado bien, y eso era raro, porque es un hombre que le suele caer bien a la gente en general y muy en particular a las mujeres), y que favor ninguno le había hecho trayéndola aquí, porque ni a mi madre le gustaba la capital ni le venía bien el clima para su enfermedad. Pero, eso sí, por lo menos de este modo pudo vivir cerca de Eugenia, su amiga del alma.

Pues bien, esta mañana mi padre y mi hermano han ido al banco con una nota del médico, y no sé mediante qué truco o subterfugio, legal o ilegal, han conseguido cambiar la titularidad de las cuentas de mi madre en favor de mi padre en connivencia con el director de la sucursal, íntimo amigo de la familia de toda la vida. «Ahora ya mejor que no se despierte», dijo Vicente, «porque como lo haga y se entere de esto nos mata». Yo pensé que algo así era típico de Vicente, que se siente medio mundo y centro de gravitación de la otra mitad, por lo que toma siempre sus eficientes decisiones sin consultar a los demás, con una exorbitada ansiedad por controlarlo y preverlo todo debajo de la que subyace otra preocupación mucho más honda: una búsqueda simbólica de la protección y el refugio que anheló y no tuvo en la infancia.

Se supone que este cambio se hace necesariamente por una cuestión de seguridad, de seguridad de mi padre, para evitar que, en caso de morir mi madre, Hacienda se lleve la mitad del dinero. O quizá sea, y en esto yo no me había parado a pensar nunca, porque mis padres ahora vivan de los réditos de esas cuentas, ya que la pensión de él para mucho no debe de dar.

Y entonces caigo en lo curioso que resulta que yo nunca haya tenido muy claro qué tipo de vida llevaban mis padres, o de dónde salía el dinero que la sufragaba. En su día, antes de que él dejara de trabajar —pues antes de cumplir los cincuenta y cinco se prejubiló, cosa rara en la época, pero no para un hombre que podía vivir holgadamente de las rentas de su mujer—, yo sabía que trabajaba en una empresa de importación y exportación, pero nunca pregunté mucho sobre su cargo o sus atribuciones absorbida como estaba, en la adolescencia, por mi amor no correspondido y, en la primera juventud, por la obsesión de largarme en seguida de aquella casa en donde ellos dos se cruzaban gritos y reproches día sí y día también. Siempre pensé que lo importante era encontrar un trabajo lo antes posible y buscarme una casa propia, y en cuanto tuve una no regresé al hogar en el que había crecido más que una vez cada dos domingos, para comer, y en esas ocasiones no preguntaba mucho sobre la vida de los demás ni tampoco contaba demasiado sobre la mía, porque en realidad casi no hablaba de nada y me limitaba a poner buena cara y a dar cuenta de lo que hubiera en el plato. Tenía poco que decir y mis expresiones de cariño eran forzadas, como si estuviera ocultando una culpa escondida. Había algo casi trágico bajo el aburrimiento de aquellas comidas, unida como estaba yo a los otros comensales por un vínculo secreto y no reconocido que iba más allá de los lazos de sangre: el del pasado compartido y el de todo lo no dicho pero en el fondo sabido. Parecía que nos esforzáramos desesperadamente, en ese intento de fingir que éramos una familia bien avenida, en buscar algo en el fondo de los platos que no íbamos a hallar jamás. Yo habría sido incapaz de decir exactamente el qué, carecía de palabras para argumentarlo y sólo entendía que algo faltaba y que me sentía vacía y desconsolada sin aquel algo. Deseaba sentir la antigua e instantánea reacción infantil cuando mi madre se inclinaba hacia mí, aquel profundo sentimiento de proximidad, casi de fusión. Y por eso seguía yendo cada dos domingos, a sabiendas de que yo no me iba a sentir a gusto y probablemente ellos tampoco.

Me he dado cuenta de que el hecho de que tu padre esté en paro ha resultado ser una bendición disfrazada de desgracia, porque si llega a trabajar yo no podría ir a visitar a mi madre. Paradojas de la vida.

Nada más llegar esta tarde me comunican que ha remontado y la analítica ha mejorado: me siento como en una ruleta rusa emocional. Fíjate, he escrito «ruleta rusa» en lugar de «montaña rusa», y creo que no ha sido inocente: una posibilidad de que viva frente a cinco de que muera. Acompañada siempre de un tipo de dolor denso, compacto, incluso aburrido, que no se parece a ninguno de los dolores que antes sintiera porque está asumido resignadamente desde el principio: se sabía que esto iba a llegar, aunque nunca se supo de qué forma llegaría, y por tanto es un dolor previsto y, aun así, totalmente nuevo. Me adentro por la tristeza como por un gran país desconocido, con una guía de viajes en la mano que en realidad de nada me sirve.

Como te dije, el año anterior a tu concepción no fue precisamente uno de los mejores de mi vida. El juicio no ayudó mucho, primero porque me hizo perder la poca confianza que aún albergaba hacia el género humano, y también porque agravó mis ataques de ansiedad. Durante una temporada no podía ni coger el metro: en cuanto descendía dos tramos de escalera tenía la impresión de que me ahogaba, de que nunca podría salir de allí. Desarrollé también un temor enfermizo al teléfono: si lo oía sonar cuando no estaba esperando una llamada me entraba una taquicardia, situación bastante difícil de sobrellevar si una vive en una casa en la que, entre llamadas de editores, agente, periodistas y amigos varios, el timbre del teléfono campanillea cada dos minutos más o menos, sobre todo después del affaire *Cita* y mi consiguiente salto a la fama mediática y ascensión al Olimpo del colorín. Vivía con la impresión de que tenía al mundo en mi contra y de que nada de lo que yo hiciera iba a tener mucho sentido, porque al fin y al cabo me enfrentaba a fuerzas mucho más poderosas que yo. Visto con distancia todo resulta muy relativo, pero entonces no me lo parecía así. Hice un monumental esfuerzo por no recurrir a las pastillas porque sabía que no podía mezclarlas con alcohol, de forma que intenté todos los métodos de relajación posibles, desde el recurso a cintas *new age* cuya escucha me producía a veces vergüenza ajena, pero de las que, en mi desesperación, no sabía prescindir, hasta el de aguantar una hora sentada en la postura del loto frente a una pared en blanco, con lo que realmente no conseguí mucha tranquilidad de espíritu, pero sí unas agujetas espantosas. Visto que la meditación no me ayudaba, empecé a pensar que el alcohol sí podría hacerlo, y me di a la bebida en serio como no lo había hecho desde los días de la primera juventud, cuando aguantar cantidades ingentes de alcohol se convertía en un reto y en una forma de demostrar a los demás lo dura que era una. En realidad una no era dura ni a los veinte años ni a los treintaytantos, con la diferencia de que a partir de los treinta el organismo está mucho más baqueteado y ya no aguanta como antaño.

A mi amiga Consuelo, diseñadora de profesión, le rescindieron el contrato en la empresa textil para la que trabajaba en Alicante (la familia es vasca, pero siempre vivieron a dos bloques de mi casa) y decidió venir a probar fortuna en Madrid. Como al principio no tenía muy claro si encontraría trabajo y no quería alquilar un piso mientras no supiera qué iba a ser de su suerte, se instaló en mi casa durante una temporada, ocupando el cuarto que ahora es tu habitación y durmiendo sobre un colchón que hace poco tiré para hacerle sitio a tu cuna. En paro, y relevada por primera vez en mucho tiempo de la obligación de tener que levantarse temprano, se encontraba libre para salir hasta las tantas. Como ya te he contado, uno de mis trabajos de entonces consistía en encargarme de la sección de cultura de un programa nocturno de radio que escuchaban cuatro gatos y medio —uno de ellos, casualmente, la enfermera que atiende a tu abuela—, y a cuenta de ello me invitaban a la mayoría de los estrenos de Madrid, así que dos o tres veces por semana Consuelo y yo nos pintábamos la raya de los ojos, nos enfundábamos como revólveres los botines altos y salíamos a matar a fiestas donde el alcohol corría en barra libre. Para colmo, a Consuelo le encanta el vino, así que lo de beber en casa con las comidas —sana, o quizá no tan sana tradición española a la que hasta entonces yo me había resistido para poder excusarme ante mí misma diciéndome que nunca bebía en casa y que, por tanto, no era ninguna alcohólica— se convirtió en una costumbre. Conclusión: bebía a diario, y me había habituado de tal manera a despertarme con resaca que el dolor de cabeza ya era una constante en mi vida y no un malestar ocasional. De alguna forma milagrosa me las arreglaba para levantarme más o menos pronto y mantener una cierta aunque inestable rutina de trabajo, pero tenía que echarme la siesta todas las tardes, no sólo porque trasnochaba, sino porque muchas veces acababa emborrachándome a plena luz del día tras haberme bebido tres vasos de vino en la comida. Nunca me había visto tan gorda ni tan fea, y esa convicción, que debería haberme animado a dejar el alcohol que tanto me había hecho engordar, sólo provocaba que bebiera más para intentar olvidar en vano lo poco a gusto que me sentía conmigo misma.

No me extiendo aquí en relatar las sucesivas catástrofes sentimentales (no podría llamarlas «relaciones») que mantuve durante esa temporada, porque darían para escribir varios libros no demasiado originales, a qué negarlo, porque en el fondo cada mala relación viene a ser una copia de la anterior y todas acaban pareciéndose: el mismo agónico beso, semejante y distinto en mil bocas. Baste con decir dos verdades como templos. La primera: un bebedor suele relacionarse con otros bebedores; y la segunda: cuando una no se quiere sólo puede atraer a gente que la querrá menos aún.

Pero a los que me rodeaban les encantaba verme borracha, porque el alcohol desinhibe, transformando a la persona tímida que soy en un prodigio de sociabilidad. Sacaba a flote, además, mi parte más divertida y gamberra, y así me atrevía a contar los chistes más verdes y a hacer las bromas más sarcásticas, cuando no me subía en las barras de los bares y animaba a todo el personal a corear los estribillos de las canciones con nuevas letras que me inventaba para la ocasión. De forma que en cuanto entraba en un local no pasaban dos minutos sin que alguien viniera trotando desde bar adentro a ofrecerme una copa. Y yo nunca la rechazaba, porque el alcohol lograba que mi miedo a la gente se disolviera milagrosamente en un vasito con hielos. Ya no me sentía vulnerable ni acosada. Casi sería mejor decir que cuando bebía ya no me sentía, sin más.

No, no me costaba encadenar catástrofes y sustituir a un acompañante por otro como lo hubiera hecho con un electrodoméstico defectuoso, puesto que mantenía una trepidante y aparentemente muy divertida vida social. Todos parecían encontrarme graciosísima, pero cuando me despertaba por las mañanas con un estropajo en la garganta, un berbiquí en la sien, un agujero en la memoria y una clara sensación de haber hecho el ridículo la noche anterior, aunque incapaz de precisar cómo lo hice exactamente, ya no le encontraba tanta gracia al asunto. Como decía el tango y canturreaba mi tía Reme, habitaba en ese país que está de olvido, siempre gris tras el alcohol. La verdad es que muchos días me quería morir. Eso sí, había elegido una forma lenta, disimulada y socialmente aceptable de conseguirlo.

En el estreno de la película *Intacto*, y después de meterme entre pecho y espalda cinco o seis vodkatonics, me empeñé en organizar una orgía en los sofás de «El Cielo» de Pachá, una especie de reservado tranquilo que hay en la primera planta de la discoteca. Pese a que había reunido a un nutrido grupo de entusiastas que estaban más que dispuestos a seguirme, al encargado del local no le debió de parecer tan buena la propuesta, porque me *sugirió*, por utilizar un cortés eufemismo, que me marchara de allí, para gran consternación de mis fervientes acólitos, algunos de los cuales me siguieron en mi forzado exilio y abandonaron el local, y yo propuse continuar la juerga en mi piso. Como la calle Fuencarral estaba colapsada e iba encaramada a unos tacones altísimos, no cabía posibilidad alguna de llegar andando allí —porque mis pies no lo hubieran soportado—, ni en taxi —porque hubiéramos tardado la intemerata y nos hubiera salido por un ojo de la cara—. Así que cuando vimos llegar un autobús nocturno por la calle nos pareció que el cielo mismo nos lo había enviado (el cielo de los dioses, no el de Pachá) y allí nos subimos los cuatro (Consuelo, servidora y dos incondicionales decididos a seguirnos al fin del mundo en general y a mi casa en particular). Mientras avanzaba por el pasillo hacia los asientos traseros, el vehículo pegó un frenazo que me hizo perder el precario equilibrio que mantenía sobre los tacones. Aterricé cuan larga soy en el pasillo y no hubo forma de levantarme, porque del ataque de risa tonta que me entró me quedé inmovilizada como un escarabajo patas arriba.

A la mañana siguiente me desperté con el cuerpo constelado de cardenales y descubrí que el par de botines carísimos que llevé al estreno habían quedado inservibles. A uno le faltaba un tacón y no hubo manera de saber dónde habría ido a parar, y el otro tenía un arañazo que no hubiera podido disimular el mejor betún ni el más hábil zapatero remendón.

Me metí dos paracetamoles en el cuerpo y le pedí a Consuelo que por favor me hiciera una taza de café, súplica rara en mí porque detesto el café y siempre tomo té, pero en aquel momento una especie de telaraña en las meninges me entorpecía la razón y me hacía difícil hasta traducir en palabras lo que quería. Me di cuenta de que había pedido una cosa por la otra pero no rectifiqué, porque pensé que el café me ayudaría a despejarme. Cuando Consuelo me acercó la taza, reparamos ambas en que las manos me temblaban, y no ciertamente de frío. Entonces Consuelo se sentó frente a mí en el sofá del salón y me miró con una expresión seria y preocupada que no había tenido ocasión de utilizar en las últimas semanas de fiesta y jolgorio. Me dijo que debía dejar de beber, y yo sabía que tenía razón. Ya me había rebozado en el hondo y bajo fondo donde el barro se subleva, que cantaba Gardel y tararearía mi tía Reme.

No podía caer más bajo.

Te enganchas a las drogas porque tienes un montón de problemas. Y después sólo tienes uno: las drogas. Sea coca, éxtasis, tranquilizantes o alcohol. Por supuesto, el problema real no era que bebiera. El problema real se llamaba inseguridad, depresión, endémica falta de autoestima... Pero el alcohol, que era en principio consecuencia de lo anterior, había dejado de ser síntoma para pasar a ser causa. La pescadilla que se muerde la cola: bebo porque no me aguanto, no me aguanto porque bebo. El paraíso artificial convertido en un infierno. El Síndrome *Enganchada*.

Haber mantenido una relación larga con un alcohólico me había hecho tener una idea bastante clara del tipo de persona en la que me podía convertir si no lo dejaba a tiempo, pero dos fuerzas contrarias me animaban, como esa tortura antigua en la que dos caballos tiraban de un condenado en direcciones opuestas para despedazarlo. Por un lado, quería dejar de beber. Por otro, me abatía una tristeza hecha de cansancios y renuncias, una amargura que me desbordaba, que se agarraba a la piel como una capa de mercurio, que parecía no caber en mí, como si necesitara extenderse hacia todo lo que tocara para envenenarlo. Pensaba que no tenía sentido esforzarse ni luchar por nada si cualquiera te podía hundir la vida en un momento, fuese un novio o un periodista; si conceptos como la justicia, la honestidad o el amor ya no tenían ningún sentido; si yo ya no me veía como otra cosa que como una débil y una inútil, tremendamente vulnerable y muy molesta para los demás.

Lo que empezaba a tener claro era que, de existir alguna posibilidad de que me centrara, ésta pasaba por cambiar de aires una temporada. Poner tierra de por medio. Ir a un sitio donde nadie me conociera y en el que, en soledad, pudiera enfrentarme conmigo misma y quizá decidir hacia dónde tirar. No pensaba en un cambio definitivo, fantaseaba más bien con unas vacaciones, una escapada.

Decidí aceptar la invitación de Sonia, la fotógrafa, la Sonia primigenia que en su día paseaba orgullosa por el barrio sus túnicas negras y sus muñequeras de pinchos, que llevaba años insistiéndome para que la visitara en Nueva York, ciudad a la que se había mudado poco después de acabar la carrera, dejándome sin más apoyo que una pulsera de plata azteca que sustituyó a los pinchos y alumbró mi muñeca desde entonces.

25 de octubre.

Volvía llorando en el metro desde el hospital, y la chica que estaba sentada enfrente de mí no hacía otra cosa que mirarme con cara de pena. Yo intentaba desviar la vista y fijarla en el cristal de la ventanilla. Cuando llegamos a Sol se levantó para apearse, pero antes de irse se dirigió a mí. Pensé que iba a preguntarme qué me pasaba, pero sólo me dijo: «Perdona, no quiero molestarte, pero he pensado que si yo hubiese escrito un libro y no me encontrase muy bien me gustaría que alguien me dijera que le había encantado leerlo.» Le di las gracias de corazón.

Otra que le quita la razón a Savater.

26 de octubre.

Tiempo sombrío todo el fin de semana. Unas nubes negruzcas de contornos rotos que oprimen el aire. Poco a poco las nubes se juntaron lentamente en una sola, implacable, que acabó deshaciéndose en tormenta, y al ruido de la calle vino a sustituirlo el de la lluvia como una voz de menos peso. El cielo negro, las calles grises, el clima a tono con mi estado de ánimo.

No hago más que recibir notas de gente que me dice

algo así como: «Yo he pasado por lo mismo, y sé que la situación es dolorosa y estresante.» Es algo por lo que todos tenemos que pasar, por la enfermedad o la muerte de la madre. La ciencia médica ha conseguido que llegue más tarde, pero como contrapartida ha alargado el proceso. ¿Qué hubiera preferido yo, una muerte rápida o una espera angustiosa como ésta por mucho que en ella exista la posibilidad de sobrevivir? Además, ¿qué posibilidad existe? ¿Que tu abuela tenga que ir en silla de ruedas?

Mal de muchos no es consuelo de tontos, porque en realidad no sirve de consuelo.

Los médicos nos dejaban decidir. ¿Preferíamos, en caso extremo, que le retiraran las drogas a mi madre para que tuviera cinco minutos de lucidez antes del final y pudiera despedirse, o que no se enterara de nada? Yo prefería la primera opción, pero era la única de la familia que opinaba así. Puesto que a tu abuela, antes de entrar en quirófano, le ocultaron la gravedad de su condición, decía mi padre que para qué la iban a despertar en el último momento y hacerle saber que se moría, ¿por qué hacerla sufrir innecesariamente? Pero yo sí preferiría tener conciencia de la inminencia del fin, y preferiría disponer de la oportunidad de pronunciar todas las palabras no dichas, de marcharme en paz con los míos.

De todas formas, la opinión de mi padre es la que prevalece.

Horas de visita en la UVI: mañanas de doce y media a una, tardes de siete y media a ocho. Por la mañana hay que llegar a las doce porque es cuando se nos da la información médica, que siempre es más o menos la misma: situación crítica, muy grave, estable dentro de la gravedad. De nuevo

179

la pescadilla que se muerde la cola: hay que recurrir a los antibióticos para intentar atajar la infección, pero los antibióticos son tóxicos y están dañando los órganos vitales. Sin antibióticos se muere, con ellos también.

En los turnos de visita de la mañana sólo pueden acompañar al enfermo dos personas, por la tarde pueden acudir más, siempre que los familiares se vayan distribuyendo de a dos. Así las cosas, cada mañana acude mi padre con su inseparable Vicente (y éste acude a su vez con su inseparable pitillo negro prendido en la comisura de los labios), mientras que nosotras, por la tarde, debemos esperar entre treinta minutos y una hora a que nos dejen ver a nuestra madre (la cita es a las siete y media pero, por las razones que sea, nunca se puede entrar en punto) en una sala sin decoración, con las paredes desnudas y a todas luces necesitadas de una mano de pintura, bajo unas luces de neón fantasmales y amarillas que subrayan las ojeras y nos dan un tono cetrino, rodeados de otros familiares desconocidos entre sí pero hermanados por la misma expresión angustiada en los ojos. Durante la media hora de visita que se nos permite, mis hermanas y yo tenemos que ir turnándonos para entrar, de modo que apenas podemos verla más de cinco minutos. A veces me pregunto si merece la pena visitarla si, según nos dicen, ella no puede oírnos ni enterarse de nada. Pero mi padre acude religiosamente mañana y tarde. Permanece a su lado, la acaricia, le coge la mano y le habla en un tono cauteloso y solícito, ligeramente afectado, incluso infantil. No puedo evitar pensar que yo nunca los había visto cogerse la mano, casi nunca intercambiar gestos ni palabras cariñosos.

Yo también le hablo y la acaricio, pese a que el médico nos asegure que no siente nada. La enfermera dijo: «Nunca se sabe.» Nunca se sabe.

Mi madre está conectada a seis máquinas, seis, que crepitan en infinidad de lucecitas de colores. Un respirador, dos ordenadores en cuyas pantallas pueden leerse las constantes vitales, tres máquinas que no sé ni qué son... e infinidad de tubos prendidos a otros tantos goteros: glucosa, creatinina, dopamina, morfina... Lo que más impresiona es el tubo que sale de la nariz por el que circula un líquido de color pardo.

A ratos el ánimo y la fe me fallan, creo antes al médico que a la enfermera y no puedo evitar pensar: ¿qué sentido tiene todo el viaje y la espera para poder contemplar a un *cyborg* inerte durante cinco minutos?

Yo voy a la UVI por mi padre, no por ella. Porque si de verdad cree que ella puede escucharle, mejor que parezca que los demás también nos lo creemos.

Caridad señaló uno de los goteros y me dijo: «¿Ves?, esto son los antibióticos. El problema es que tienen efectos secundarios... eso ya os lo habrán explicado los médicos, ¿no? una cuestión de iatrogenia como tantas otras.» «¿De qué?», pregunté yo. «Ay, perdona. Es que trabajando aquí acaba una por usar tecnicismos a todas horas. Iatrogenia es... cómo te lo explico... cuando para salvar un mal mayor se produce un mal menor. O sea, que le tenemos que dar antibióticos para atajar la infección a pesar de que sepamos que los antibióticos pueden dañarle.»

En cuanto llegué a casa me lancé a buscar la palabra en el diccionario. Como no la encontré accedí desde Internet a una enciclopedia médica. Y allí estaba. *Iatrogenia:* el ámbito de aquellos casos en que se produce un daño como consecuencia de la gestión inculpable debida a un error excusable del médico. Por ejemplo, cuando se realiza una intervención quirúrgica que sea como fuere tiene secuelas menores. Así descubrí que el estrés entra en la condición de iatrogenia.

No sé si el estrés de los familiares cuenta.

Siempre llego del hospital agotada, como si me hubieran pegado una paliza. Añádele a esto la falta crónica de sueño resultado de tener que levantarme cada tres horas para darte el biberón. En teoría hago turnos con tu padre, pero el llanto nos despierta a ambos. La única solución consistiría en dormir en habitaciones separadas, pero no tenemos otra habitación más que la tuya, y el sofá del salón no es exactamente un prodigio de comodidad, pese a lo cual mi primo Gabi, que ha venido a Madrid a gestionar no sé qué papeleo de sus cursos de doctorado, ha dormido en él algunos días. Ayer me quedé dormida sobre la mesa de la cocina mientras intentaba leer un libro de cuya primera página no pude pasar, fuera por el cansancio o fuera porque el libro era un muermo, que lo era, y como no hubo forma humana de moverme, allí pasé toda la noche. Hoy me he quedado dormida ¡en el suelo! No sé cómo he llegado a él, quizá me haya desmayado. El perro estaba tumbado al lado, custodiándome.

Ya no bebo, no me drogo, no tengo crisis de ansiedad ni ataques de pánico. No sufro como sufría pero tampoco soy feliz.

La palabra del año: «Estable.»

Estable dentro de la gravedad.

27 de octubre.

Ayer por la noche hacía un frío del carajo. Cuando llegué a casa desde el hospital, a las diez, Tibi me saludó amabilísimo y me preguntó por ti. Le respondí que no te sacábamos con este frío y que no entendía cómo podía aguantar a la intemperie toda la noche. «Llevo treinta años trabajando de portero», me dijo. «Uno se hace a todo.»

Gabi lleva varios días instalado en casa, durmiendo, el pobre, sobre un lecho improvisado encima de unos cojines. A la segunda noche se negó a dormir en el sofá porque asegura que huele a perro y le da alergia. Yo ya estoy tan acostumbrada al perro que ni lo noto, probablemente porque yo también huela a urinario público con eso de la incontinencia posparto, pero mi primo es demasiado educado como para hacerme notar que yo huelo peor que el sofá.

Cada mañana de esta semana Gabi te ha metido en la mochila portabebés y se ha largado a ver exposiciones por ahí. Para mí ha sido maravilloso, porque he podido llamar al banco y al asesor sin temor a que tu llantina me obligara a interrumpir la conversación para atenderte (no sé qué radar tienes que sabes cuándo llorar en el momento más inoportuno, y no puedo acabar de saber si el asesor entenderá mis compromisos de madre atribulada). Cada mañana, tú has ido, tan feliz de la vida, calentita y abrigada dentro de su zamarra, acunada por el movimiento de su caminar, escuchando los latidos de su corazón. Debía de ser una perfecta imitación del útero que recientemente te forcé a abandonar. Gabi se pega caminatas de tres horas durante las que no abres los ojos, con lo cual ni te has enterado de que eras el bebé más culto de Madrid, porque te has pateado el Conde Duque, el Reina Sofía, el Thyssen, el Museo de Arte Contemporáneo y la Juana Mordó. Pues bien, desde que se ha ido, cada mañana empiezas a berrear, minuto más minuto menos, a las once en punto. Ni el chupete ni el biberón, ni el arrorró ni las canciones de cuna te calman: no te callas hasta que te ponen el gorrito y te pasean en la mochila. Y no vale pasearte por el pasillo, porque vuelves a berrear. No te duermes hasta que estás en la calle. Le pregunté a Sonia (Sonia la actriz, también conocida como «*Sweet* Sonia» por lo cariñosa que es, no confundir con Sonia la DJ, también conocida por «*Senseless* Sonia» por su afición a los éxtasis, ni tampoco con Sonia la guionista, alias «*Suicide* Sonia» debido a su conducción temeraria, nada que ver con mi antigua compañera de clase, Sonia la fotógrafa, llamada a veces «*Slender* Sonia» por lo delgadísima que está) si un bebé de un mes podía tener tan claro lo que quería. Me aseguró que sí.

Leo en un libro de pediatría: «Para los bebés un paseo al aire libre es un desfile de imágenes desenfocadas al ritmo de un tranquilizador bamboleo. Todo este hipnótico flujo de sensaciones los arrulla como si de un ruido uniforme y multisensorial se tratara.»

Vale: desde tu más tierna infancia, o preinfancia, ya has aprendido a luchar por lo que quieres.

En eso no te pareces a tu madre.

Ha llovido intermitentemente durante toda la mañana. A las cuatro de la tarde ha salido el sol, y entonces ha sucedido algo maravilloso: por primera vez en mi vida he visto el arco iris. Un arco enorme en el cielo, despuntando por encima del perfil de los edificios de Madrid. Un arco perfecto, como delineado con compás. Nunca lo había visto en la realidad, sólo dibujado en ilustraciones de los cuentos.

En la terraza me he fijado en un arbusto que se había secado este verano y cuyo cadáver no había tirado a la basura por pura desidia. La lluvia de las dos últimas semanas lo ha hecho revivir: han salido dos pequeñas hojitas verdes.

He pensado que eran dos buenas señales.

Sonia se acababa de mudar a la calle 103, entre Lexington y Park Avenue, zona conocida como «El Barrio» (en español), en pleno corazón del Harlem Hispano. Había tenido que hacerlo de prisa y corriendo después de que Klara, la chica con la que compartía piso en el Bronx —que trabajaba de portera en un *sex shop* del Soho y que debía de medir dos metros de ancho por dos de largo— se enrollara con una «bailarina exótica» (así es como llaman en Nueva York a las *strippers*), la cual, intimidada por la presencia de Sonia en casa (imponente presencia, debo puntualizar, pues Sonia luce orgullosamente un cuerpo que le permitiría de sobra vivir del baile exótico o de cualquier tipo de profesión en la que tuviera que exhibirlo —y de ahí el sobrenombre de «*Slender* Sonia»—, pero no lo hace porque además de guapa es lo suficientemente inteligente como para saber buscarse los garbanzos de otras maneras), se dedicó a hacerle la vida imposible a la compañera de piso de su novia mediante trucos tan antiguos pero tan efectivos como hacer desaparecer sistemáticamente los mensajes en el contestador que venían de parte de la agencia Magnum —para la que Sonia trabajaba—, usar su carísima crema hidratante y dejar el bote abierto en la encimera del lavabo o acabar con sus reservas de crema suavizante —también ridículamente cara— para lavarse su abundante melena —teñidísima y permanentadísima, como corresponde a cualquier bailarina exótica que se precie—. Finalmente Sonia se plantó y le dio a elegir a su *roommate*: o la novia o ella. Obvia decir que la *roommate* prefirió a la novia y a Sonia entonces le tocó elegir entre mudarse de piso o asesinar a Klara y, ya puesta, también a su cariñito. Dado el desorbitado precio de los alquileres en NY y el hecho de que, pese a que el piso lo habían buscado y alquilado juntas, la fornida portera era la titular del contrato, puesto que Klara tenía la nacionalidad americana y Sonia no tenía ni tarjeta de residencia, mi amiga se planteó seriamente la segunda opción, pero finalmente la desechó, muy a su pesar, al no ocurrírsele la manera de deshacerse de los cuerpos.

Por fin Sonia encontró un apartamento en Spanish Harlem a través de, paradojas de la vida, otra *stripper* compañera de la novia de Klara. Esta bailarina era exótica por partida doble, pues era mezcla de negro y filipina. Se acababa de mudar a vivir con su novia finlandesa —una superrubia que le sacaba dos cabezas— y estaba dispuesta a subarrendar su antiguo piso a un precio más que razonable, por no decir irrisorio. La ultraexótica se negaba a cambiar el contrato de alquiler a nombre de Sonia, supongo que porque, previsora ella, debía de contemplar la posibilidad de que su convivencia con la rubia pudiera hacer aguas en un futuro y no querría verse sin techo amén de sin amor si semejante cosa ocurriera. Este subarrendamiento ilegal era cosa bastante común en NY, donde los apartamentos son escasos y los contratos de alquiler un lujo, así que la titularidad del contrato implicaba que la bailarina podía echar a Sonia en cualquier momento pero, como contrapartida, si un día a Sonia le daba por quemar el edificio, a quien le iban a echar la culpa era a la joya oriental puesto que, a efectos legales, Sonia nunca habría estado allí.

En la escalera de la puerta de entrada del edificio vivían unos portorriqueños a los que Sonia me presentó nada más llegar y que, muy amablemente, se ofrecieron a cargar con mi maleta y subírnosla hasta el apartamento, pues el edificio no tenía ascensor. Digo «vivían» porque se pasaban allí el día y la noche: durante los quince días que pasé en NY no los vi moverse de su sitio. A veces me los encontraba haciendo *dribblings* con una pelota de baloncesto, otras jugando con una Playstation, pero la mayor parte del tiempo se la pasaban hablando por lo que al principio tomé por te- léfonos móviles y luego reconocí como *walkie talkies*. Sonia me contó que al principio pensó que eran radioaficiona- dos, hasta el día en que se encontró con otro colega de la agencia que vivía en la calle 106 y que, cuando se enteró de que Sonia se había mudado a los edificios amarillos del barrio, le dijo: «Joder, qué ovarios tienes... ¡Te has mudado a los bloques de la heroína!», y aunque Sonia en principio se quedó de piedra, tras reflexionar un rato (no mucho) decidió que, con lo caros que estaban los pisos en Manhat- tan, de ahí no iba a moverla ni una grúa, por mucho yonqui o camello que tuviera por vecino.

Tras contarme esta historia me aconsejó que me colgara un crucifijo al cuello, como ella, porque la gente de la zona (negros y chicanos en su mayoría) era muy religiosa y/o su- persticiosa (para muchos una cosa equivale a la otra) y lo más posible era que a ningún yonqui se le ocurriera asaltar a una chica protegida por Jesús.

Yo no salía mucho. Sonia trabajaba todo el día y de no- che llegaba demasiado agotada como para plantearse si- quiera salir de marcha. Así que nos sentábamos en su bal- cón, ella con una cerveza y yo con una Perrier —pues me había propuesto seriamente no beber en todo el tiempo que estuviera en la ciudad— y nos la pasábamos escu- chando a un grupo de rap en español compuesto por cua- tro mexicanos que ensayaban en la calle con la música del coche y que tenían a toda la muchachada del barrio bai- lando a su ritmo cada noche a falta de mejor cosa que ha- cer. De día me dedicaba a dar paseos o irme a leer a Central Park. No iba de compras, como suelen hacer los españoles cuando van a NY, porque ni soy consumidora compulsiva ni nunca he encontrado en NY nada que no encontrara en otros lados, excepto discos de jazz; ni de museos, porque me resultaban demasiado caros y además ya me los había visto todos en anteriores visitas; ni de librerías, porque desde que descubrí Amazon compro por Internet los libros que no encuentro en España y así me ahorro tener que pagar tarifas de exceso de equipaje a la vuelta de los viajes. Además, yo había ido allí a desconectar y a visitar a una amiga, no a hacer turismo.

También quería ver a Tania, más por compromiso que por otra cosa porque, aunque en el pasado habíamos sido íntimas, durante los últimos años el contacto se había ido perdiendo hasta que acabó por limitarse a un intercambio bastante poco fluido de famélicos *e-mails*. El porqué de este distanciamiento nunca lo entendí muy bien, aunque Sonia asegurara que se debía al hecho de que Tania había estado enamorada de mí durante los tres años de instituto más los cinco de carrera y yo ni siquiera había tenido el detalle de darme cuenta. De haber sido así, el caso es que nunca me lo dijo. Sólo sé que cuando acabamos la carrera y ya no nos veíamos cada día en los pasillos de la facultad, las llamadas se fueron espaciando. A las llamadas diarias las sustituyeron las semanales y a aquéllas las mensuales, hasta el día en que no hubo más llamadas porque Tania, que se había decantado por la carrera académica y había hecho doctorado y tesis, recibió una oferta como profesora asociada en el departamento de Hispánicas de Stony Brook, y siguió a Sonia en su aventura neoyorquina. Llevaba no sé cuántos años escribiendo un libro sobre género, representación y narrativa española del XIX a las órdenes de Lou Charnon-Deutsch, y otros tantos viviendo con su novia, una chica de pelo corto y gafitas, profesora en la Columbia, que también escribía su tesis sobre género y algo más.

Quedé a comer con ella en un restaurante vegetariano muy pijo de Chelsea y me impresionó lo guapísimas que eran las camareras, todas lesbianas, según me informó Tania, y probablemente también aspirantes a modelos, actrices o cantantes que habían ido a buscar fortuna en NY, según deduje yo. A los postres —unos pasteles de salvado y zanahoria que sabían a galleta rancia—, y después de ponernos al día sobre los cauces por los que habían discurrido nuestras respectivas vidas, Tania se puso a hablarme de su trabajo, casi su único y exclusivo tema de conversación, porque de su vida amorosa casi no hablaba, pues era muy reservada, y vida social prácticamente no tenía, ya que era *workaholic* por doble imposición: por neoyorkina y por profesora de universidad sajona. Me contó que le habían encargado organizar los cursos de español que la universidad impartía en verano, tarea que la agobiaba muchísimo, pues bastante ocupada estaba redactando la tesis y corrigiendo exámenes como para ponerse a buscar quien diera las clases.

—¿No sabrás de alguien a quien le interese? Busco a licenciados en Filología Hispánica cuya lengua materna sea el español.

—Pues yo misma, bonita.

—No, mujer, tienen que vivir en Nueva York, porque no pagamos casi nada de sueldo, así que no te daría para pagar billete y alquiler.

—No me importa, no lo haría por dinero.

—Pero no digas tonterías, esto está muy por debajo de tu categoría.

Tania, que en principio había tomado a broma mi candidatura, no acertaba a comprender qué perra me había entrado con lo de suplicar por un trabajo que en principio estaba destinado a recién licenciados y por el que no me iban a pagar nada o casi nada. Intenté explicárselo. Necesitaba cambiar de aires y me había planteado pasar el verano en Nueva York puesto que en julio y agosto se suspendía el programa de radio y nada me ataba a Madrid y mucho menos me atraía la perspectiva de volver a pasar un verano en

Santa Pola con los amigos de toda la vida en un carrusel de noches etílicas encadenadas al que no me apetecía reengancharme. Pero el plan de verano en NY tenía un pequeño inconveniente: no conocía a casi nadie en la ciudad (y con la compañía de Sonia, liadísima con sus dos trabajos, sabía que no podría contar) y no me apetecía pasarme esos meses en soledad total. Un trabajo como aquél me permitiría ocupar en algo las mañanas y quizá incluso hacer algún amigo, amén de costearme al menos algunos gastos, pocos, ya que había quedado muy claro que el irrisorio sueldo apenas iba a llegar para pagar el alquiler de un cuarto en Manhattan. Porque estaba claro que no podía pretender quedarme dos meses enteros en el minúsculo apartamento de Sonia, cuyo sofá, por cierto, estaba desfondadísimo y al que se le salían por todos lados los muelles que, en la escasa semana que llevaba yo en NY, me habían dejado unas visibles marcas en mi espalda dignas de esclava sexual, como si cada noche viniera a visitarme el mismísimo íncubo que poseyera a la pobre Mia Farrow en *La semilla del diablo*. Sin embargo, yo estaba segura de que podría encontrar alojamiento para el verano y, además, ya había hecho de lectora en el pasado: justo al acabar la carrera y poco antes de conocer al hombre cuyo nombre está escrito en papel de pergamino y encerrado en una botella enterrada en un descampado por la zona de Cuatro Vientos, había pasado seis meses en la Universidad de Manchester dando clases de español, y me había gustado mucho hacerlo pues descubrí, para mi sorpresa, que se me daba bastante bien tratar con los alumnos. Vete a saber si me atraía lo de la labor profesoral porque significaba meterme de manera simbólica en la piel de José Merlo, ya que en su cama nunca pude hacerlo.

Finalmente, Tania pareció convencerse de que se lo decía en serio y me aseguró que el trabajo era mío.

28 de octubre.

Ha sido horrible. Me he pasado todo el santo día ordenando papeles. Ni siquiera he salido a la calle. Necesito días de cuarenta horas.

29 de octubre.

«*Querida Paz:*

»*En respuesta a tu carta, quiero decirte que ya he decidido cuál es el regalo que quiere la niña.*

»*He decidido yo por ella porque Amanda aún no sabe hablar, pero si pudiera pediría el "Kit Bag de Pediatrics, elegante y funcional".*

»*Y te copio el anuncio aparecido en* Padres:

»"Diseñado para llevar todo lo necesario cuando salgas con el bebé. Es tan elegante y funcional que incluso papá puede llevarlo." *(Claro, mamá no lleva nada elegante y funcional, va siempre hecha unas pintas y con bolsos estrafalarios y muy poco funcionales... Con las mujeres ya se sabe. Se supone que papá llevará la bolsa en una ocasión especial, cuando mamá se ponga enferma o cuando quiera llevar al nene al fútbol, que nunca es demasiado pronto para empezar a acostumbrarlos.)*

»"Los anchos tirantes acolchados te permiten tener las manos libres en todo momento." *(Eso necesito, porque con la bolsa que tengo ahora no hay manera, está diseñada para diosas tipo Shiva con seis brazos.)*

»"Incorpora un bolsillo especial Thinsulate que mantiene los biberones calientes durante varias horas." *(Eso es indispensable, Paz, de verdad, que cualquier día a la nena le da una gastroenteritis si se sigue bebiendo el biberón granizado, no sabes el frío que hace ahora en Madrid.)*

»"Y, además, dispone de secciones separadas para productos de alimentación, ropa para cambiarle y para los objetos personales." *(Algo indispensable también, que en la bolsa que tenemos lo mezclamos todo y, aparte de la gastroenteritis, la nena me va a pillar cualquier día una infección de padre y señor mío por poner la ropa sucia al lado del chupete.)*»

Y es que cuando bajas a la calle con un bebé tienes que llevar, amén de tus llaves, tu monedero y tu teléfono móvil, un biberón, termo con agua caliente, leche en polvo, toallitas limpiadoras, dos pañales (o más, dependiendo del tiempo que vayas a estar fuera), el cambiador (una especie de almohadilla acolchada de hule por si no te queda otra que cambiarlo en el suelo, situación más habitual de lo que pudieras imaginar), chupete de recambio (por si escupe el que tiene y lo pierde) y pantalón, babero y jersey de repuesto (por si los ensucia de vomitona o caca). Y, por supuesto, un bolso lo suficientemente enorme como para cargar con tanta impedimenta. ¡Y ay de ti como se te olvide uno solo de los útiles de la lista!

Por experiencia, he descubierto una verdad axiomática: un bebé no admite margen de error.

30 de octubre.

5,600 kg. Y aún no tienes mes y medio. Me recuerdas al cuento de Dahl en el que un apicultor alimenta a su hija con jalea real y la niña empieza a crecer desaforadamente hasta que acaba por convertirse en una abeja enorme. Tenemos que ponerte ropa talla de tres meses. Te has hecho mayor en todos los sentidos. Ahora duermes toda la noche en tu cuco y no exiges, como antes, que durmamos a tu lado. De todas formas ya eres demasiado grande y no creo que cupiéramos los tres.

Y ya sonríes. Sonríes DE VERDAD. No es la sonrisa de antes, que respondía a tus propios estados de ánimo, cuando sonreías porque te acababas de levantar o porque te habías acabado el biberón. La sonrisa como consecuencia de tu propia satisfacción se ha convertido en sonrisa que intenta provocar la satisfacción ajena: ahora sonríes cuando se te habla, intentando demostrar que entiendes el tono. A veces incluso ríes cuando se te hacen cosquillas. Mis hermanas me tomaban por loca hasta que te vieron, decían que era imposible que rieras. Ya no dicen nada.

31 de octubre.

Ya lo decía Laureta: siempre hay desgracias peores que las nuestras. Y no lo digo sólo porque sepa que en Etiopía o Mozambique hay mujeres que ven cómo sus hijos se les mueren de hambre colgados del pecho seco. No me hace falta pensar en otros países para darme cuenta, ni siquiera en otros barrios, en supermercados de drogas que abastecen a los niños pijos de la zona de Salamanca o Chamartín y en los que sobreviven como pueden críos malcomidos, hijos de padres enganchados y madres apaleadas, cinturones de vergüenza alfombrados de chabolas que emergen como hongos parásitos alrededor de los barrios residenciales de las afueras. No, no hace falta establecer la separación geográfica puesto que incluso en diez metros cuadrados cabe hacer una gradación de desgracias. Cuando crees que tú estás mal siempre puedes pensar que hay alguien que está peor. Y eso no sirve nunca de consuelo, simplemente te entristece más, te hace sentir más impotente si cabe.

Me quejaba yo de que tenía que perder tres horas diarias para poder ver a mi madre durante apenas cinco o diez minutos y he conocido en la sala de espera de la UVI (de sala tiene poco, es más bien un vestíbulo, un espacio abierto, helado, tan helado como las baldosas baratas que cubren su suelo, con cuatro sillones incómodos en las esquinas, sin un mísero cuadro que anime las paredes) a un señor que vive a sesenta kilómetros del hospital y que tarda más de una hora en llegar desde su casa. Y lo peor es que a veces pierde la tarde en balde, porque si tardan demasiado en dejarnos entrar y se le hacen las ocho y media tiene que irse sin ver a su mujer para no perder el último autobús.

Hay desgracias peores que las nuestras. Y hay desgracias aún peores, peores que las desgracias que son peores que las nuestras. En el ascensor me he encontrado con una de las enfermeras de la primera UVI en la que ingresó mi madre, que me ha reconocido porque por lo visto en su día era fan de David y es una de entre el millón de personas que compró aquel infausto ejemplar de *Cita*. No sé por qué se me ha ocurrido preguntarle por el niño que estaba al lado de la cama de mi madre. Supongo que has adivinado la respuesta.

Llevaba doce días en NY cuando Sonia me avisó de que había concertado una doble cita para aquella noche. Lo decía en plan irónico. Un jovencito que trabajaba de becario en la Black Star llevaba meses insistiéndole para que quedaran a tomar una copa, y al final Sonia aceptó la invitación con la condición de que tenía que llevarme a mí de acompañante. Utilizó la excusa de la amiga que había venido a visitarla y a la que no podía dejar sola en casa porque en realidad no le hacía ninguna gracia quedar con aquel tipo, pero ya se le habían acabado las maneras de decir no y terminó dejándose convencer por puro cansancio. Eso sí, no quería verle a solas. El proyecto de periodista le dijo entonces que se llevaría a un amigo.

La descripción que Sonia me había hecho de su pretendiente se ajustaba perfectamente al que nos estaba esperando a las ocho en el Alphabet Lounge: majo, bastante guapo y culto dentro de lo culto que pueda ser un neoyorquino, es decir, el tipo de culto que sabe mucho de arte contemporáneo y fotografía moderna pero al que el nombre de madame Pompadour le suena a encargada de un *boudoir* caro. No estaba mal, pero no era del tipo de Sonia, así de simple. Ella los prefería más cuadrados y menos jóvenes. El carabino que me habían asignado no me dio, a primera vista, ni frío ni calor. Era más guapo que feo pero, decididamente, no espectacular, aunque tenía los ojos bonitos —de una singular mezcla de tonos castaños, verdes y ambarinos— y un aire inteligente que le animaba un poco las facciones, algo toscas pero suavizadas por la luz del cabello trigueño que le caía en mechones lacios sobre la frente. Lo que más me gustó fueron las manos, blancas, de huesos largos y delicados. Manos de artista, pensé. Pero no era ningún artista, era un científico, o un proyecto de. Estaba haciendo un doctorado en Biología, o eso entendí con gran esfuerzo, porque el chico hablaba en un hilillo·de voz, una especie de tono empañado y trémulo, de persona muy tímida. Pensé que sería de un pueblo perdido de Alabama o algo así y me sorprendí mucho al enterarme de que era rumano, pues hablaba un inglés impecable. Me explicó que parte de su familia había emigrado a Canadá y que había vivido allí desde los dieciocho años. Iba a hacer un año que se había mudado a NY.

Al principio yo me había comportado como una santa y me había limitado a beber Coca-Cola y zumos de naranja. Llevaba trece días lejos de Madrid y no había probado una gota de alcohol desde mi llegada: me sentía orgullosa. Cuando aquellos dos propusieron que nos fuésemos a un club a bailar acepté encantada y convencida de que aguantaría sobria el resto de la noche. Pero cuando llegamos al sitio —Nell's, creo que se llamaba, un garito inmenso lleno de negros— sucumbí al efecto estímulo-respuesta y, como el perro de Pávlov, reaccioné por asociación. Para mí la música, las luces y el ambiente festivo se asociaban indefectiblemente a la necesidad de alcohol, y antes de que me diera cuenta me encontraba en la barra pidiendo una copa. A la primera siguió la segunda, y a la segunda la tercera, y a la cuarta o quinta ya me creía la reina de la pista.

A la mañana siguiente desperté con la boca de tiza, un dolor de cabeza no por conocido menos insidioso, un agujero negro en la memoria y un desconocido roncando a mi lado en el desfondado sofá cama del salón de Sonia. O no tan desconocido: el perfil me resultaba vagamente familiar. Sí, conocía esos mechones trigueños y lacios y aquel perfil de querube. En aquel momento odié al pobre chico con toda mi alma, pues proyectaba sobre él toda la rabia que sentía contra mí misma. Sonia se había marchado ya a trabajar, y yo no me atrevía a preguntarle al durmiente cómo había llegado hasta allí, porque me lo podía imaginar, y tampoco sabía cómo pedirle educadamente que se marchara. Así que lo hice muy poco educadamente: le dije que me apetecía estar sola y que por favor se fuera. Me miró con ojos de animal herido, recogió sus cosas y se marchó.

Cuando el rumano se hubo ido y me quedé por fin sola

196

en el apartamento de Sonia, me acometió de pronto una náusea acuciante: alguien parecía estar retorciéndome el estómago a dos manos, como cuando se estruja una toalla mojada. Apenas me dio tiempo a llegar al cuarto de baño para devolver. Las arcadas eran tan violentas que resultaban dolorosas, parecía como si el esófago estuviera a punto de abrírseme en canal. No sé cuánto tiempo estuve allí, agachada frente a la taza, vomitando. Cada vez que creía que por fin había acabado, que tenía el estómago completamente vacío, llegaba otro espasmo más salvaje que el anterior y me descubría que aún quedaba allí dentro algo por arrojar. Al final no salía más que una bilis amarillenta más propia de la niña de *El exorcista* que de una vulgar y terrenal treintañera con resaca.

No sé cómo logré arrastrarme de nuevo hasta la cama de Sonia, que estaba perfectamente hecha. Sospeché que no había dormido allí porque nunca hacía la cama al irse (me dio tiempo a pensar, con la única neurona operativa que me quedaba, que si llego a saber que mi amiga no iba a dormir en casa a qué iba yo a dormir acompañada en el sofá). No podía mantenerme en pie, literalmente, porque sentía que la habitación daba vueltas a mi alrededor. La luz del día que entraba por la ventana me estaba taladrando las retinas y la cabeza me dolía tanto que parecía a punto de estallar. Para colmo, me entró una temblequera tremenda que me hacía vibrar como un diapasón.

Fantaseaba con grandes jarras de agua y con el paracetamol que, sin duda, debía de guardar Sonia en algún cajón o estante del cuarto de baño, pero me encontraba tan mal que no me imaginaba capaz de ponerme en pie y avanzar los veinte o treinta pasos que me llevaran a cualquiera de los dos fregaderos del apartamento.

Yo sabía, o sospechaba, lo que me estaba pasando, pues no en vano había escrito un libro sobre las adicciones dentro del cual había un muy documentado capítulo sobre alcoholismo. Aquello respondía a un fenómeno que se viene a llamar algo así como *hipersensibilización de receptores dopaminérgicos postsinápticos*, lo que traducido al castellano viene a querer decir que tu organismo o la química de tu cerebro se ha acostumbrado a funcionar con etanol de forma que, cuando falta el combustible, los receptores se encuentran «sedientos» de alcohol. Y así, cuando vuelven a recibirlo lo sintetizan «ansiosamente», produciéndose una intoxicación. En otras palabras, una reacción tan exagerada al consumo de alcohol tras un período de abstinencia no era propia de una simple borracha sin más, por lo que ya podía empezar a considerarme una Alcohólica, con mayúscula. Era oficial. Lo mío no tenía arreglo ni en hipótesis.

Y, en ese momento, alguien comenzó a aporrear la puerta.

Desde luego, no me apetecía lo más mínimo abrirla, y pensando que sería el cartero o el casero ni me planteé levantarme para atender a nadie. Pero los golpes seguían sonando y luego les siguió un batacazo mucho más contundente, como si alguien se hubiera precipitado contra la puerta para intentar derribarla. Daba la impresión de que en cualquier momento quienquiera que fuera el que estaba al otro lado iba a tirarla abajo. Quizá, pensé, fuera el casero reclamando el abono de unos alquileres impagados, o tal vez la policía hubiese decidido por fin hacer una redada entre los camellos del barrio y estaban registrando el edificio apartamento por apartamento. No me cupo duda de que si les abría me iban a tomar por una yonqui, pero lo que acabó convenciéndome para levantarme fue que cada golpe en la puerta parecía rebotar en mis sienes como un gong. No sé cómo me arrastré hasta la entrada y abrí. Allí no había ningún casero, ni cartero, ni policía, frente a mí se hallaba la última persona a la que esperaba encontrarme: el rumano que, habiéndose marchado tan precipitadamente, se había olvidado su bolsa y se había dado cuenta justo en la entrada del metro, con lo que había desandado sus pasos hasta el apartamento de Sonia. Los portorriqueños, que le habían visto salir de casa, le habían abierto el portal. Cuando vio que yo no respondía a las llamadas, y deduciendo que no había podido salir del apartamento en los escasos cinco minutos que le había llevado regresar pensó, muy acertadamente, que me había pasado algo, e intentó derribar la puerta, sin éxito, porque se trataba de un chico muy delgado y de hombre de Harrelson tenía bastante poco.

Yo debía de presentar un aspecto lamentable, porque inmediatamente me preguntó si quería que avisara a un médico. Le dije que no, que me conformaba con un vaso de agua y un analgésico de cualquier tipo. El vaso me lo trajo al instante, lo del analgésico le llevó un poco más, pues tuvo que ir a la farmacia a buscarlo. Pero volvió, eso sí, con una caja de alka seltzer, otra de paracetamol, unas ampollas de vitamina B12, un paquete de Rennies, dos tetrabriks de zumo de pomelo y una bolsa de hojas de manzanilla para hacer infusión. Aparte de prepararme la manzanilla me hizo también un arroz hervido con limón, cuya visión no me suscitó precisamente un cosquilleo de placer anticipado en el estómago pero que desde luego me ayudó a asentarlo. El caso es que entre el arroz y los fármacos, al cabo de una hora me encontraba más o menos repuesta, lo que significa que podía mantenerme sentada en el sofá apoyándome sobre las almohadas. Sin embargo la cabeza seguía doliéndome como si me la hubieran machacado a martillazos. El rumano sugirió entonces un remedio de emergencia que, según él, supondría la solución definitiva a mis problemas: debía sumergirme en una bañera de agua caliente en la que hubiéramos disuelto la caja entera de paracetamoles. Al parecer, el agua caliente dilataba los poros y facilitaba la absorción del compuesto por vía tópica. Pero lo cierto es que la bañera del apartamento de Sonia presentaba un aspecto de no haber conocido estropajo en muchos años, y daba la impresión de que sumergiéndose allí una podía pillar todo tipo de enfermedades conocidas y por conocer. Cuando se lo dije al rumano él se ofreció a solucionar el problema y, dicho y hecho, armado de estropajo y detergente la emprendió con la bañera que dejó como los chorros del oro, así que no me quedó otra que probar el baño. Le dije que podía irse a su casa si quería, que no tenía que esperar a que acabara de bañarme, porque lo cierto es que me sentía un poco incómoda con aquella situación, pero él insistió en quedarse, por si acaso me desmayaba al salir, no fuera que el agua caliente me bajara la tensión. Cuando, después de media hora larga en remojo, salí del agua hecha una mujer nueva —y es que el remedio había funcionado a las mil maravillas—, me encontré con que el rumano había preparado una sopa de fideos a partir de los cuatro botes que había encontrado en la cocina de Sonia.

Una sensación ambigua me invadía. Por una parte me sentía lógicamente agradecida, e incluso necesitada, pero por otra tanta generosidad me abrumaba, no sé si porque me sentía indigna de ella o porque me fatigaba tener que cargar con el fardo de la admiración ajena, o lo que fuera, porque tenía claro que algo tenía que haber despertado en aquel chico para que se hubiera tomado tantas molestias por mí, a no ser que tuviera una clara vocación de buen samaritano, que todo podía ser. Me fatigaba verme obligada a sentir algo de reciprocidad, aunque sólo fuera agradecimiento, y me excedía la responsabilidad de corresponder, de tener la decencia de mostrarme al menos amable y educada. Sentía gratitud, por supuesto, pero una gratitud abstracta, asombrada, más forzada que sincera, que nacía antes de la razón que del corazón. No sé si, de no haberme visto obligada por esa conciencia de la obligación, hubiese pasado toda la tarde con el rumano, como finalmente hice, tirados en el sofá viendo vídeos y charlando, en una tarde casera y absolutamente asexual. Tan asexual como había sido la noche anterior, porque Anton, que así se llamaba el chico, me explicó que entre nosotros no había pasado absolutamente nada. Cuando salimos del Nell's, Sonia se marchó con el pretendiente que aparentemente tan poco le gustara hasta entonces y nosotros dos cogimos un taxi. La idea era que el vehículo se detuviera primero en mi apartamento para seguir desde allí hasta el Bronx, que era donde vivía él. Pero durante el trayecto me quedé dormida como un tronco y, cuando llegamos, sólo acerté a articular con voz desmayada el piso y la puerta del apartamento y a sacar mi juego de llaves del bolsillo de la chaqueta, de forma que Anton se vio obligado a arrastrarme como pudo hasta la casa (yo estaba lo suficientemente lúcida como para dejarme arrastrar, e incluso colaborar en la operación de remolque intentando a duras penas andar, pero no lo bastante despierta como para ser capaz de articular una frase medianamente coherente) y una vez allí se quedó a dormir a mi lado; primero, porque le daba no sé qué dejarme sola en semejante estado; segundo, porque hubiera sido imposible encontrar un taxi en Spanish Harlem a las tantas de la mañana. No le dije que hubiera podido llamar a uno por teléfono porque di por hecho que estaba omitiendo una tercera razón: que yo le gustaba, aunque asumir algo así resultaba bastante inmodesto por mi parte.

Entre vídeo y vídeo surgió en la conversación el tema de mi posible estancia estival en Nueva York y le pregunté a Anton si conocía a alguien que quisiera subarrendar un apartamento o una habitación para el mes de agosto. Me dijo que preguntaría, que no creía que fuera difícil porque la mayoría de los estudiantes se marchaban en verano, que incluso su compañero de piso, estudiante de danza en la Escuela de Arte de Nueva York (me vino inmediatamente a la cabeza la imagen de Leroy en *Fama*) se marchaba cada verano, normalmente de gira con alguna compañía o a trabajar de camarero cuando no encontraba trabajo como bailarín. Se lo agradecí, pero no le dije que no me apetecía vivir en el Bronx.

Sonia apareció a la hora de costumbre, las nueve, con unas ojeras de oso panda, y sólo aceptó salir a cenar conmigo porque sabía que al día siguiente yo dejaba la ciudad. Despedí entonces al rumano, porque quería reservar la última noche para mi amiga, e intercambiamos teléfonos y direcciones de correo electrónico más por cortesía que por otra cosa, pues ya te dije que tanta obsequiosidad había acabado por abrumarme y me sentía demasiado incómoda como para pensar que pudiera querer volver a verlo.

Sonia y yo tuvimos una cena muy poco memorable, las dos estábamos muy cansadas y, además, ya nos habíamos contado todo lo que nos teníamos que decir a lo largo de aquellas dos semanas. Apenas comentamos los incidentes con el becario y el rumano porque no nos habían dejado huella a ninguna de las dos, y cuando regresamos al apartamento nos encontramos con un coche patrulla en la puerta del edificio y con que unos policías se estaban llevando esposados a nuestros amigos los portorriqueños. Sonia nunca los volvió a ver. Como contrapartida, tampoco volvió a ver a ninguno de los yonquis que salían y entraban constantemente del bloque.

Al día siguiente mi vuelo despegó con retraso, así que hice tiempo curioseando por las *duty free*, mirando *gadgets* y tentaciones que no me interesaban y que no pensaba comprar. De repente, y sin saber por qué, me encontré en una tienda de juguetes frente a una montaña de pelotas de peluche con cremallera que guardaban en el interior, ¡oh, sorpresa!, un osito de peluche. Las había azules y rosas: en las azules ponía *«It's a boy»* y en las rosas *«It's a girl».* Debería haber aborrecido de semejante chorrada sexista y, sin embargo, me encontré con una de las pelotitas en la mano que, sin que yo pudiera explicármelo, parecía estar pidiendo a gritos que me la llevara conmigo. Pensé regalársela a uno de los niños de Laureta, pero en seguida supuse que ya estaban demasiado mayores para peluches. Entonces pensé que en realidad la quería para mí. Peor aún, me encontré pensando que la quería para mi bebé. Cosa absurda, porque ya he dicho que yo estaba convencida entonces de que no iba a tener hijos. En cualquier caso, fue como un fogonazo en la conciencia, la visión repentina de un bebé mío al que en el futuro le diría que lo había imaginado incluso antes de desearle. Y me llevé la pelota de peluche. Rosa: una niña.

Tiempo después de aquella insólita redada se hizo público que los Clinton habían comprado un edificio en la zona, lo que explicaba el repentino interés de la policía por limpiarla. El precio del metro cuadrado se multiplicó por dos en menos de un mes y amenazaba con seguir subiendo, y montones de familias limpias y blancas se mudaron a viviendas hasta entonces en ruinas y repentinamente reformadas a toda velocidad.

He escrito que Sonia no volvió a ver a los portorriqueños. Afirmación no del todo exacta porque sí que volvió a ver a uno de ellos, a quien todos llamaban Vergara. Se lo encontró en el metro por casualidad y le contó que tanto él como sus amigos habían salido de comisaría sin cargos por falta de pruebas. Probablemente habían tenido tiempo de deshacerse del material gracias a sus compañeros, que les habrían avisado de la llegada de la policía mediante los walkie talkies. Una vez libres se mudaron al sur del Bronx para seguir con el negocio, y allí deben de seguir.

En cuanto a la bailarina exótica, dejó a Klara y dos años después, y en Madrid, cuando Sonia vino a pasar su obligada semana de Navidades familiares, se la encontró en la televisión, en una de esas películas porno que pasan en Canal Plus los viernes por la noche. Se la estaba mamando a un garañón cuyo aparato no habría cabido en un vaso de cubata. Ahora es una estrella y se ha cambiado el nombre a *Bonita Sweetlove*.

1 de noviembre.

Los médicos nos dicen lo de siempre: estable dentro de la gravedad. Mi madre sigue conectada a sus máquinas y tengo la impresión de que a más frascos que antes. Me he entretenido en contarlas: son nueve, nueve botellas colocadas boca abajo, enchufadas a tubos rematados en una aguja pinchada en su cuerpo inerte a través de la cual se le inyectan los líquidos que quién sabe si la mantienen viva o dormida o ambas cosas. Quizá sea por tanto líquido por lo que mi madre esté edematizada, hinchada como un globo de feria a pesar de que haya otro tubo que va a parar a una cuña y a través del cual se le sonda. El color del líquido que sale por ese tubo es verde parduzco: un extraño brebaje de detritus y desechos, la alcantarilla del cuerpo de mi madre. Las manos, de puro hinchadas, están perdiendo la forma, parecen manos de muñeco de trapo, manos inútiles, incapaces de asir, mucho menos de escribir o acariciar, que se diría que fueran a reventar en cualquier momento. De todas formas, tampoco podríamos cogerle la mano, porque hay un tubo conectado a cada una. Además de la hinchazón, el edema le ha creado una doble papada que le da el aspecto de un enorme sapo dormido, un cruce entre batracio y humano recién salido de un cuento de Lovecraft, semejanza que se intensifica porque mi madre, como las criaturas de Lovecraft, está húmeda. Supura: la aguja del gotero que tenía conectada a la mano le ha hecho una herida que segrega un líquido transparente.

Mi padre ha adelgazado visiblemente en estos ¿once? días. Como es un hombre tan alto empieza a parecerse a un personaje de un cuadro de El Greco, con ese aire no se sabe si entre espiritual o tétrico. Ya estoy perdiendo la cuenta del tiempo, las tardes son todas iguales aquí, una monótona letanía de horas sucesivas. De todas formas, advierto que se ha puesto corbata para venir, y eso me parece buena señal. Una enfermera viene y no podemos evitar preguntarle lo de siempre aun a sabiendas de que no nos puede dar más información que la que los médicos nos han proporcionado. Pero nos la da. No exactamente información, un nuevo punto de vista, una actitud diferente a la hora de evaluar la cuestión, su particular interpretación del *carpe diem*: «Ustedes aférrense al día. Piensen que hoy sigue aquí, y eso es bueno. No intenten pensar en cómo va a ser mañana, sólo en que hoy sigue aquí, que resiste.» Lo dice con una sonrisa que no parece ensayada a pesar de que yo no pueda evitar preguntarme si no habrá aprendido a esbozarla como herramienta terapéutica para familiares durante el tiempo que lleva aquí. Únicamente nos ha dedicado tres minutos, pero nos ha regalado un mundo: su sonrisa, ensayada o no, ha brotado como por contagio en el rostro demacrado de mi padre.

Más tarde, Caridad, la enfermera lectora, ya fuera de la UVI, en el pasillo, tras los saludos de rigor y el cómo te encuentras de ánimo hoy (como nos ve venir todos los días ya nos trata con familiaridad) me comenta, mientras espero a que salga mi padre (mi hermana ha ido a ocupar mi puesto), que los médicos son mucho más fríos, que no conocen ni al paciente ni sus circunstancias, que se limitan a pasar cinco minutos diarios, verificar el historial, contrastarlo con las gráficas de las máquinas y emitir un diagnóstico. «Pero no están aquí a pie de cama como nosotras, que no tendremos la carrera hecha, pero que vamos viendo la evolución minuto a minuto, que llegamos incluso a cogerle cariño a enfermos con los que no hemos hablado nunca, porque no pueden hacerlo.» Me habla del día en que se dio cuenta de que a un paciente le habían estado administrando durante ocho días un medicamento que sólo podía administrarse, como máximo, durante siete, y eso en casos extremos. Cuando fue a indagar se enteró de que los hematólogos que debían verificar al enfermo (el medicamento tenía algo que ver con los leucocitos) llevaban nueve días sin aparecer por la UVI. Caridad no acabó la carrera de Medicina, la dejó a la mitad, me dice, pero no se arrepiente, asegura. Piensa que ser enfermera puede ser mucho más satisfactorio. Pero también es cierto que puede que los hematólogos llevaran nueve días sin aparecer porque sencillamente no dieran abasto en un hospital colapsado. Y yo me pregunto una vez más cómo teniendo la carga impositiva más alta de Europa, nuestro dinero se gasta en enviar tropas a un país que no nos lo ha pedido pero no en arreglar la sanidad pública o en conseguir que tú puedas ir a una guardería.

Ayer tu padre llegó a casa diciendo: «Tú, que te quejas siempre de que la vida no tiene sentido, de que el hombre es un lobo para el hombre, deberías haber subido al metro conmigo hoy. En cuanto me he montado con el bebé se han levantado varias personas para cederme su asiento, y cuando he dicho que no nos hacía falta, una señora ha insistido y prácticamente me ha incrustado en el suyo. Y medio vagón hacía comentarios sobre la niña, que qué buena era y que qué suerte tenía yo.» Incluso una señora le ha regalado una medallita de la Virgen de Lourdes, para que te protegiera. Supersticiosa como soy —tendrás tiempo de descubrirlo—, te la he cosido al carrito.

Pero no, lo que cuenta no me hace creer en la bondad intrínseca del género humano. Cuando iba camino del hospital ha subido al metro un negro famélico pidiendo dinero. Era un esqueleto andante de ojos amarillos y le costaba mucho caminar. Creo que tenía sida. Según el negro iba avanzando por el pasillo con la mano extendida, como un zombi suplicante, los pasajeros apartaban la mirada. La única que le ha dado algo he sido yo: todo lo que tenía en el monedero, impulsada por el sentimiento de culpa y por la vergüenza ajena.

A la gente le hace ilusión ver una nueva vida, pero no aguantan ver la muerte cerca: les recuerda demasiado la inevitabilidad de la suya.

Ésa es la razón por la que tu tío, mi cuñado Julián, marido de tu tía Asun, se ha negado a entrar en la UVI a ver a tu abuela. Dice que no soporta los hospitales. A mí, al contrario, no me deprimen, quizá porque los asocio con algo bueno. He pasado media vida en hospitales a partir de la adolescencia a cuenta de la traqueítis crónica y siempre recuerdo que el dolor terminaba, no empezaba, cuando llegaba al centro. En cuanto te enganchaban un gotero con morfina o un inhalador sabías que había empezado el fin del sufrimiento, que el dolor o el ahogo acabarían en breve. Y esa asociación hospital-alivio se confirmó cuando tú naciste. La situación ahora es muy distinta, pero a pesar de todo me esfuerzo en intentar no asociar UVI con dolor, más bien al contrario. Prefiero pensar que si tu abuela sobrevive es gracias al hospital, que si se hubiera quedado en casa estaría utilizando el pasado como tiempo verbal para escribir sobre ella, que si no le inyectaran drogas a través de los goteros estaría aullando de dolor.

Dijo Fernando Pessoa que «ser pesimista es tomar algo por trágico, y esa actitud es una exageración y una incomodidad».

2 de noviembre.

Mi hermana Laureta, la madre de Laurita, hace tiempo que quiere separarse. O al menos lleva años diciéndolo. Laureta se casó por primera vez a los veintitrés años con un francés de buenísima familia y larguísimo apellido que vivía y vive de las rentas familiares y al que conoció en Ibiza. Hasta los veinte había estado estudiando Psicología y trabajando de camarera en el Pachá de la playa de San Juan, el club más *fashion* de la provincia de Alicante que sólo contrata a bellezones para servir detrás de la barra (obvia decir que mi hermana lo era y todavía lo es), pero se ve que ese ambiente se le quedaba pequeño, así que un día le dio una de sus ventoleras y se cogió un ferry directo a la isla sin más equipaje que una mochila y varios pareos. Hablamos de hace más de dos décadas, cuando la isla aún no era un nido de *hooligans* y pastilleros y sí un puerto franco para poetas, pintores, escritores, *hippies* de toda condición y aventureros y desarraigados en general. A mi hermana le había dado por Ibiza porque siempre había sido muy excéntrica, y entonces esta isla era lo más de lo más —supongo que ahora se hubiera ido a Goa—, porque Laureta se tenía y se tiene por una persona de ideas originales y brillantes y se pasa el día en actividad constante pero poco fructífera: en general se interesa por todo lo que le parece novedoso, original, arriesgado y progresista, y se mueve y habla mucho —es muy elocuente y un tanto dramática a la hora de expresarse— pero acaba haciendo poco. Es plenamente sabedora de su apariencia personal, su atractivo y su carisma, y por eso a veces —bastantes— resulta un tanto narcisista. Siempre ha actuado según sus propias reglas, y si se le contradice se puede poner bastante agresiva e intolerante: ya desde muy pequeña sus explosiones de mal genio eran sonadas e impredecibles. Una vez, por ejemplo, me tiró un plato de sopa caliente a la cara cuando le hice notar que estaba sorbiéndola, y gracias a Dios que me aparté a tiempo, u hoy no podría presumir de este cutis de porcelana que tu padre tanto alaba. Pero, por otra parte, Laureta se preocupa por buscar la compañía de los demás y, cuando está de buenas, tiene unas maneras agradables y complacientes, de modo que siempre ha utilizado su encanto para conseguir lo que quiere sin tener que esforzarse demasiado.

Cuando se hartó de Ibiza, por ejemplo, eligió el camino más fácil para dejar la isla: el matrimonio. La opción parecía natural porque, a qué negarlo, la actividad laboral no iba mucho con Laureta, como si ella fuera un objeto de lujo y no de servicio. Como ella siempre ha sido para los hombres lo que la miel para los osos, no le resultó difícil encontrar un más que buen partido. Porque Laureta desprendía y aún desprende una penetrante emanación de feminidad, una aura de intensa sensualidad que los vuelve locos precisamente porque no parece ir dedicada a ellos sino que más bien los excluye, como si mi hermana perteneciese a una casta muy superior a la que deben rendir pleitesía. Esa exagerada conciencia en su propia valía prometía un despliegue descomunal de sus atributos, y fue, supongo, lo que, entre porro y porro y fiestecita en la cala atrapó al francés riquísimo y guapísimo que le propuso matrimonio en un tiempo récord. Serge, que así se llamaba aquel príncipe azul, encandiló al principio a todas las mujeres de la familia (tía Reme incluida) excepto a mí, que era curiosamente a quien más quería encandilar (ya en la misma boda el tío, borracho perdido, intentó meterme mano, imagínate, a la hermana pequeña de su novia que apenas había cumplido quince años. Esto no se lo había contado nunca a nadie excepto a tu padre). A los veintiséis años, Laureta ya tenía dos hijos (y seguía tan delgada como si ella no hubiese intervenido siquiera en su concepción), dos casas (una en Madrid y otra en Ibiza), dos coches, dos asistentas (una para limpiar y otra para cuidar de los niños), dos ojeras permanentes bajo los ojos y una cara de amargada tremenda, porque resultó que el francés, un *bon vivant* acostumbrado a los mejores lujos, se hartó pronto del genio de Laureta, y huyó de ella viajando sin cesar y haciéndole el más mínimo caso. Por no estar, no estuvo ni en el parto de sus hijos, pues según versión oficial en ambas ocasiones estaba en viaje de negocios (si fue capaz de tirarle los tejos a una menor el mismo día de su boda, y para más inri hermana de su futura señora, imagínate dónde podía estar, sobre todo teniendo en cuenta que sus únicos negocios consistían en hablar de tanto en tanto con el administrador encargado de gestionar sus rentas). Antes de tenerte a ti, cuando Laureta me contaba lo de la ausencia de Serge en sus partos, me parecía mal, pero no tan mal como me parece ahora que ya he vivido un parto yo misma, un parto que no sé si habría sabido sobrellevar sin la presencia de tu padre. En fin, como te iba diciendo, en su día Serge le había parecido a Laureta muy moderno y original, tan francés, tan glamuroso, tan vivido, pero en cuanto se casó con él dejó de parecérselo. Y es que a ella, independiente y muy suya, le disgusta que le digan qué y cómo hacer algo, y especialmente si lo que le dicen es cómo y en qué pensar, como él intentaba hacer. Laureta siempre había actuado siguiendo sus propias reglas y raramente obedecía órdenes. Nunca las había aceptado por parte de mi padre y, desde luego, no iba a acatar las de su marido. Una buena Acuario como ella precisa un ambiente no estructurado que le permita tomar sus propias decisiones y responder a las necesidades del momento en vez de seguir una rutina o una forma fija de hacer las cosas. Necesita vivir en una atmósfera excitante y estimulante, y el matrimonio pronto suele dejar de serlo.

Como era de esperar, Laureta se pasó años quejándose de Serge, que la tenía a cuerpo de reina pero que cada vez paraba menos por casa, hasta que un verano conoció al que sería su segundo marido, también en Ibiza y esta vez alemán, y se lió la manta a la cabeza separándose de Serge casi al mes de conocer a Christian, que así se llama el nuevo. Y es que su mente funciona de una forma intuitiva, no lineal, y los flechazos le llegan de golpe, de la nada. El problema es que Christian adora a Laureta y a los niños, pero no tiene un duro. En Ibiza se ganaba la vida limpiando barcos (limpiaba, por ejemplo, el yate de Serge; así fue como le conoció) y poniendo copas, y cuando se enamoró de ella se vino a Madrid porque mi hermana no quería cambiar a los niños de colegio y de rutinas, pero ya no pudo seguir trabajando de camarero porque su recién estrenada novia no quería que pasara las noches fuera de casa. De modo que Christian acabó encontrando un trabajo de profesor en el Instituto Alemán. Bien pagado, en mi opinión, pero que no da para mantener el nivel de vida al que mi hermana estaba acostumbrada. Así que se acabaron los veranos en Ibiza y hubo que vender uno de los coches y despedir a las chicas. Y más tarde cambiar de casa, porque la antigua estaba alquilada, aunque en realidad fuera propiedad de Serge, que la había puesto a nombre de una sociedad. Y claro, una cosa es vivir una pasión prohibida en un entorno paradisíaco y otra muy distinta vivir una vida normal con un profesor de alemán que está buenísimo (porque lo está), pero no más que lo estuviera el primer marido, y que encima es, como buen alemán, bastante previsible y aburrido.

Hoy, en el hospital, nos han hecho esperar más que de costumbre y a Laureta le ha dado tiempo a desgranarse en confidencias, pasillo va pasillo viene, mientras esperábamos a que los médicos acabaran con lo que estuvieran haciendo dentro ¿un respirador que falla?, ¿un monitor cuyas constantes descienden? Laureta dice que se separaría ahora mismo si pudiera comprarle a Christian la mitad de la casa (que compraron a medias tras el divorcio de ella), pero no puede, y ¿adónde va a ir ella con dos niños y al precio que se han puesto los pisos? Como los hijos son de su primer marido y al segundo no le corresponde garantizar su bienestar, ella está segura de que un juez no le daría la casa, de forma que parece que la burbuja inmobiliaria es la responsable de que viva atrapada en un matrimonio infeliz.

—He estado tan desesperada que he llegado a pensar que si mamá muriera al menos podría separarme. Con la herencia, ya sabes.

—No, si te entiendo. A mí se me pasó lo mismo por la cabeza, que podría pagar la deuda de Hacienda y cancelar la hipoteca.

—Se lo dije a Vicente y me dijo que él pensó lo mismo, que con la herencia podría pagar por fin la reforma de su casa.

—Somos unos hijos horribles...

—Sí...

Es el síndrome de Pollyanna, la niña que vivía en un orfanato esperando una muñeca y que recibió, por equivocación, un par de muletas de regalo de Navidad: dijo que se sentía feliz porque no tendría que usarlas.

De todas formas, la herencia no daría para tanto.

O sí. Me esfuerzo en alejar malos pensamientos, la imagen, por ejemplo, de una comida familiar en la que, cotilleando sobre las peleas familiares de unos vecinos, mi madre le dijo a Reme: «Yo siempre pensé que mis hijos tenían sus diferencias, pero cuando me entero de cosas así, me doy cuenta de que no se llevan tan mal», y Vicente intervino, medio en broma, medio en serio: «Ya, ya, espera a que tú te mueras y nos empecemos a pelear por tu dinero.»

3 de noviembre.

Ninguno nos conocemos del todo, y hace falta una situación extrema para que descubramos lo poco que sabemos de nosotros mismos. A solas creemos vislumbrar a veces algo de nuestro yo esencial —soy nerviosa, soy sensible, nunca diría esto, nunca me pondría aquello, nunca probaría lo otro, nunca llegaría a hacer una cosa así, nunca me sentiría atraída por tal o cual persona, este límite nunca lo sobrepasaría...—, pero al final esto no es más que una parodia íntima y el día menos pensado, en la situación aparentemente más cotidiana, descubrimos que todos los límites son sobrepasables. Vivimos más o menos felices mientras no sabemos lo que somos, pero todo cuanto somos consiste en lo que no somos, porque siempre nos engañamos en lo que creemos verdadero.

Fue horrible. No conseguía conciliar el sueño porque me rondaban por la cabeza tanto mis problemas de dinero como la imagen de mi madre en el hospital, y cuando por fin parecía, a las tres de la mañana, que empezaban a pesarme los ojos de sopor, tú te pusiste a llorar reclamando biberón y cambio de pañal y al final nos dieron las cuatro entre una cosa y otra. Había quedado con mi padre a las nueve de la mañana en el hospital y a las siete y media tenía que levantarme para que me diera tiempo a maquillarme, peinarme y vestirme con cierto esmero para que tu abuelo no me soltara la consabida perorata sobre mis pintas y mi aspecto, que me soltó de todas maneras en cuanto me vio llegar por la puerta.

Cuando volví a casa, a las tres, tu padre sacó el perro a pasear y me dejó sola en casa contigo. Y entonces, aún no sé por qué, te agarraste la primera rabieta de tu vida. No querías chupete, ni biberón, ni rorros, ni nanas, ni que te meciera, ni que te siseara, ni que te pusiera en el cuco ni que te paseara en cochecito por el pasillo, gritabas y gritabas cada vez más alto, la cara se te estaba poniendo roja como a un antiquerubín, un pequeño demonio de mes y medio, y pataleabas como si quisieras romper el aire. Yo estaba agotada y cansada, y parecía que tu llanto fuera un interruptor que hubiera activado de pronto lo peor de mí, todas mis inseguridades y mis miedos, y una voz interna me decía que no servía para madre y que no servía para nada, ni siquiera para algo tan simple como ocuparme de un bebé, y antes de que me diera cuenta me encontré zarandeándote. Las palabras del libro se me aparecieron de pronto, en letra negra impresa como si tuviera una pantalla blanca frente a mí: «NUNCA sacuda al bebé, ni cuando se enoje ni cuando juegue. Sacudir a un bebé puede lesionarle el cerebro o causarle la muerte.» Entonces recuperé de pronto la cordura, te dejé en el cuco, todavía berreando, y me fui a otra habitación. Jamás me había apetecido tanto una copa.

Había leído en algún libro que si en cualquier momento me encontraba desbordada y fantaseando con maltratarte, debía llamar inmediatamente a una línea de ayuda.

Como creo recordar que el libro era yanqui, pues nunca he oído de líneas de ayuda para madres desbordadas en España, agarré un cojín del salón y lo aporreé con todas mis fuerzas hasta que me quedé exhausta. Al llegar a casa tu padre nos encontró a las dos hechas un mar de lágrimas.

No había pasado tanto miedo desde que vi *Tiburón* en el cine, a los ocho años.

En cuanto regresé a Madrid desde NY mi vida se convirtió en un frenético teclear de *mails*, todo encaminado a atar bien atado mi verano. *Mails* a Tania, que me aseguró que ya me tenía buscado y cerrado el trabajo para el verano como profesora de español para los cursos de Stony Brook. *Mails* a Sonia, que me buscó un *sublet*, un apartamento realquilado en Manhattan que pertenecía —no iba a ser de otra manera— a una *stripper* que en verano se iba a hacer la aventura japonesa (por lo visto en Japón las *strippers* blancas y rubias cobran sueldos astronómicos, muy en particular las aniñadas, razón por la cual esta chica era probablemente la única integrante de la muy boyante *sex industry* de Nueva York que no se había operado el pecho: caprichos del yen obligan). *Mails* al rumano, que me enviaba de vez en cuando notas muy cariñosas a las que yo respondía por educación y porque pensaba que me convenía contar con algún amigo en la ciudad más que porque el tipo me interesara demasiado o demasiado poco. *Mails* también al estudiante francés con el que había contactado por Internet y que me realquilaría el piso de Madrid durante el verano para, además de pagarme un dinero que me permitiera a mí pagar el plazo de la hipoteca, ocuparse de mantener limpia y viva la casa y cuidar de las plantas (aunque, por si acaso, Consuelo, que se quedaba con el perro, también tenía un juego de llaves y se pasaría cada semana a verificar si las cosas iban bien). Y *mails* finalmente a Claudia, una amiga de Paz que trabaja en una agencia de viajes y que se ocupó de buscarme el billete más barato en el vuelo chárter Madrid-Nueva York más cutre y casposo que se podía encontrar.

Así que a finales de junio lo tenía todo dispuesto y había hecho gala de una organización y una eficiencia dignas de mi hermano Vicente. Y de pronto, como si alguien me hubiera echado un mal de ojo, todo el presuntamente organizado plan se desbarató en cuestión de días.

Primero llegó un correo de Tania en el que me comunicaba que los cursos de español de Stony se suspendían por falta de solicitantes. Al parecer, no habían conseguido siquiera diez inscripciones, por lo que, sintiéndolo mucho, se veían obligados a prescindir de mis servicios, y como yo no había firmado contrato ninguno, no podía protestar ni recurrir. A los dos días me escribe Sonia. Las desgracias nunca vienen solas. La única *stripper* no operada de Nueva York se había caído al intentar realizar una voltereta sobre la barra de bombero (sí, esa barra vertical que todos hemos visto en las pelis yanquis) aterrizando abiertísima de piernas sobre el escenario, con lo cual se había roto la pelvis y tendría que guardar reposo absoluto durante meses. Adiós pues a su viaje a Japón y a mi *sublet* en NY. Me quedaba, eso sí, el billete. ¿Qué hacer? ¿Escribir al francés y contarle que la que se había roto la pelvis había sido yo y que me quedaba en Madrid durante el verano? Pero resulta que el francés ya había pagado el alquiler, y éste me lo había gastado entero en el billete de avión. Podía devolvérselo, claro, pero eso significaría vivir prácticamente a base de pan y agua durante dos meses puesto que, con vistas a mi estancia en NY y contando con lo que me iban a pagar por las clases (que, aunque fuera una miseria, algo era) había ido rechazando todos los encargos que me ofrecieran y hasta septiembre no se me ocurría de dónde sacar dinero.

Al rumano le conté esta historia muy por encima, a ver si conocía a alguien que subarrendara un apartamento en verano. A vuelta de *mail* me respondió que su compañero de piso, el estudiante de danza, se iba en verano a trabajar a Ibiza como animador en Manumission, por lo que estaban pensando en realquilar su habitación, que me saldría exactamente por la mitad de lo que iba a costarme el apartamento de la bailarina accidentada, con lo cual compensaría en algo el dinero que iba a perder por las clases que al final no daría. El problema, añadía, era su novia —del rumano, no del gogó ibicenco—, a la que hasta entonces no había mencionado jamás. La chica, por lo visto, era muy celosa y no le iba a hacer ninguna gracia que él compartiera piso con una mujer. Lógicamente, semejante cuestión me desanimó: no me apetecía nada irme a vivir al Bronx para estar acosada por una neurótica que creía que me iba a tirar a su novio al que, para colmo, ni siquiera recordaba si me había tirado o no.

Escribí a Sonia de nuevo. Respuesta: a esas alturas imposible encontrar en NY ningún sitio donde quedarse a no ser que estuviera dispuesta a pagar precios astronómicos. No era la única española que pretendía pasar el verano en la ciudad. Ni la única europea tampoco. Pero el rumano vivía en el Bronx Norte, no en el Sur. El Bronx Sur es el peligroso, mientras que el Norte es un tranquilo barrio de judíos ricos, un remanso de solemnes edificios victorianos. No había visto el apartamento pero creía que, si era por esa zona, no podía estar tan mal. De todas formas, se ofrecía para pasarse a verlo. Respuesta mía: hazlo. Y hazlo pronto, que el tiempo corre. *Mail* de Sonia a las veinticuatro horas: ha ido al Bronx y ha comprobado que el apartamento es maravilloso, enorme y con mucha luz. Y ni rastro de novia. Inspeccionó el cuarto de baño de arriba abajo en el tiempo en el que se suponía que debía de estar haciendo pis y no encontró ni un estuche de maquillaje ni un secador ni una caja de Tampax, nada. O la novia celosa se desplazaba con su neceser cada vez que iba a visitar a su amado, o no paraba mucho por esa casa, o el rumano se la había inventado, vete tú a saber por qué. En cualquier caso, concluía Sonia, siempre te puedes venir a mi casa, pero no sé si te apetecerá dormir dos meses enteros en el sofá.

No, no me apetecía nada. Aún me quedaban marcas en la espalda de mi última visita, y además y sobre todo, por mucho que supiera que Sonia era generosa y me hacía la oferta de corazón, también sabía que mi amiga, como buena artista, era y es una neurótica muy celosa de su espacio, y comprendía que invadir su intimidad equivaldría a poner en peligro de muerte una amistad que estaba a punto de cumplir veinte años.

Atrapada en un carrusel de dudas, e incapaz de decidir por mí misma, llamé al periodista esotérico, el mismo que en su día me leyera las cartas e interpretara el aviso de la brújula.

—Te va a parecer raro —le dije—, pero me pregunto si me podrías hacer una tirada de cartas telefónica de emergencia.

—Eva, que no soy un número 908. ¿Por qué no te pasas a verme, digamos el miércoles, nos tomamos un café y te echo las cartas tranquilamente?

—Me encantaría, pero es que el tema me corre prisa y no tengo hasta el miércoles para decidir. Necesito saberlo ahora.

—Un tema amoroso, como si lo viera...

—No, nada que ver. Es sobre un viaje que tenía atado y bien atado y que se ha descalabrado en el último momento. Es largo de contar, pero... Resumiendo: no sé si cancelar el viaje o no.

—De acuerdo, pues hagamos una cosa. Voy a tirar tres cartas. Si me dan una respuesta clarísima, entonces haz caso al Tarot. Y si no, no te digo nada, porque yo nunca he hecho algo parecido a tirar las cartas por teléfono.

—Pues Rappel lo hace.

—Él no lo hace, lo hace su equipo, y no me digas que te crees esas cosas...

—Vale, pues tira tres cartas a ver qué pasa.

—Espera, que voy a por la baraja... A ver, que ya he vuelto. Estoy barajando. Ahora concéntrate en lo que quieres saber y trata de proyectar esa energía sobre las cartas.

—Vale.

—Perfecto. Pues tiro.

Se sucedieron unos segundos que cayeron como bombas de silencio en el zumbido de la línea.

—Eva, no me lo puedo creer.

—¿El qué?

—Tres arcanos mayores. ... Esto es casi imposible, de verdad. Casi nunca salen tres arcanos mayores seguidos. A mí nunca me había pasado.

—Ah... ¿Y son buenos o malos?

—La Rueda de la Fortuna, Los Enamorados y La Emperatriz... Y los tres de pie... Eva, sin ninguna duda tienes que hacer ese viaje.

—¿Sin ninguna duda?

—Sin ninguna duda.

Sin embargo, no fue la tirada de cartas la que me convenció: no es que yo sea una cobarde y una escéptica, y no es que sea tampoco una experta en estadística, pero si en la baraja del Tarot hay 78 naipes y de entre ellos 22 son arcanos mayores, las posibilidades de que en una tirada salgan tres seguidos no son tan remotas como el periodista quería creer.

Pero justo a la mañana siguiente recibí una llamada de Nenuca.

Nenuca todavía no se había retirado al chalecito familiar de Marbella y por entonces aún vivía en Madrid. Como no hacía nada la mayor parte del día se aburría muchísimo y le concedía a sus problemas amorosos (los únicos que tenía, porque los económicos o laborales no los había conocido nunca) una importancia exagerada. En ese sentido, era como si todavía tuviera quince años. Yo temía sus llamadas telefónicas, porque era capaz de tirarse horas al teléfono (y lo digo literalmente, alguna noche me había tenido tres horas al aparato, cronometradas en mi reloj de pulsera) analizando exhaustivamente los pormenores de su relación con Mirta, la chica con la que llevaba tres años saliendo, una cubana que trabajaba de cuando en cuando de camarera en un bar de la calle Argumosa, aunque en realidad viviera del dinero de su novia que era, a su vez, el dinero de los padres de Nenuca, en una curiosa reinterpretación de la doctrina de la redistribución de la riqueza Norte-Sur. Yo pensaba entonces, y todavía pienso, aunque siempre me guardé muy mucho —con esa hipocresía que albergamos todos, hasta las personas más sinceras, cuando hablamos con un amigo y omitimos voluntariamente la opinión que nos inspiran sus actos o, en este caso, sus relaciones— de explicarle a Nenuca mi teoría de que la cubana en el fondo albergaba un resentimiento enorme hacia la mano que le daba de comer, porque el saberse mantenida la hacía sentirse inferior; pero por otra parte, evidentemente, Mirta necesitaba a Nenuca, pues no podía vivir sin ella en el sentido más literal y menos romántico de la palabra, y era por eso por lo que le alicortaba cualquier conato de ligereza y la sometía al sistema ducha escocesa en la relación amorosa: ahora frío y ahora calor, hoy vienes al bar y ni te miro, mañana me paso el día diciéndote que eres la más linda y que dónde has estado tú toda mi vida y pasado mañana te monto un número de celos tremendo sin venir a cuento, asegurando a gritos que te has pasado mi turno en el bar haciéndole ojitos a una chica que estaba al final de la barra en la que hasta entonces ni habías reparado. Y, por supuesto, cuanto peor la trataba Mirta, más enganchada estaba Nenuca, totalmente obnubilada por una especie de síndrome de Estocolmo por el que se había enamorado de su propia torturadora. El culebrón de Mirta era de lo más previsible, y si al principio yo creía de verdad, cuando Nenuca me llamaba, en los sufrimientos de la una y la devoción de la otra, al cabo de unos meses la historia me tenía tan harta como para no coger el teléfono móvil si veía el nombre de Nenuca parpadeando en la pantalla. Pero ese día en particular respondí a la llamada porque llevaba semanas evitando a mi amiga y me torturaba cierto complejo de culpa y de mala persona. Para mi sorpresa, Nenuca no llamaba para quejarse, porque en las últimas semanas la relación con Mirta atravesaba por uno de aquellos períodos de luna de miel que sucedían inevitablemente a las broncas más sonadas (en este caso la bonanza relevaba a una tormenta en la cual Mirta llegó a levantarle la mano a Nenuca, y como probablemente ahí se dio cuenta de que se había pasado de verdad y podía llegar a perder a la víctima de la que dependía, la cubana se había estado esmerando desde entonces y nunca había sido más amable y entregada que desde la reconciliación posterior a aquella discusión), esta vez me llamaba para contarme un extraño sueño de Mirta que se refería a mí. «A ver si tú lo sabes interpretar, porque no me dice nada, pero Mirta insiste en que te lo cuente, ya sabes el valor que le da ella a sus sueños.»

Al principio nosotras nos reíamos de los sueños de Mirta, que era capaz de no dejarle coger el coche a Nenuca y obligarla a ir una semana en metro si soñaba con un accidente (¡A Nenuca!, ¡a la pija más pija de Madrid, que antes del encontronazo con Mirta, no había usado un transporte público en su vida!), pero con el tiempo aprendimos a fiarnos de sus visiones después de que predijera acertadamente que el gordo de la lotería acabaría en 103 y de que anunciara la muerte de su tía Kerly en La Habana, que ella había soñado con dos días de antelación. A Mirta le sorprendía que nos asombráramos tanto de la precisión de sus sueños proféticos, puesto que al fin y al cabo en su familia, de larga tradición santera, estaban más que acostumbrados a lo paranormal y lo tenían integrado en el día a día, moviéndose entre lo visible y lo invisible con la facilidad con la que una rana salta de la tierra al agua. Y por lo visto Mirta había soñado conmigo, y se había levantado excitadísima, insistiendo una y otra vez en que Nenuca tenía que llamarme y contármelo. Deduje que no me llamaba Mirta misma porque, merced a su intuición privilegiada o paranormal, o simplemente gracias a su sentido común y viendo las malas caras que yo le ponía siempre, había adivinado lo mal que me caía.

El sueño era el siguiente: Mirta y yo caminábamos cogidas de la mano por un campo de amapolas. A nuestro alrededor zumbaban millones de abejas recogiendo polen entre las flores, pero a nosotras no nos asustaban pues sabíamos que nunca nos picarían. Por todas partes, el paisaje circundante ofrecía a la vista hermosos árboles frutales cargados con sus apetitosos manjares: melocotones, mangos, papayas, peras... Todos maduros y jugosos. En un momento dado, yo me detenía a comer un albaricoque y el jugo me caía por la boca. Cuando lo acabé enterré el hueso en la tierra y en ese momento empezó a caer un aguacero de verano, una lluvia fina que más que mojar refrescaba. Entonces Mirta me cedió el abrigo que llevaba puesto, que era azul, yo me lo puse y le dije algo así como «Muchas gracias, Mirta, necesitaba un abrigo para mi viaje». Y allí nos separábamos, bajo el árbol, y yo seguía camino hacia la línea del horizonte.

Mirta había insistido a Nenuca en que me hiciera notar que la letra «A» se repetía constantemente a lo largo del sueño: amapolas, abejas, árboles, albaricoque, aguacero, abrigo azul...

—¿Este sueño tiene algún sentido para ti? —me preguntó Nenuca.

—Mucho. Díselo a Mirta. Y dile también que le agradezco mucho que te haya insistido para que me lo cuentes.

¿«A»? Avión, América y Anton.

Así que le escribí un *mail* al rumano y le dije que aceptaba la oferta, que me presentaría en su piso el 2 de julio y que ya le podía ir diciendo a su novia que yo era lesbiana o algo así.

4 de noviembre.

Pesas 5 kg, 750 g. O sea, casi seis kilos. Imposible siquiera plantearse lo de escribir contigo en brazos. Así que te aguantas. Y deja de llorar.

5 de noviembre.

Gracias sean dadas desde estas páginas a Sonia, «*Suicide* Sonia», Sonia la guionista (no confundir con las otras Sonias), que me regaló la hamaca para bebés en la que estás durmiendo ahora. Así puedo balancearte con el pie mientras escribo. Entre eso y las sonatas de Bach, pareces bastante calmadita.

Ayer alquilé el vídeo de *Thelma & Louise* y tuve ocasión de comprobar, una vez más, cómo la ficción no es más que un espejo en el que nos vemos reflejados nosotros mismos, y así nuestra opinión sobre una obra dice en realidad más sobre nosotros que sobre quien la creó. Por ejemplo, la primera vez que vi la película (en el Alphaville, última fila, tenía yo veinticuatro años) me pareció que Louise era una estúpida por rechazar al buenorro de Michael Madsen en esta escena:

Louise y Jimmy, su novio, en una habitación de motel. Ella le ha llamado diciéndole que necesita dinero y pidiéndole un favor: que saque dinero de su cuenta (de ella) y le envíe un giro. En lugar de enviarlo, Jimmy se ha presentado en persona.

JIMMY: Vale, vale, dime cuál es el problema.

Louise se queda mirándole un momento.

LOUISE: Jimmy, ahora no puedo decírtelo. Algún día lo entenderás, pero ahora no puedo decírtelo, así que mejor no preguntes.

Jimmy alucina al ver lo seria que se ha puesto Louise.

JIMMY: *(casi sin palabras)* De acuerdo, de acuerdo, pero dime, ¿puedo preguntarte una cosa?

LOUISE: Quizá.

JIMMY: ¿Tiene que ver con otro? ¿Estás enamorada de otro?

LOUISE: No, no es nada de eso.

Jimmy explota y se dedica a arrojar objetos por la habitación en un ataque de furia.

JIMMY: *(a gritos)* Entonces ¿qué? ¿Qué coño pasa, Louise? ¿Dónde coño te marchas? ¡JODER! ¿Me estás dejando o qué?

LOUISE: ¡Para! ¡Para ahora mismo o me marcho! Lo digo en serio.

JIMMY: *(se calma)* Vale, vale, lo siento.

Jimmy recupera la compostura.

JIMMY: ¿Puedo preguntarte otra cosa?

LOUISE: Quizá.

Jimmy se saca una cajita del bolsillo.

JIMMY: ¿Quieres ponerte esto?

Le pasa la caja a Louise, que la abre. La caja contiene un anillo.

JIMMY: ¿No te lo vas a probar?

LOUISE: Jimmy... ¡Es precioso!

JIMMY: No te lo esperabas, ¿verdad?

¿Aceptará Louise el anillo? Resulta evidente que no, puesto que sabemos, tras casi tres cuartos de hora de cinta, que Louise es una chica lista, y una chica lista no se casa con un tío que va por ahí destrozando habitaciones de hotel sólo porque sospecha que su chica se puede estar planteando dejarle. Aparte de que un tipo medianamente normal no se declara a gritos, ni en un momento tan poco oportuno. Es decir, a mis treintaytantos ya sé reconocer problemas en cuanto me los ponen delante. Pero a los veinticuatro aún me creía el mito del Príncipe Azul, y pensaba que si alguien con el tipazo de Michael Madsen te regalaba un anillo de diamantes, ya te podías dar con un canto en los dientes. De ahí a acabar liada con un chalado cuya vida se resumía en una exhaustiva dedicación a la nada y que se expresaba, al hablar conmigo, fonando cada palabra como si estuviera escrita en mayúsculas y en tipos negros, un paso. Mientras estuviera bueno y me repitiera quince veces al día que me quería, ¿qué importaba que me hablase a berridos y me tratase como a un objeto de su propiedad? (Miento: peor aún, a su guitarra la trataba con mimo y consideración.) Pero cuando una crece abre los ojos, y por eso ahora puedo ver la película de otra manera: con los ojos abiertos. Porque durante años he ido por la vida con los ojos cerrados de par en par, tomando por amor lo que no era más que control. Mi diferente reacción ante una misma escena explica lo mucho que yo he cambiado y cómo: a golpes.

En mi *mail* no había sido muy amable con el rumano, pero después de salir de Guatemala pocas ganas me quedaban de entrar en Guatepeor, y puede que a aquel chico rumano que conocí en Nueva York le sentara muy mal que le hubiera echado con cajas destempladas pero yo no me sentía con ánimos de excusarme, ni mucho menos de empezar ahora a ser simpática con él. Después de las que me había tenido que tragar, no estaba yo como para ponerme demasiado amable con quien se me acercara, por si las moscas.

6 de noviembre.

En la puerta del hospital me he encontrado con el médico residente que atendió a mi madre en urgencias. Le he reconocido al instante porque tiene pinta de todo menos de médico: lleva una coleta y un pendiente. Lo que no esperaba era que él me reconociera a mí, porque debe de estar harto de atender enfermos, y me extraña que se quede con las caras de los familiares. Le he saludado con una sonrisa y el consabido *holaquetal.* Él se ha detenido y me ha respondido con idéntico *holaquetal.*

—Aquí estamos —le he dicho—, a ver a mi madre, que sigue en la UVI.

Se lo cuento porque la enfermera me explicó que el médico residente no sigue después la evolución de los pacientes a los que ha atendido.

—¿Es tu madre? —me pregunta él.

—Pues sí, claro.

—No, lo digo porque pensaba que era tu abuela. Como eres tan joven...

Con eso ya he subido contenta a la planta nueve. Allí me he encontrado, en el *hall* de espera (ya no lo llamo sala porque más que sala es un descansillo enorme), con una abigarrada turbamulta que se hacía sitio a codazos, y en un principio he pensado que habría pasado algo grave, una catástrofe masiva, como un descarrilamiento de tren, un accidente de autobús o un ataque terrorista. Luego, cuando me he fijado, me he dado cuenta de que la mayoría de las personas que allí había aglomeradas eran gitanos, y que además compartían un más que reconocible aire de familia: no veía más que la misma nariz repetida en un montón de caras diferentes de todas las edades. Casi todos los hombres llevaban gruesos cadenones de oro colorao colgando al cuello, mientras que todas y cada una de ellas lucían el pelo muy largo y pendientes a juego (largos). Una anciana arrugadísima, vestida de negro de pies a cabeza y rodeada de otras cuatro abuelas a su imagen y semejanza, también ajadas como pasas, gemía: «¡Ayyyy, mi hijoooo, que se vea él aquí, ay qué degrassssia! Señor, ¿por qué no me llevas a mí en su lugar que yo ya tengo edaaaaaá?» Por el volumen y cadencia del lamento casi parecía que se tratara de cante jondo.

Después de más de veinte días yendo a la UVI prácticamente a diario, me dicen ¡hoy! que si tengo niños pequeños, que no olvide lavarme las manos con Betadine al llegar a casa antes de tocarlos. A buenas horas. Gracias a Dios, o a la Diosa, o a la Divina Providencia o al Famoso Todo Cósmico, eres resistente. Como tu abuela.

Tal y como Sonia me había explicado, el piso del rumano estaba bien, más que bien. Parecía muy limpio, era bastante amplio para lo que se estilaba en Nueva York y, sobre todo, tenía algo que lo hacía mágico a mis ojos: era completamente exterior y todas las habitaciones tenían luz, incluidas la cocina y el cuarto de baño. Al cuarto que me correspondía, el del bailarín metido a gogó, lo amueblaban un futón, una especie de barra metálica colgada de una pared a otra a modo de armario y cuatro cajas de cartón apiladas en una esquina como cajones. Y nada más. Ni una estantería ni una mesa ni una silla, porque por lo visto, y según me explicaría el rumano más tarde, el bailarín no leía nunca y mucho menos escribía, ni siquiera *mails*. Como bien me había anticipado Sonia, no encontré trazas de presencia femenina en todo el apartamento, excepto un paquete de tiras de cera depilatoria y unas pinzas de cejas que en realidad, y como descubriría más tarde, no pertenecían a mujer alguna sino al bailarín.

El rumano era aún más delgado y alto de lo que yo lo recordaba, más largo que un día sin pan, que hubiera dicho mi madre, o que un domingo sin alka seltzer, que hubiera dicho mi primo Gabi. Estaba esperándome cuando llegué desde el JFK en un taxi que me costó el presupuesto de la comida para tres semanas y nada más abrirme la puerta y enseñarme la distribución del piso y la habitación que me correspondía me comunicó, muy azorado, que había quedado con su novia y que, sintiéndolo mucho, muchísimo, me tenía que dejar sola. No me dejó teléfono donde localizarle. En cuanto él se marchó aparqué mis dos maletas y mi ordenador portátil en una esquina de la habitación y me tumbé cuan larga soy en el futón. No había dormido en el avión porque, al tratarse de un vuelo chárter, los asientos estaban reducidos a su mínima expresión y había viajado comprimida, con las rodillas prácticamente en la barbilla, así que entre las once horas de viaje (una de mi casa al aeropuerto, dos entre facturación y embarque y ocho de vuelo), más la hora que pasé de pie en la cola de inmigración, más la hora de taxi en pleno atasco neoyorkino, llevaba unas veinticuatro sin dormir y me dolían todos los huesos de mi baqueteado cuerpo, de forma que me quedé dormida sin darme cuenta siquiera, y cuando volví a abrir los ojos me encontré acurrucada en el futón vestida tal y como había llegado a NY, con las botas puestas y todo. En ese momento escuché el ruido de la puerta al abrirse, me levanté y encontré al rumano que llegaba. Como la luz del día todavía entraba a raudales en la casa, me figuré que su cita no había podido ser muy larga.

—¿Qué hora es? —le pregunté.

—Las doce —me anunció tras consultar su reloj de pulsera.

—Pues no has tardado mucho, ¿no?

—¿Qué?

—Eso, que ha durado poco la cita...

—Pero si me fui ayer, ayer por la mañana... —Me miró con cara de pensar que estaba loca.

Yo había estado durmiendo, vestida y con las botas puestas, durante veinticinco horas seguidas.

7 de noviembre.

Ayer por la noche ofrecimos una cenita que resultó un desastre gastronómico porque yo llegué a las nueve y media a casa desde el hospital y, teniendo en cuenta que tu padre tiene muy buena voluntad pero muy poca maña en la cocina, no nos dio tiempo a preparar nada especial aparte de los siempre socorridos espaguetis y ensalada. Habida cuenta de las circunstancias a nadie se le ocurrió quejarse, excepto a «*Suicide* Sonia», que se negó a probar algo más que dos hojas de lechuga, aduciendo que a ella, mientras hubiera vino, le daba igual comer. Éramos cuatro parejas: Consuelo y Jorge, Sonia la actriz («*Sweet* Sonia») y Esteve, Sonia la guionista y un tal Ángel con el que se acuesta de cuando en cuando, tu padre y yo. Resultó muy deprimente comprobar cómo, una vez acabada la cena, nos dividimos, casi sin darnos cuenta, en dos sectores: el masculino, que salió en bandada a la terraza a fumar (no dejo hacerlo en casa porque me niego a convertirte en fumadora pasiva desde tan tierna edad) y de paso a examinar la planta de maría que allí había crecido y discutir sobre sus posibles usos y utilidades (pocos, me temo, porque está ya la pobre más muerta que viva); y el femenino, que permaneció en el salón teorizando sobre un único tema de conversación: ventajas y desventajas de la maternidad. Y digo lo de «teorizando» porque allí sólo había dos madres, y las que más hablaban eran precisamente las que no lo eran, así que sus argumentos no podían provenir, evidentemente, de la praxis.

Qué ironía, tanto ir de feministas y posmodernos y al final acabamos reproduciendo los esquemas tradicionales: los hombres al salón de fumar y las señoras a hablar de temas propios de su sexo alrededor del café.

En mitad de la conversación te oímos llorar de hambre y hubo que traerte a nuestro lado para darte el biberón. Tu padre, que te oyó desde la terraza, se presentó a echar una mano, gesto que despertó los admirados «ooooohs» y «aaaaaahs» de mis amigas, que no cesaban de repetir: «¡Es un padrazo, un auténtico padrazo! ¡Qué suerte tienes, Eva!» Excepto «*Suicide* Sonia», que ya se había metido ella solita media botella de Campo Viejo del 96 entre pecho y espalda y que soltó la frase de la noche: «O sea, que cuando ella se levanta a buscar a la niña porque llora y se la pone en el regazo para darle el biberón, os parece de lo más normal, mientras que él es un padrazo sólo porque se pasa a echar un vistazo. Pues vaya panda de feministas estamos hechas.»

Sonia tiene razón: no hay peor machista que una mujer machista. Es como si un negro se afiliase al Ku Klux Klan.

8 de noviembre.

No me ha quedado otro remedio que llevarte al hospital porque tu padre tenía un compromiso ineludible: Gabi le invitaba al cine y yo no quería aguarles la fiesta. Pensaba que no sería tan complicado, pero ha resultado ser la proeza del siglo, porque el transporte público no está pensado para bebés. Yo no te puedo llevar en mochila porque ya pesas seis kilos y, como ya te conté, el embarazo y el consiguiente crecimiento del pecho acentuaron mi desviación de columna y el médico me ha prohibido cargar pesos, así que si sales conmigo vas en carrito. Pues bien, la estación de metro que conduce al hospital está llena de escaleras, pero ni una sola rampa. Y eso que se trata de la estación de un hospital, donde se supone que acudirá mucha gente en silla de ruedas. Al final he conseguido arreglármelas porque un joven fornido me ha ayudado a bajar el carrito. Conste que yo se lo he pedido, ojo, no vayas a creer que se ha ofrecido espontáneamente. Como el metro tampoco tiene rampas y sí muchas escaleras, no puedo plantearme salir contigo a la calle a hacer distancias largas, o al menos como para que no pueda cubrirlas a pie. Quienquiera que diseñara el transporte urbano de esta ciudad debía de ser amigo de Tibi y pensaba que mujer parida, en casa, tendida y con la pata quebrada. Y de paso pensaba también que los minusválidos harían feo en la calle.

A ti te gusta Asun, siempre sonríes cuando la ves. Probablemente te atrae su olor francés a flores, su voz dulce o sus maneras amables. Por ese motivo te he dejado con ella en la planta baja del hospital, porque los niños no pueden entrar más allá y alguien tenía que cuidar de ti. Allí había un montón de familias con críos de todas las edades que jugaban a perseguirse o se arrastraban debajo de las sillas de espera, de plástico, durísimas y bastante incómodas, por cierto. A los pequeños, al contrario que a sus padres, parecía darles igual estar en el hospital o en el cementerio. Había una señora que lloraba a lágrima viva mientras a su lado una niña de unos tres años le contaba historias a su muñeca con su lengua de trapo, tan feliz. Supongo que hay un montón de gente que tiene familiares en el hospital y que se llevan a los chiquillos porque no les queda otra, pero no debe de ser plato de buen gusto para nadie llevarlos a semejante sitio. Digo yo que tampoco costaría mucho habilitar un pequeño espacio para guardería. Pero deben de considerarlo como las rampas de la estación: un lujo prescindible.

Cuando llego a la planta nueve me llama la atención lo desértica que la encuentro con respecto a ayer. Al momento caigo en la cuenta del porqué de esa primera impresión: me falta el clan gitano. Pregunto a Caridad, a la que me encuentro al lado de la cama de mi madre, charlando con mi padre, y ella me cuenta que el joven gitano por el que la madre tanto se lamentaba sólo estuvo una noche en la UVI y al día siguiente ya estaba en su casa. Eso sí, su familia se la ha pasado entera haciendo guardia. Y cuando digo familia lo digo en el sentido más extenso de la palabra: madre, hermanos, primos, primos segundos, tías, tías abuelas... Por lo visto se trataba de un yonqui que se atragantó con su propio vómito. Dice que cuando un gitano ingresa en el hospital, el clan entero acude a su lado.

—En maternidad hemos tenido muchos problemas —nos explica—, porque aquí no nos importa que se queden pero allí molestan, y no hay forma de que entiendan que tantos no pueden estar. Nos han llegado a amenazar y todo.

Mi padre asiente con la cabeza, interesadísimo. Ya trata a Caridad como si la conociera de toda la vida. A ella y a todo el personal de la UVI, médicos y enfermeras, de los que se ha hecho amiguísimo, al igual que de los familiares de los otros enfermos. Se sabe el historial de cada uno y les pregunta a todos que cómo va su hermano, su madre, su padre o quien corresponda, interesándose por la evolución del paciente y finalizando cada miniconversación con palabras de ánimo y/o consuelo. Esta sociabilidad exagerada la he heredado yo, que soy tímida pero no maleducada (tu padre no acaba de entender por qué cada vez que salimos a la calle tenemos que pararnos cada tres metros a saludar al quiosquero, al portero del bloque de al lado, a los del mercado y a cuarenta conocidos que me paran por la calle), y la has heredado tú también, que cuando sales en el carrito le dedicas una de tus radiantes sonrisas recién aprendidas a cualquiera de las múltiples viejecitas que se paran arrobadas a repetir aquello de «¡qué niño tan guaaaaapo!» porque, como no vistes de rosa ni llevas pendientes, ninguna te toma por niña. La ha heredado hasta el perro, que cada vez que llega a casa cualquiera, ya sea amigo, cartero, mensajero o cobrador del gas, saluda moviendo la cola desaforadamente y pegando unos saltos de campeón olímpico. Es el antiperro guardián.

Sí, mi padre es y siempre ha sido el hombre más sociable del mundo, el más atento y el más seductor, al menos de puertas para fuera. Y siempre ha caído bien allá donde estuviera, todos le encuentran siempre taaaaan fantástico. Porque él es Leo, el Sol, y los demás estamos condenados a ser planetas que giramos a su alrededor. De siempre se ha dicho en mi casa que mi padre estaba más enamorado de mi madre que ella de él, a pesar de que sus temperamentos fueran diametralmente opuestos y de que raramente coincidieran en cuestión ninguna, y en el pequeño universo en el que yo vivía esta afirmación era aceptada como dogma, e incluso era mi padre el primero en proclamarla. Nunca hubo al respecto la menor sombra de duda ni nadie se planteó que las cosas pudieran ser de otra manera. Esta alianza de afectos desparejos se hizo siempre evidente en las actitudes y en las conversaciones. A mi madre le gustaba repetir a quien la escuchara, por ejemplo, la historia de aquella vez en que se hizo echar las cartas por la bruja Juli, la vidente más famosa de Elche y de Alicante toda —provincia en la que probablemente haya más videntes, brujas, curanderos y espiritistas que en ninguna otra región de España, con la posible excepción de Galicia—, y cuyo prestigio subió como la espuma desde el día en que predijo acertadamente que el gordo de la lotería iba a caer en Elche, por mucho que la señora recete cosas tan raras como ese sortilegio para *ungar* —atraer hombres—, que consiste en darles en el café o el chocolate sangre de la menstruación (de la menstruación de la mujer que les quiere *ungar*, no de la bruja, se entiende). Cuántas veces le he oído contar cómo había ido a que le leyeran las cartas arrastrada por la tía Reme (porque ella, y eso le encantaba remarcarlo, no creía mucho en esas cosas, que por algo era católica, pero fue por no hacerle un feo a su cuñada, que tanta ilusión tenía por ver a la Juli) para que mi madre le preguntase que cuánto iba a durar su matrimonio, y ésta le echó las cartas en dos filas paralelas, una que representaba a la consultante y otra que representaba a su marido, y le respondió que la relación duraría lo que ella quisiera, porque la carta que presidía la fila opuesta a la suya era la de Los Enamorados, y eso significaba que su marido nunca iba a dejarla, porque estaba y estaría siempre loco por ella.

Y sin embargo, y por mucho que esta afirmación nunca se discutiera y por mucho que repitiera la tía Eugenia que no entendía cómo su Eva había acabado casándose con semejante pelagatos cuando, con lo guapísima que había sido (ya se sabe a quién ha salido Laureta), hubiera podido elegir entre los mejores partidos de la provincia, que ofertas nunca le faltaron, el caso es que, de puertas afuera, habría parecido siempre que mi padre tenía cualidades suficientes, por no decir más que de sobra, para enamorar a cualquier mujer. Tan alto, tan fornido, tan rubio (a él he salido yo, con la sutil pero nada irrelevante diferencia de que el adjetivo *fornido* sólo queda bien cuando se aplica al varón), tan *hombre,* tan brillante e ingenioso (si bien su ingenio, de un agudo que acaba a veces por ser afilado, tiende a desembocar en el sarcasmo mordaz e inmisericorde con excesiva frecuencia, excesiva sobre todo si se tiene en cuenta que muchas veces la destinataria de sus puyas he sido yo), tan amigo de sus amigos (frase que me resulta un poco absurda, es obvio que amigo de sus enemigos no va a ser), tan, tan, tan... En fin, la lista de sus muchas cualidades, siempre destacadas en boca de los que de toda la vida le conocen, sería tan larga como su propia estatura: a mi padre le recuerdo desde la infancia rodeado perennemente de incondicionales —ellos y ellas— dispuestos a reírle las salidas y a ignorarle las mezquindades. Y mentiría si dijera que no he sospechado alguna vez que algunas de las amigas de su círculo (por lo general mujeres de sus amigos) le veían con unos ojos más tiernos de aquellos con los que se supone que está bien visto mirarse entre parejas casadas.

En fin, que qué voy a decirte. Mi padre, tu abuelo, ha sido el rey de su casa, y sus deseos eran órdenes para todos los demás, muy en particular para mi madre, que nunca jamás le ha discutido ninguna de sus decisiones, expresadas en una voz masculina, tajante, posesiva, palpante como una mano y envolvente como una bofetada de calor, seductora o amenazadora según el matiz que su dueño le imprimiera, pero siempre, en sustancia, la misma. Se trata de un hombre que ha vivido acostumbrado a imponer disposiciones con el aplomo de quien se asombra de que no se cumplan aun antes de haber sido dadas. Si íbamos a veranear a Santa Pola, por mucho que mi madre dijera que allí se aburría, era porque él compró el apartamento a través de un conocido suyo que era constructor. Si vinimos a vivir a Madrid fue porque él quiso (y porque encontró un trabajo aquí, claro), cuando se empeñó en que Alicante se le había quedado pequeño y él quería vivir en una ciudad grande, pese a que mi madre no se cansara de repetir a quien quisiera escucharla que así pasaran cien años ella nunca se acostumbraría a los inviernos castellanos. Si en nuestro apartamento de Santa Pola no se podía beber otra horchata que no fuera la que hacía Melchor —el *orxatero* de Almussafes—, traída expresamente en *gelaora* de veinte litros, era porque mi padre insistía en que no había otra mejor, y que constituía un sacrilegio probar siquiera una horchata que no se hubiera hecho conforme a la tradición artesana de siglos, y que en Alicante la costumbre ya se había perdido. Si en la despensa de casa siempre hubo reservas de botes de berenjenas en salmorra que casi se podían calificar de industriales era porque a él le gustaban, y si nunca se sirvió arroz en nuestra mesa —sacrilegio imperdonable, tratándose de una familia de alicantinos— fue porque él no lo podía ni ver (yo probé el arroz por primera vez a los seis años, en el comedor del colegio), después de que a los veinte se intoxicara por culpa de una *paella d'arpó* que le sirvieron en una excursión en un *motor* de la Albufera y le tuvieran que ingresar en el hospital. Y por eso mi madre, en las contadas ocasiones en las que salía a comer sin mi padre, acompañada por Reme o Eugenia, pedía siempre arroz, y esto lo sé porque mi tía biológica y mi tía postiza me lo contaron, cada una por su lado, rogándome que no delatara a la una frente a la otra. Y ahora, por primera vez, las cosas no le salen a mi padre como él quiere, porque en más de una y de dos ocasiones le he oído decir que él querría morir antes que mi madre, que no se imaginaba cómo viviría sin ella. Y claro que no podría vivir sin ella... ¡Si ni siquiera sabe freír un huevo o calentarse un café! De hecho, lo primero que hizo mi hermano en cuanto a mi madre la ingresaron —más bien lo segundo, lo primero fue cambiar la titularidad de las cuentas— fue hablar con la asistenta que trabaja en casa de mi madre y ofrecerle un sobresueldo para que le haga a mi padre el desayuno y la comida y le deje hecha la cena antes de marcharse.

No es que mi padre no supiera vivir sin mi madre, es que no sabe vivir solo.

9 de noviembre.

Los tubos a los que tu abuela estaba conectada le suministraban, entre otras cosas, cloruro mórfico. Morfina pura y dura para que no sintiera el dolor: no lo habría soportado. Pero, como sucede a veces, puede ser peor el remedio que la enfermedad, porque la morfina es altamente adictiva, de forma que los médicos decidieron, hace dos días, quitarle la sedación. Tu abuela debería haber vuelto en sí, pero no lo ha hecho. Sigue tan inconsciente como antes.

A la vuelta del hospital me he encontrado a Tibi —al que hacía días que no veía, porque normalmente entra a trabajar a las diez, un poco más tarde de que yo llegue a casa—, hecho un brazo de mar, vestido de traje y corbata color café, elegantísimo.

—Buenas noches, Tibi, qué elegante estás.

—Ya ves, hay que darle clase al local.

—Sí, falta le hacía.

10 de noviembre.

No me ha quedado otro remedio que llevarte de nuevo al hospital, esta vez en la mochila, porque Gabi y tu padre se iban al Rastro a buscar una estantería para tu cuarto y ya bastante difícil iba a resultar cargar con el mueble como para llevarte a ti de paso. Creía que todo iba a ser más fácil, pero he vuelto con un dolor de espalda tan intenso que hacía que se me saltaran las lágrimas. Quién tuviera morfina.

Récord de permanencia en coma en esta UVI: veintitrés días. El anterior, veintidós días, lo ostentaba una chica joven que se llamaba Nuria —según nos ha explicado Caridad—, cuyo coche fue embestido en un cruce por otro, conducido por un irresponsable que iba beodo a más no poder. Cuando llegó a la UVI nadie daba un duro por que sobreviviera. Pero sobrevivió, a los veintidós días bajó a planta y a los treinta salió del hospital.

Tu abuela sigue inconsciente, ni siquiera parpadea. Esto empieza a parecer la agonía de Franco.

Julián —el marido de Asun—, que sigue en sus trece y se niega a entrar en la UVI, nos ha contado que en los hospitales de Andalucía, cuando un señorito tardaba demasiado en morirse, la familia recurría a un truco. Me explico: imagina a un señorito andaluz poseedor de una enoooorme extensión de tierras y cortijos. Se pone enfermo y va al hospital, y allí se tira, como el barquito de la canción, uno, dos, tres, cuatro, cinco, seis semanas y aquel señorito sigue sin despertar. Pero es que encima no ha designado representante que pueda manejar su dinero en su ausencia, y la familia está a verlas venir porque no pueden tocar sus cuentas. Así que recurren a un muerto de hambre que entra con ellos al hospital, de visita, y pisa el tubo del respirador. Así de fácil. Parece ser que hace veinte años no había forenses que se pusieran a buscar responsabilidades. Llegó a ser tan normal el recurso que en el argot andaluz ya se ha incorporado la palabra: «pisatubos». Julián lo sabe porque tiene familia en Sevilla, aunque él sea ilicitano de toda la vida.

En tiempos modernos se abandonaron los «pisatubos» y se recurrió a lo que se llama «no asistencia». Esto me lo ha explicado Caridad. Es decir, que si está claro que un enfermo terminal ya no tiene posibilidades de sobrevivir y que se enfrenta a una agonía larga y dolorosa, los familiares pueden pedir que no se asista al paciente. O sea: adiós goteros y adiós respirador. Pero ya casi no se recurre a esta medida, ningún profesional se atreve a no prestar asistencia, porque se teme la reacción posterior de la familia.

—Yo nunca he vivido una situación así —me dijo Caridad—, pero me han contado muchas historias. Hijos o hermanos que rogaban, que suplicaban incluso, que se desconectaran los aparatos y que después, cuando el paciente fallecía, demandaban al hospital por negligencia.

—Pues hay que ser cabrón —dije yo.

—No, no es eso. —Caridad, tan buena persona como siempre—. A veces es el dolor, o el complejo de culpa, vete tú a saber... Cuando ven que su madre o su padre ha muerto, la pena les remuerde tanto por dentro que se olvidan de lo que dijeron. O a veces podría parecer que toda la familia estaba de acuerdo, pero había uno que no quería y ése es el que demanda.

—¿La no asistencia es lo que se llama eutanasia? —pregunté yo.

—No... Bueno, no sé. La eutanasia es el suicidio asistido, otra cosa distinta. La verdad es que los conceptos legales no los tengo muy claros. Yo soy enfermera, no abogada.

No he hablado, por cierto, de tu tía Asun, la mayor de la familia, esa mujer callada y sonriente que siempre viste en tonos claros. Ella es, básicamente, una mujer sensata, equilibrada como buena Libra. Agradable, sociable, de buen gusto y muy delicada, con una manera cálida de expresarse, un poco infantil, que le permite relacionarse con facilidad aunque manteniendo sus reservas: siempre parece que esté dando más de lo que recibe. Asun es complaciente, amable y diplomática, trata de no herir los sentimientos ajenos y por ello evita los enfrentamientos directos y cuida sus expresiones al máximo, dejando de lado a veces su verdadera opinión. Se nota que se esfuerza por adaptarse y agradar a los demás. Incluso su manera tan característica y expresiva de andar con el cuerpo hacia adelante indica gentileza y ganas de complacer. Su deseo de ambientes y relaciones armónicas es tan fuerte que evita confrontaciones personales o cualquier expresión de emociones intensas y desagradables. A Asun le gustaría pintar el mundo en colores pastel, como su propia casa, para vivir en paz y armonía con los demás todo el tiempo. En realidad, tan grande es su deseo de llevarse bien que uno no sabe nunca a ciencia cierta lo que está pensando, porque se cuida mucho de expresar opiniones propias si sospecha que pueden entrar en conflicto con las ajenas. De hecho, uno de sus problemas más comunes es la indecisión que le aturde a la hora de tomar decisiones importantes, ya sea comprar un traje nuevo, escoger el colegio de los niños o cambiar la decoración del piso, porque mi hermana cae con facilidad en la inercia de la duda y la mayoría de las veces necesita apoyarse en la opinión de otro para tomar la suya propia, así que es incapaz de ir de compras sola o de elaborar el menú para una cena sin haber llamado previamente a mi madre unas quinientas veces. Internamente, casi siempre la divide la incertidumbre, y sospecho que tiene muchos más problemas consigo misma de lo que adivinarían otros a partir de una disposición tan aparentemente equilibrada y tranquila. En el fondo, todo se reduce a una grave inseguridad que se trasluce en su afán de complacer, siempre desmesurado, sobre todo cuando se compara con el alcance más bien mediano de sus obligaciones. La pobre Asun vive inmersa en una atmósfera de esfuerzo mal disimulado bajo su sempiterna sonrisa amable. Es como si desde pequeña se hubiera propuesto alcanzar la armonía suprema incluso dudando de que semejante anhelo fuese factible. Es por eso por lo que sólo se siente a gusto en los lugares sin ruido, bien decorados y armoniosos, y detesta las malas maneras, las groserías y la rudeza (se pone verdaderamente enferma si sus hijos sueltan algún taco, por ejemplo). No bebe y, por supuesto, no se droga. Y nunca o casi nunca sale por la noche porque no le gusta ir de bares, pues detesta de corazón los ambientes estruendosos y el olor a humo. Es, o al menos lo parece, una excelente madre, una muy cariñosa compañera de sus hijos y una ama de casa competente e incluso creativa, siempre anticipándose a las necesidades y hasta los caprichos de su marido y sus vástagos.

Asun se casó más o menos a la misma edad que Laureta con un señor que venía a ser como su marido pero en versión ibérica, es decir, que no lo conoció en Ibiza sino en Elche, que no era rentista sino mayorista de zapatos, y que ni de lejos era tan guapo como Serge, ni tenía tanto *glamour*, sino que era más bien un tipo del montón —chaparrito y colorado— y sin mucha cultura —o lo que es lo mismo, poca, por no decir ninguna—, pero con mucha labia y don de gentes, cualidades que le ayudaron a hacer bastante dinero en cuanto consiguió la representación de las mejores fábricas de Elche (Paredes, Panamá Jack, Pikolinos, Sendra, Mustang...) y se vino a trabajar a la capital, con coche de empresa y un sueldo de varios ceros. Pero en el fondo mis dos cuñados no eran tan distintos como parecían a primera vista y acabaron comportándose igual: mucho dinero para la legítima y todas las comodidades que ella quisiera, pero muy poco tiempo y casi ninguna atención. Y demasiada, en cambio, para con la cuñadita; aunque hay que reconocer, en honor a Julián, que cuando empezó a ponerme ojitos y a pegarme pataditas por debajo de la mesa en las cenas familiares yo ya había cumplido los veintiún años. Sin embargo, Asun, a diferencia de Laureta, nunca se quejó ni buscó una salida romántica a la jaula. Muy al contrario, se diría que adora a su marido y cuando habla de él cualquiera pensaría que, comparado con lo que siente, lo de Julieta por Romeo era casi antipatía, porque para ella es un dechado de virtudes sin falla ninguna, y es que su Julián es el más listo y el más gracioso y el mejor padre (la siempre comedida Asun no llega a decir el más guapo porque eso sería pasarse demasiado, porque el tipo ha engordado mucho desde que se casó y nadie vería un adonis en un señor bajito que ronda los cien kilos), y si casi nunca está en casa es porque se desvive por su mujer y sus hijos, que él no tiene la culpa de tener que trabajar y viajar tanto, de Madrid a Elche y de Elche a Madrid, ni de tener que salir hasta las tantas con sus clientes cuando vienen a la capital. Con la venda de su amor por bandera, mi hermana finge ignorar, con una terquedad casi conmovedora, lo que todo Elche sabe: que cuando los dueños de las fábricas vienen a la Feria de Calzado de Madrid aprovechan para ir a darse la gran comilona a Toledo y en la sobremesa correrse la gran farra en todos los bares de putas de carretera, y que lo mismo o parecido pasa en las ferias de Düsseldorf y Milán a las que mi cuñado va cada año, motivo por el cual las esposas de los dueños de las fábricas se niegan a que éstas contraten a modelistas mujeres, porque los diseñadores de calzado también van a las ferias, y una cosa es que los cuernos los tengan asumidos y otra muy distinta que los tolerasen con conocidas, hasta ahí iban a llegar.

Lo de mis hermanas es bastante evidente. Cada una es el reverso de la otra pero a la vez son idénticas. Me explico: ya he dicho que tengo un padre guapo, y simpático, y encantador, y fascinante, y es sabido que todas las hijas se enamoran de sus padres, así que lo lógico es que mis hermanas se enamoraran también del suyo. Pero el mío era de esos padres ciclotímicos que un día era encantador y nos llevaba a todos al parque y a comprar helados y los siguientes cinco se los pasaba encerrado en su despacho sin querer ni vernos porque decía que le molestábamos. Imposible énton-

ces llamar su atención extrañamente ausente, esfuerzo inútil, pues de improviso no sólo dejaba de comportarse como
un padre sino que casi parecía sentirse orgulloso de la falta
de interés hacia su prole, como si el hecho de engendrarla
hubiera sido un accidente o un acto de magnificencia para
con su esposa, al cual, por pura modestia, no quisiera volver
a aludir. Y, para colmo, mi madre siempre fue de esas que
tendían a criticar los defectos de un niño ensalzando las virtudes de otro («¿Es que no vas a dejar de moverte nunca,
Laureta, que no ves lo calladita que está Asun?» o «Por supuesto que vas a ponerte el traje rosa para ir a misa, Asun,
faltaba más, y no me digas que te da vergüenza, mira cómo
a Laureta no se la da»), así que mis dos hermanas se vieron
condenadas desde pequeñas a competir por el afecto, y la
única manera de hacerlo fue diferenciándose todo lo posible la una de la otra. Laureta, ya lo he dicho, siempre fue la
guapa, la resultona y la excéntrica, así que Asun, que no
contaba con la belleza espectacular de su hermana, tuvo
que esforzarse en ser la buena y la sensata, y a veces casi me
parece que si se quedó con su marido y se empeñó en interpretar como ninguna el papel de perfecta madre y abnegada esposa, filtrando aburrimiento de manera tranquila
y uniforme, fue porque Laureta se había divorciado, de forma que si ella permanecía junto al golfo de su marido y encima poniendo buena cara, se distanciaba así aún más de
su hermana, que no había sabido guardar las formas y la
decencia ni había demostrado la mínima capacidad de sacrificio que a una madre se le supone. Hasta tal punto ha
hecho Asun de la fidelidad un rasgo de su carácter que no
sólo cualquiera pondría la mano en el fuego de que nunca
ha mirado con ojos ávidos a otro hombre más que a su marido, sino que ni siquiera se le ocurre serle infiel a su perfume, porque desde que me alcanza la memoria asocio su
persona con una aureola de *L'Air du Temps* cuya estela la

precede y que, cuando ella llega, se insinúa a su alrededor en un radio de varios metros, permaneciendo allí hasta mucho después de que se haya marchado. Que yo recuerde, siempre vi el frasco en su mesilla de noche, probablemente lo usa desde los quince años, cuando aún estaba de moda, ahora no sé ni en qué perfumería lo encontrará. Quizá Asun ya sabía que sus esfuerzos exagerados podían parecer más ridículos que heroicos, pero no obstante se sentía impulsada a interpretar su papel, a tratar de hacerles la vida agradable a todos a su alrededor, de la misma manera que Laureta se veía impelida a destacar y a estar siempre divina, y no salía nunca a la calle sin haber comprobado varias veces ante el espejo que su aspecto era impecable. ¿Salir ella a comprar el pan en chándal y zapatillas? Antes muerta. Por supuesto que la rivalidad era sólo entre ellas dos, que apenas se llevan un año de diferencia. Con Vicente no podían competir porque era chico, y conmigo tampoco porque era la pequeña. Y así, cada una es el espejo de la otra, la cara opuesta de la misma moneda, la parlanchina y la callada, la extravagante y la discreta, la aventurera y la sensata. Pero en el fondo son dos Agullós mucho más parecidas de lo que nunca reconocerían.

Por cierto, y hablando de familia, ha venido también a la UVI la novia de Vicente, la *última* novia de Vicente, asesora fiscal en Arthur Andersen, alta (por lo menos cinco centímetros más que él, porque mi hermano, como tantos hombres bajitos, siente debilidad por las mujeres que le sacan la cabeza), delgada (ese tipo de delgadeces que sugieren que se ha invertido mucho dinero en ella —gimnasio, mesoterapia, pastillas de carnitina, cremas reafirmantes...—), rubia (luce una melena corta que también apunta a una inversión monetaria importante en suavizantes, mechas y corte de puntas mensual), vestida con unos vaqueros impecables y una camisa planchadísima, aderezada con joyas discretas pero caras (pendientes de perla y gargantilla de Tous) y un tanto remilgada en su señoritismo. O sea, una clónica de la anterior novia de Vicente, a la vez que casi una gemela de su precedente, porque mi hermano, epítome del perfecto *yuppie* soltero, es lo que se llama un monógamo en serie, y colecciona conquistas como otros coleccionan sellos o mariposas, con la diferencia de que él no tiene ninguna posibilidad futura de vender la colección. Más o menos todas las acompañantes le duran entre dos o tres años, hasta que llega el recambio. Son relaciones mayonesa: cuando una se corta, se tira e inmediatamente se empieza a batir otra. Porque mi hermano es un caso de manual: no vive en casa de mis padres porque a su edad ya quedaría mal, pero hasta ahora iba a comer allí todos los días y mi madre le preparaba sus platos favoritos pues, obvia decirlo, no sabe cocinar como no sabe planchar o fregar —puesto que en nuestra casa nunca hizo nada, ni siquiera levantar la mesa— y su apartamento lo limpia una asistenta. Su vida es fácil: un trabajo bien pagado, vacaciones de lujo todos los años a destinos exóticos (un crucero por las islas del Egeo, una escapada a Bali, un safari a Mali en busca de los dogones...) y fines de semana en los mejores paradores. Cenas en los restaurantes más pijos de Madrid, de esos decorados por un artista famoso y reseñados por un crítico gastronómico en las páginas de algún suplemento de ocio, trajes hechos a medida, su hora de gimnasio diaria en Abasota... Hasta su tabaco es especial, pues él no se rebajaría al Ducados de toda la vida, no, fuma exclusivamente Gauloises (los compra por cartones en el *duty free* de París) o puritos (Montecristo, Farias o Entrefinos, adquiridos en un estanco de la calle Arapiles que se dedica exclusivamente a los puros y que, según mi hermano, es el único establecimiento de Madrid en el que mantienen la humedad exacta, no es pijo Vicente ni nada). No quiere hijos ni compromisos, se advierte aunque no lo diga explícitamente, y sin embargo defiende ideas conservadoras: vota al PP y critica las drogas siempre que puede (especialmente si yo estoy delante, claro), aunque eso no le impida beber en abundancia cada vez que sale. Mi hermano, ya lo he dicho, es y ha sido siempre muy organizado y eficiente, posee una gran capacidad de concentración y siempre disfrutó estudiando en soledad. En seguida llega al meollo en cualquier discusión y puede rápidamente ver el pensamiento confuso o las debilidades en la lógica de otros, lo cual le convierte en un adversario muy peligroso en las discusiones familiares. Él sabe que posee esa ventaja y la aprovecha, no ignora que en un enfrentamiento entre hermanos llevaría siempre las de ganar y que ninguna nos atreveríamos a contradecirle: le tememos. A su lengua de doble filo y a sus explosiones de mal genio, que son pocas pero impresionantes (vuelvo a acordarme de la discusión con Laureta a cuenta del jersey, por ejemplo), como si mi hermano calculara con previsión y exactitud el momento preciso para desplegar el armamento y atacara sólo cuando no cabe duda de que la ofensiva va a resultar fulminante, para no malgastar la munición en batallitas de menor envergadura. Como se ve, Vicente es juicioso incluso en los momentos más aparentemente impulsivos, y por eso estaría bien empleado en cualquier trabajo que requiera el pensamiento organizado, precisión y un acercamiento metódico, puesto que disfruta encargándose de tareas que otros consideran tediosas, repetitivas y técnicas. De ahí que se convirtiera en agente de seguros y, obvia decirlo, en un muy buen agente de seguros, la estrella de La Estrella, que así se llama su compañía. La pobre novia nueva, cuyo nombre no recuerdo —aunque sé que era algo así como Natalia, u Olga o Tatiana o Anuska, algo que sonaba a novela rusa en cualquier caso—, que debe de llevar algún tiempo con mi hermano porque ya se le nota un deje de olor a tabaco negro por debajo de la nube de perfume caro que la rodea, pensará seguro, como pensarían las otras, que antes o después sentará la cabeza, que se comprarán un chalet en Pozuelo y que tendrán dos niños y un perro, y por eso se siente ya tan de la familia como para venir al hospital y aguantar la tensa espera, pero no tanto como para entrar a ver a mi madre, pues en el último momento ha preferido optar por la solución Julián: ojos que no ven, corazón que no siente.

Y ninguno se lo hemos reprochado.

Una no sabe si las cartas adivinan lo que va a pasar o si la programan para ello. Por ejemplo, si unas cartas te aseguran, como a mí me dijeron en su día, que en septiembre vas a tener una bronca con tu novio y romperás con él, y llega septiembre y efectivamente tienes una bronca con tu novio porque con tu novio tienes broncas de media una vez al mes y tirando por lo bajo, y entonces te dices: «Ésta es la bronca, estaba escrito, tenemos que terminar», y le dejas, esa ruptura ¿estaba escrita en el destino o la has propiciado tú misma porque ya te habías convencido de que tu destino era ése? Y si te dicen más tarde que otras cartas aseguran que en un viaje vas a encontrar el amor con A mayúscula, y si también lo asegura el sueño que tuvo una amiga tuya, ¿no saldrás a la calle mucho más confiada que de ordinario, mejor vestida y peinada, más acicalada? ¿Y quizá no saldrás, como de costumbre, convencida de que no merece la pena que nadie repare en ti, sino muy al contrario, completamente segura de que van a hacerlo, pues al fin y al cabo eso te han dicho las cartas y nunca te han fallado? ¿Y no serás más amable con cualquier desconocido que te aborde en un bar, no le atenderás con el espíritu dispuesto y la sonrisa a flor de labios?

De forma que cuando sucedió lo excepcional, es decir, que yo saliese de marcha a los dos días de llegar a Nueva York y conociese al que tenía todas las papeletas para salir elegido como mi hombre en el sorteo de la vida, lo encontré como la cosa más natural, y no porque me lo hubiesen predicho las cartas, sino porque había salido a buscarlo.

Era viernes, primer viernes de mes y, como era de esperar, quedé con Sonia, que me había asegurado por teléfono que se moría de ganas de verme y que quería llevarme, me dijo, a un club de jazz nuevo en el que tocaba aquella noche su última conquista, «uno de los tíos más guapos que me he tirado nunca», según aseguró, aunque lo cierto es que solía decir lo mismo de cada hombre con el que se liaba, si bien tampoco es menos cierto el hecho de que Sonia siempre se ha liado con hombres guapísimos y cualquier varón bien plantado despierta en ella el instinto adquisitivo del coleccionista de trofeos. De hecho, una de las razones por las que sigue viviendo en Nueva York a pesar de que los alquileres puedan calificarse como mínimo de astronómicos, las relaciones personales casi no existan, los inviernos sean para tártaros y la comida un asco es, según me confesó una vez —recalcando con seriedad que me lo decía muy en serio y sin atisbo de ironía—, porque en Madrid nunca tendría la oportunidad de acostarse con los hombres que encuentra en esta ciudad, ya que en nuestra capital no hay tan alta densidad de actores y modelos por metro cuadrado, ni tampoco una segunda generación del *melting pot,* cuya mezcla de razas ha dado como resultado especímenes de museo, ni está tan extendida la costumbre, el ritual o la imposición de la hora diaria mínima de gimnasio, motivos por los cuales Sonia, que se asume como hombreriega, sigue viviendo en Nueva York a pesar de que jure a quien quiera escucharla que echa muchísimo de menos Madrid, a sus amigos y a su familia.

El club al que me llevó, The Lenox Lounge, era un sitio bastante grande y oscuro, frecuentado mayoritariamente por negros, en el que destacábamos como dos polillas en una carbonera. El objeto de los deseos de Sonia era el bajista del grupo, que se encontraba en aquel momento interpretando una especie de *free jazz* de fraseos libres, flexibles, táctiles, que buscaban su lugar fuera y lejos de la dirección de su arranque y luego se perdían en una digresión armónica para volver de pronto, sin previo aviso y a la carrera, al punto de partida; y, desde luego, aquel músico era tan imponente como Sonia lo había descrito —metro noventa más o menos, rapado y con una cara plana, sin facciones especialmente marcadas, bella pero anodina, que sugería una afable satisfacción para consigo mismo— y también era buen músico, aunque sospecho que esta última virtud era la que menos podía llamarle a Sonia la atención y desde luego no le iba a distraer de otras más evidentes pues, que yo sepa, a Sonia nunca le ha gustado el jazz. Pero a mí sí, y estaba encantada y agradecida a Sonia por mucho que supiera que la razón por la que me había llevado a aquel garito nada tenía que ver con mis gustos musicales o con hacerme a mí un favor. En aquel momento, el bajista reparó en nuestra presencia y, si no fuera porque era un hombre más oscuro que el betún, habría dicho que se le iluminó la cara. Desde luego nos dedicó (bueno, más bien le dedicó a Sonia) una amplísima sonrisa y señaló con la cabeza una mesa vacía situada casi bajo el escenario que estaba reservada para nosotras. Y hacia allí nos dirigimos, presintiendo, al menos yo, que todo el local nos estaba mirando, porque al ser ambas rubias y llevar puestas, para colmo, sendas camisetas blancas (no, no lo habíamos hecho adrede), casi parecíamos luciérnagas en una noche cerrada y negra.

Para entonces el grupo había empezado a atacar algo fácilmente reconocible, *Take Five*, la emoción musical había alcanzado su culmen y casi ninguno de los allí presentes hablaba ya, todos con la mirada fija en el escenario y llevando el compás con la cabeza como si de un ejército de metrónomos se tratase. Yo sonreía de placer y buscaba con la mirada a Sonia a fin de atestiguarle con los ojos la gratitud debida por haberme llevado a un sitio que me gustaba tanto. Sin embargo, con lo que tropezó mi mirada de repente no fue con Sonia sino con... Él. Joshua Redman en persona. Aunque un examen más exhaustivo me hizo darme cuenta de que no se trataba exactamente de Joshua Redman. Era otro músico muy parecido a él y tan famoso o más que el propio Joshua (1). Me quedé tan sorprendida y absorta en su persona que no pude apartar la vista y en seguida cayó en la cuenta de que estaba siendo observado por la boquiabierta rubia de la mesa de al lado, a la cual correspondió con una sonrisa profunda, casi fluorescente de puro blanca y cálida como el aplauso de una multitud, consiguiendo que la sangre feliz enrojeciera a la rubia —a mí— inmediatamente, hasta la coronilla. Lo primero que me llamó la atención fue el color de sus ojos, tan parecidos a los de la Nancy de mi infancia y a los de las lentillas que se ponen las *starlettes*: ojos de azul juguete. Y lo segundo que pensé fue que si alguna vez planeaba tener hijos, quisiera que fueran de un hombre tan guapo como aquél.

Convencida de que si las cartas habían dispuesto un hombre para mí con un océano que nos separaba, había de ser ése y ningún otro, apuré la copa que tenía delante de un solo trago decidida a dar el primer paso. En ese momento el grupo había empezado con *So what?* y esto me pa-

(1) Piensen un momento: mulato, muy guapo, ojos azules, músico, famosísimo. ¿Lo tienen? Ese mismo. Por motivos obvios su nombre no va a figurar en esta edición impresa, aunque sí figura en la copia privada para Amanda.

reció una señal divina. Me dije, voy a hablar con él, si me hace caso es él, y si no... Y si no, *So what?*

11 de noviembre.

Alguien ha avisado a la tía Reme y me la he encontrado hoy en la sala de espera. Sí, la misma tía Reme que se emborrachaba en las Nochebuenas y la responsable de que cada dos por tres me venga a la cabeza una letra de tango (inusual gardeliana y no porteña, ella se pasa el día desafinándolos). Como se quedó viuda relativamente joven y no tuvo hijos, el día que se enteró de que su cuñada estaba embarazada de mí y que el médico le había recetado reposo absoluto, se vino a Madrid para ayudar en la casa, porque mi madre no podía levantarse de la cama, y allí se quedó hasta que yo cumplí los seis meses, cuando regresó a Alicante. Desde entonces siempre pasaba las Navidades —y también gran parte del año— en nuestra casa. Y los veranos y las Semanas Santas también se iba con nosotros a Santa Pola.

Reme ha cogido el primer avión en cuanto le han dado la noticia y se va a quedar en casa de Asun. La he visto tan abatida que para intentar quitarle hierro a la situación he sacado en la conversación el tema de moda: la boda del Príncipe. Y antes de que me diera tiempo a hacer bromas, se me ha echado a llorar.

—Qué Príncipe ni qué niño muerto... —ha dicho entre hipidos y llevándose el pañuelo a los ojos—. ¿Te crees que a mí me importa algo que se case o se deje de casar? Y a tu madre menos aún... La pobre... ¡si tu abuelo, de puro republicano, le cambió hasta la fecha de nacimiento!

Y así me entero, justamente hoy, de que mi madre en realidad había nacido un 13 de abril, no un 14, como yo siempre había creído, y de que mi abuelo mintió intencionadamente cuando la inscribió en el Registro Civil para que la fecha coincidiera con la de la instauración de la Segunda República.

—¿Y por qué nunca me lo habías dicho?

—Hija, porque era un secreto —inspira profundamente, como para calmarse. Más relajada, prosigue—: Como comprenderás, en tiempos de Franco mejor no decirlo. Bastantes problemas tuvo ya la familia como para sacar esa bromita a la luz. Creo que tu propia madre no supo durante mucho tiempo lo del cambio de fecha, que su padre tampoco quería meter en líos a nadie y se estuvo callado porque de sus ideas no hablaba, porque él no fue a la guerra ni se significó nunca, y además tenía un primo hermano, o segundo, no lo sé bien, al que habían fusilado los rojos, y el padre de ese señor, del fusilado, digo, que le tenía ley a tu abuelo vete a saber por qué, porque la sangre es más espesa que el agua, supongo, y porque el cariño puede más que la política, fue quien le dio trabajo en una tienda de textiles que tenían y respondió por él. Parece ser que aquellos primos tenían un instinto familiar fortísimo o que se habían hecho favores de chicos, y lo uno por lo otro. Así que a tus abuelos no los represaliaron, gracias a Dios, porque no sé si te contaron que sin embargo a la pobre Sabina, tu tía abuela, la raparon y la purgaron con aceite de ricino, hasta en la cárcel estuvo, y aún no había cumplido los dieciséis, en Benalúa, en la prisión de mujeres que se habilitó en la Casa de Ejercicios Espirituales que tenían allí los jesuitas, o eso se decía, porque de esas cosas por entonces no se hablaba, y yo tampoco sé tanto...

—¿Cárcel? ¿Que Sabina estuvo en la cárcel? Pero yo de eso no he oído hablar en la vida...

—Claro que no, de eso no se hablaba nunca, cómo se iba a hablar, tapado y bien tapado lo tenían, por si acaso. Por eso, como comprenderás, lo del cambio de fecha tampoco nadie lo mentó nunca. Yo misma me enteré muy tarde, y no por tu madre, sino por mi marido, y a él se lo había dicho la suya. Y al principio pensé que mi suegra se lo había inventado porque ella a tu madre no la podía ver, no la tenía cuenta ninguna...

—¿Y eso por qué?

—Porque no, porque la señora era muy suya... Muy rara... Con decirte que mandó construir su féretro cuando aún estaba viva, y también la mortaja, hecha con hábito de Nuestra Señora del Remedio, y que los guardaba debajo de la cama, y que de vez en cuando le sugería el capricho de ponerse la mortaja y acostarse dentro del féretro y llamaba a las criadas para que le dijeran lo guapa y elegante que iba a estar en el velatorio...

—Me estás tomando el pelo, no puede ser verdad.

—Te lo juro, te lo juro por la gloria de mi madre, ya sé que parece mentira, pero es verdad pura. Tenía unas cosas la buena señora... Es que ella era muy religiosa, de Acción Católica y del Ropero Eclesiástico. En el 41 o 42, creo que fue, Acción Católica impuso en Alicante la Semana del Sacrificio, una semana entera de ayunos, oración y penitencia, y siempre dijo que la idea se le había ocurrido a ella, que fue quien se la sugirió a su marido, imagínate si sería beata mi suegra... Y el Homenaje de Alicante a la Virgen del Remedio, ése debió de ser en el 50, también idea suya, o eso decía ella, claro, que mi suegra era muy imaginativa, por llamarla de alguna manera... Pero de eso no me hagas seguir, que la señora ya está criando malvas y no es cosa de hablar mal de los que ya no están para defenderse... A lo que iba, que yo, al principio, te digo, no me lo creí, lo del 14 por el 13, digo, pensé que la señora se lo inventaba a mala fe. Pero hace años, en uno de los cumpleaños de tu madre, que tú aún no habías ni nacido, creo, alguno de los que estaban allí, que no sé si fue tu tío Gabriel, que tú no le conociste, hizo la broma de que la celebración se retrasaba un día. Y por los ojos que le puso tu madre, una mirada de esas que echan fuego, como diciéndole que se callara, me di cuenta de que mi suegra tenía razón.

Una historia familiar que te va a hacer gracia: el que fuera mi tío Miguel, marido de la Reme, fue —antes de casarse con ella— novio de mi madre durante muchos años. Por entonces salían varios amigos juntos en pandilla y no sé cómo Miguel acabó por casarse con Reme y Eva con Vicente, diez años mayor que su hermana. No sé ni dónde ni cuándo escuché lo que te voy a escribir, pero alguna vez, de pequeña, oí a las viejas comadrear. Probablemente pensarían que yo era demasiado chica para enterarme de lo que decían, que si mi madre se casó con Vicente fue en realidad para poder estar cerca de Miguel. La verdad es que de ser cierta la historia quedaría muy romántica y muy novelesca, pero entonces no se explicaría el afecto profundísimo que le profesaba y le profesa la tía Reme a mi madre, a no ser que se encariñara con ella llevada por la pena o por la curiosidad morbosa e, incluso, puestos a rizar el rizo, por una oculta bisexualidad, porque decía Freud que los celosos lo son porque al imaginar posibles aventuras de sus amantes utilizan un truco del subconsciente para visualizar sin culpa a personas de su propio sexo en situaciones eróticas. En todo caso, esta tercera explicación ya se pasaría de rocambolesca y, de cualquier forma, el tío Miguel murió antes de que yo naciera, así que si hubo alguna historia de amor digna de culebrón venezolano que se hubiera podido entrever en las reuniones familiares —miradas de soslayo seguidas de mejillas ruborosas, un temblor sospechoso a la hora de servir la sopa o sostener la cuchara, ya sabes, algo tipo *Como agua para chocolate*— me la perdí, aunque dudo que la hubiera y me temo que lo que escuché no fuera más que el cotilleo malintencionado de una vieja frustrada y con mucha mala follá.

Por cierto: ¡ha llegado el Kit Bag! Y es mucho mejor de lo que imaginaba, tiene hasta un cambiador de hule con su propio compartimento. A partir de hoy soy una madre organizada.

He encontrado unas fotos de la boda de mis padres en la basílica de Santa María de Elche, capricho de mi madre, por aquello de su devoción a la Virgen de la Asunción (ay, si su pobre abuelo hubiese levantado la cabeza...). Por lo visto le costó muchísimo casarse allí porque ya en aquellos tiempos había una lista de espera interminable, pero como el Mestre de Capella del Misteri era pariente (mi madre vivió toda su vida en Alicante, pero había nacido en Elche, y de allí era toda su familia), la cosa se solucionó, y además los del Coro del Misteri le cantaron en la boda. Se casó tarde para la época, casi a los treinta años. Yo nací cuando ella tenía más de cuarenta, muy mayor para parir según los cánones de entonces. Mi llegada fue un milagro, como la tuya.

12 de noviembre.

Cuando hoy he llegado al hospital me he encontrado con que a tu abuela la han trasladado a una habitación individual dentro de la UVI. Un lujo asiático, porque en toda la unidad sólo hay tres cuartos independientes. Le he preguntado a Caridad el motivo de tal cambio. ¿Te acuerdas de aquel señor que tenía que ir y volver desde fuera de Madrid? Pues su mujer se ha muerto. Y mi madre ahora ocupa su cama.

Dice Asun, que hoy estuvo por la mañana, que el señor lloraba bajito, igual que un niño pequeño.

Mi madre sigue sin volver en sí. Le he preguntado a Caridad si creía que eso era mala señal. Me ha dicho que si la cosa sigue así le tendrán que hacer un TAC para ver si ha habido lesiones en el cerebro. ¿Y si las hubiera?, he preguntado. Primero se ha quedado muy callada, como sin saber qué decirme, luego me ha explicado que hay mucha gente que tarda en despertar tras la sedación, que no es lo normal pero que tampoco es raro, que el hecho de que siga inconsciente no implica necesariamente lesiones.

—Ya, entiendo. Pero si hubiera lesiones, ¿qué pasaría?
—Pues que habría que desconectar.

Inmediatamente, como para cambiar de tema, Caridad me ha preguntado si mi madre bebía mucho. Le he respondido que no, casi nunca. Que estoy casi segura de que los médicos se lo tenían prohibido desde joven por lo del soplo del corazón. Al parecer es muy rara una pancreatitis semejante en alguien que no bebe. También podría ser que hubiera tenido algún accidente en el que pudiera haber recibido un golpe en el abdomen. Le dije que sí, que había tenido varios accidentes (el más aparatoso a la vuelta de un viaje que hizo con mi tía Eugenia de peregrinación a Fátima, se ve que la Virgen no las protegió mucho), pero ninguno grave. Y tuve que admitir que conocía poco de su vida, que apenas me contaba nada de su pasado, que las pocas anécdotas que conozco me han llegado a través de familiares. No quise decirle que en realidad mi madre y yo hablábamos bastante poco.

Cuando vuelvo a casa me encuentro a Tibi apoyado, literalmente, en el quicio de la mancebía. Otra vez impecablemente vestido de chaqueta y corbata, un traje a todas luces insuficiente para resguardarle del frío pelón que hace.

—Tibi, ¿no te congelas?

Se desabrocha un botón de la camisa y señala con la cabeza una camiseta gruesa que hay debajo.

—Aislamiento térmico —aclara.

13 de noviembre.

Sigue sin despertar. Los médicos nos han dicho que no es buena señal y que hay que hacerle un electroencefalograma.

Es un dolor estable, como su condición, que no se manifiesta ni a gritos ni a lágrimas, que se lleva por dentro sin enseñarlo por fuera, cuando el corazón se va derramando poco a poco y sin querer, como una olla rota.

14 de noviembre.

Son casi las dos de la mañana y aquí me tienes frente al ordenador, maquillada con esmero y vestida con el único traje elegante que todavía me cabe, un trapo negro de Schlesser al que suelo llamar *el traje ilusión óptica*, porque me hace perder tres kilos por arte de magia. Te preguntarás para qué diablos me he puesto hecha un brazo de mar si no voy a hacer otra cosa que quedarme en casa aporreando teclas. Pues bien, te explico:

20.45 h. Consuelo se presenta en casa para recogerme. Vamos a una cena, ocasión largamente esperada por mí, que me muero de ganas de salir y ver gente.

21.30 h. Mi amado retoño empieza a llorar como una magdalena. Justo cuando ya nos estábamos acabando de pintar el ojo y yo me había enfundado en mis mejores galas, lo cual no es mucho decir, porque mis mejores galas siempre son un poco desastradas, y ahora más aún: posparto y *glamour* son incompatibles.

Por la mañana habíamos ido al pediatra y el médico nos había dicho que tenías una infección en el oído, nada grave, que te pusiéramos unas gotas, pero que *de ninguna manera cogieras frío*. El listo de tu padre, sin embargo, te sacó a la calle sin gorro cuando hacía un viento de los que hielan el café.

21.35 h. Continúa la crisis de llanto inaplacable. Doy por hecho que la otitis ha empeorado. Se supone que si un bebé tiene fiebre y llora más de una hora seguida hay que llevarlo de inmediato a urgencias. Te tomo la temperatura. Tienes unas décimas.

21.45 h. *Abort mission*. Consuelo se va a la cena. Yo me quedo en casa, complejo de culpa obliga. Tú sigues llorando.

21.50 h. Decidimos llevarte a urgencias.

22.00 h. En el preciso y justo instante en el que salíamos los tres (padres y bebé) por la puerta (y tras el consiguiente zafarrancho de preparar bolsa de niña: pañales, biberón, cambiador, muda de repuesto, bla, bla, bla, buscar mi cartilla de la Seguridad Social, tu cartilla de vacunación y libro de familia), te callas de golpe. Me planteo entonces salir corriendo y coger un taxi a ver si llego a tiempo, pero no tengo coche y la casa donde se celebra la cena está en Aravaca. Si te pasara algo, tu padre puede avisarme al móvil, pero ¿es factible encontrar un taxi por aquellos lares?

22.10 h. Asumo que me tengo que quedar en casa con el pelo recién lavado, el ojo pintado y mis galas puestas. Recuerdo aquella frase de que la frustración fortalece el carácter. No me sirve de nada.

Te odio.

Fue llegar y besar el santo. Prácticamente desde mi llegada a NY ya me había convertido en la acompañante oficial de un hombre talentoso, guapo, rico y despampanante: el Famoso Músico Negro (2), que me gustaba como no me había gustado nadie en la vida. Apenas pisaba la habitación que había alquilado excepto para cambiarme de ropa al principio y, más tarde, ni siquiera para eso desde que el FMN me compró ropa suficiente como para no tener que tirar de la antigua. Dicen que el dinero no hace la felicidad, pero desde luego ayuda mucho una vez que alguien la ha encontrado, porque hay una diferencia abisal

(2)   Al que a partir de ahora llamaremos, para abreviar, FMN, y espero que entiendan ustedes por qué no figura su auténtico nombre.

entre quedar con tu amor y salir al cine y a tomar dos cañas y quedar con tu amor y salir a cenar a Bouley o Le Bernardin y luego hacerte un recorrido por los mejores *clubs* de la ciudad en los que, por supuesto, no tienes que esperar en la inmensa cola que hay en la puerta porque basta con que inclines ligeramente la cabeza para que el portero te deje pasar, y en los que sabes que siempre puedes pedir lo que quieras, todas las copas que desees o hasta champán si te viene a la cabeza, sabiendo que no hay problemas de presupuesto, porque para eso está la Visa Platino de tu acompañante (vale, yo nunca pido champán ni insisto en que sea de verdad francés, menuda horterada, pero eso no quita que sea un alivio saber que si te apetece puedas hacerlo). Ya sabemos que el amor es amor en cualquier parte, pero reconozcamos que, cuando existe, ayuda mucho a vivirlo el disponer de un *loft* en Tribeca (concretamente en el mismo edificio en el que habían vivido John John Kennedy y su mujer), un pequeño paraíso urbano impoluto, inmaculado (gracias al buen oficio de una asistenta que se pasaba a limpiar cada mañana, pero a la que sólo vi una vez, porque normalmente para cuando nos levantábamos ella ya se había ido, dejando, eso sí, unas sábanas limpias y planchadas para que pudiéramos mudar la cama), como una imagen del *Architectural Digest* hecha realidad, y también es cierto que cuando hace un calor húmedo que se te pega en la piel ayuda mucho el que el *loft* disponga de aire acondicionado regulado, por cierto, por un diminuto ordenador que habla, sí, habla, y con seductora voz femenina te ruega que le indiques la iluminación deseada, temperatura ambiental adecuada y el tipo de música que te apetece escuchar en ese momento, puesto que el piso entero está controlado por semejante ingenio que a veces, a qué negarlo, acojona un poco y recuerda al HAL de *2001: Odisea en el espacio*. Aquel apartamento carecía de cualquier tipo de interruptor ya que, por lo visto, y según me explicaría más tarde el FMN, la última teoría del interiorismo posmoderno consiste en eliminarlos porque éstos resultan antiestéticos y rompen con la armonía minimalista de las paredes. Claro que si el calor se hacía excesivo (es fácil en la ciudad que la temperatura rebase los cuarenta grados y poco menos que se derrita el asfalto) siempre quedaba el recurso de coger el coche y largarse a la casita a pie de playa de New Jersey, pues el amor es amor en cualquier parte y circunstancia, pero parece más amor si los enamorados pueden pasarse el fin de semana sesteando y retozando en el jardín con esporádicos chapuzones en la piscina y alguna que otra raya de coca para matar el rato.

En fin, y resumiendo: yo vivía en una nube, absolutamente fascinada, obnubilada y prendada, más todos los adjetivos terminados en -ada que se te ocurran y que quieras añadir. La lástima es que el amor exige, al menos en el primer estadio, una idealización del objeto amado, y yo dispongo de una fantasía enorme (ergo, una gran capacidad de idealizar), pero eso no me impedía advertir algunos pequeños detalles que contribuían a que el pedestal sobre el que yo misma había colocado a mi amor se tambalease bastante, resultando pues que el objeto de mis deseos se mantenía en un equilibrio ciertamente precario.

Por ejemplo, el FMN no leía. Y cuando digo que no leía es que no leía *nada*, ni siquiera el periódico porque de las noticias se enteraba a través de la CNN. La maravillosa casita de New Jersey tenía de todo: un bar repleto, sillas de Philippe Starck, varias litografías de Taaffe (compradas en el MOMA y colocadas allí por el diseñador de interiores, supongo, porque más tarde descubrí que el FMN ni siquiera sabía quién era Philip Taaffe), un *jacuzzi* redondo más grande que el dormitorio de mi apartamento en Madrid... Pero ni un solo libro. Miento: había un volumen de fotos de Chet Baker, creo. Recuerdo que una vez mencioné a Madame Bovary en una conversación (eso sí, no recuerdo a cuento de qué) y el FMN me preguntó que quién era Madame Bovary.

—¿De verdad no sabes quién es Madame Bovary? —pregunté.

—Hummm, el nombre me suena... Una ópera, ¿no? Es que yo de ópera no entiendo.

—No, querido. La ópera es *Madame Butterfly*.

La verdad, yo había salido con todo tipo de hombres, y algunos de ellos no los denominaría como lumbreras, pero nunca hasta entonces con alguien parecido. Aunque lo cierto es que tampoco me importaba. Me decía que son pocos los yankis que leen, y que además existen grados de cultura. El FMN, por ejemplo, poseía un conocimiento casi enciclopédico de discos y grabaciones de jazz (te podía recitar de memoria, por ejemplo, la lista de discos de Miles Davis, por año y con productores), así que yo pensaba que lo uno por lo otro y procuraba buscar temas de conversación que no incluyeran la literatura. Y es que, al fin y al cabo, la conversación no era el ingrediente más importante de nuestra relación. Qué importaba que no leyera si, a qué negarlo, poco me importaba lo que él me contara, si las palabras acababan por perder su significado borrado por la acariciadora tibieza de su profunda y negra voz de bajo, si el color y el matiz y la textura de su tono me hacían subir y bajar como si el asfalto de la ciudad no fuera sino una enorme ola lisérgica y yo la espuma de su cresta, si me parecía flotar muy por encima de la vida, navegando en un mar más allá del cual las realidades cotidianas —hipotecas pendientes, facturas impagadas, plazos vencidos de créditos a cuenta—, varadas en la orilla, menguaban desde la distancia, haciéndose cada vez más y más pequeñas hasta convertirse en meros puntos insignificantes en el horizonte, para finalmente desaparecer.

Había otro detalle que en un principio me encantaba y luego acabó por incomodarme. A él yo le gustaba. Le gustaba *mucho*. Le gustaba de verdad, físicamente, me explico. Yo nunca me he tenido por el bellezón del siglo, entre otras cosas porque desde pequeña me quedó muy claro en mi casa que belleza, lo que se dice belleza, era la de Laureta, mientras que lo de Asun y yo no era otra cosa más que brillante medianía. Así que, consciente de dicha medianía, toda la vida he procurado seducir desde la simpatía y la conversación, y lo cierto es que tampoco me había ido tan mal, o al menos no peor que a ninguna de mis amigas. Y bueno, siempre he estado acostumbrada a que mis novios me dijesen que les gustaba que yo fuera tan cariñosa, o tan divertida, o incluso tan leída, pero nunca esperé que alabasen mi cuerpo, cosa que, por otra parte, tampoco solían hacer. Y lo primero que me sorprendió del FMN es que parecía que mi cuerpo le encantaba, que le encantaba de veras, incluso si le sobraban siete kilos o quizá precisamente por eso. Me envaneció que alguien se fijara tan atentamente en mi existencia como ser físicamente amable. Pero dejando aparte ese breve momento de vanagloria en el cual todavía no sé si el asombro tuvo más importancia que la verdadera vanidad, la sensación era más bien de incomodidad, como si se me hubiera concedido un premio destinado a otra que lo mereciese o lo desease más que yo. Por ejemplo, mi pecho, el mismo que ha sido la mayor fuente de complejos desde la adolescencia, el que me he pasado media vida intentando ocultar con remedios tan ineficaces como sujetadores reductores y chaquetas largas incluso en verano, el culpable de que en mi pubertad me pasara las horas muertas en la playa de Santa Pola con una camiseta XL y sólo me atreviera a bañarme a primera hora de la mañana, cuando no había allí más que cuatro viejecitas, sí, ese mismo pecho le tenía fascinado hasta unos extremos que resultaban francamente incómodos, pues se pasaba el día magreándolo, incluso en público, y a la hora de hacer el amor se concentraba tanto en él que cualquiera que nos hubiese visto habría pensado que, a causa de una extraña broma genética, yo tenía el clítoris localizado en el canalillo de la misma forma que Linda Lovelace aseguraba tenerlo en la garganta.

Una tarde me anunció que me tenía reservada una sorpresa, me subió a un taxi (él tenía un coche imponente, un deportivo, y no me preguntes la marca porque de coches no sé nada, pero sí sé que tenía pinta de carísimo, aunque no había ocasión de lucirlo mucho pues, como buen coche neoyorkino, casi nunca lo usaba para moverse por la ciudad) y se plantó en la Quinta Avenida.

La *boutique* Versace, perdón, el edificio Versace —porque es un edificio entero de cinco plantas—, era la tienda más hortera en la que yo hubiera puesto los pies en la vida. Los escaparates, decorados con grecas rojas como si aquello se tratase del templo de Afrodita, eran de un estridente subido. Reconocí el modelo que llevaban varios maniquíes: era el mismo que se había puesto Jennifer López para entregar no sé qué premio y que había sido muy comentado porque dejaba al descubierto prácticamente toda su anatomía excepto los pezones y el monte de Venus. Si no hubiera estado tan recargado, aquel modelo verde tropical que en España más tarde copiaría y se pondría Ana Obregón se habría podido tomar, más que por vestidito, por traje de baño, de exiguo que era, pero ni el mejor nadador hubiera podido flotar con tanto *strass* y tanto recamado encima. Y, sin embargo, en las ventanas del escaparate había como cinco o seis versiones del ¿vestido? en diferentes colores, como si el hecho de que un culo latino y famoso lo hubiera lucido significase que todo Nueva York debía imitarlo.

Según pusimos los pies en la tienda nos abordaron cuatro dependientas que exhibían idéntica sonrisa: la misma mueca congelada, deshumanizada y transparentemente falsa que en NY se encuentra uno por doquier en las azafatas, en los porteros, en las camareras y en los empleados en general de cualquier tipo de establecimiento abierto al público a partir de cierto nivel adquisitivo. Una de las dependientas nos saludó muy entusiasta: *«Welcome to Versace!»*, nos dijo, como si acabáramos de cruzar una aduana internacional y hubiésemos aterrizado de pronto en un paraíso abierto por vacaciones. Otra nos preguntó si podía ayudarnos en algo.

Y entonces el FMN me hizo saber que la misteriosa sorpresa consistía en que iba a comprarme ropa, así que ya podía ir yo eligiendo lo que más me gustase porque allí estaba su Visa Platino para pagarlo. Yo me sentía incapaz de elegir nada, porque en esa tienda no había nada que yo hubiera pensado ponerme nunca, y así se lo dije al FMN, con la mayor delicadeza posible, eso sí, pues me parecía de muy mala educación arruinarle la sorpresa, aunque lo cierto es que yo quería largarme de allí cuanto antes.

—No hay ningún problema, nena —dijo el FMN, y le hizo una seña a una de las obsequiosas empleadas, una clónica de Jennifer López con pinta de *call girl* de lujo, rebosante de silicona por toda su anatomía.

—*The lady is lookin' for some clothes, maybe you could help us.*

Me sorprendió mucho que se refiriera a mí como *lady*, pero no hice ningún comentario. La dependienta robot (porque con tanta silicona ya parecía un cruce entre lo humano y la tecnología) me miró de arriba abajo como evaluando la talla y nos indicó que la siguiéramos. Nos precedió encaramadísima a unos tacones de vértigo letal mientras iba recolectando de perchero en perchero las prendas que ella suponía que podrían ajustarse a mis deseos.

Aquella tienda parecía mismamente un decorado de una película *peplum* de los años cincuenta, llena de frisos, capiteles y acantos refulgiendo por todas las esquinas como si el encargado fuera el mayordomo del anuncio, el de la prueba del algodón, y es que para colmo tenía suelos de mármol y dorados y sobredorados por todas partes. O sea, que el local hacía daño a los ojos, y no sólo porque cegase.

A los pocos minutos me encontraba en los probadores con los cuatro vestidos más chillones que hubiera tenido jamás en mis brazos: uno amarillo canario y dorado, el siguiente con una especie de estampado Pucci en tonos fucsia, el tercero rojo putón y el cuarto naranja y negro, asemejando la piel de una cebra o de un leopardo. El FMN me esperaba fuera, sentado en una especie de sillón blanco y bebiendo una agua mineral que la atenta señorita se había apresurado a llevarle.

Me probé el primer traje, el rojo. Me vino a la cabeza que la primera vez que Julieta vio a Romeo ella iba vestida de rojo, ya que este color por entonces era símbolo de nobleza —porque los tintes escarlatas eran muy caros, de ahí que la púrpura fuera sólo para cardenales— y en el caso de Julieta, y por extensión, de pureza, pues se entendía que una doncella noble había de ser eso, doncella. Pues bien, evidentemente el significado del color se había devaluado notablemente durante los seis siglos transcurridos desde los tiempos de los Capuleto y los Montesco, porque la rubia que me miraba desde el espejo, enfundada en una especie de malla de enorme raja en el muslo y escote profundo, transmitía muy poca nobleza y, desde luego, pureza en absoluto. Hasta entonces yo me las había arreglado bien que mal para disimular mi delantera incluso con ropa de verano a base de combinaciones de colores fríos, escotes en uve, rayas verticales, collares largos y demás trucos de estilista aprendidos tras años y años de trabajar en una revista femenina, que con respecto a la moda algo había de pegárseme. Sin embargo, aquel traje evidenciaba como nunca la generosidad de mi fachada, y daba la impresión de que llevaba en el escote dos pelotas de voleibol que iban a salir botando de un momento a otro. De tal guisa no me reconocía en la imagen que tenía frente a mí y, por un momento, llegué a creer que no era otra cosa que una ilusión, una creación de mi imaginación que no tenía relación alguna con la realidad, conmigo, con mi cuerpo.

De este ensimismamiento me sacaron unos golpes en la puerta. Abrí y me encontré a la dependienta, que quería saber si todo iba bien y me informaba de que «el señor que me acompañaba» estaba fuera.

—Tal vez quiera usted salir para que él la vea.

¡Ah, no, faltaba más! No iba a salir vestida de puta de lujo ni para que me viese él ni para que me viese nadie. O eso pensé al principio, porque al segundo se me ocurrió que quizá el FMN encontrase el punto gracioso del disfraz y tal vez tendríamos algo de lo que reírnos el resto de la tarde. Así que salí de puntillas del probador y me presenté ante él. No hizo falta que dijera nada. Por la expresión de sus ojos, idéntica a la de un niño frente al escaparate de una pastelería, adiviné que no encontraba el traje gracioso ni fuera motivo de broma compartida.

Pues bien, acabé saliendo de Versace con cuatro bolsas de ropa que yo no había pagado y con el íntimo convencimiento de que me acababa de convertir en la puta cara del FMN, por más que me dijera que el criterio estético e indumentario no es el mismo para los americanos que para los europeos, y muy en particular para los afroamericanos y que, después de todo, las raíces son las raíces y que ya sabemos que en los climas calientes la gente adora los colores vistosos por influencia e imitación del paisaje, pese a que el paisaje que rodease al FMN no exultara de palmeras ni magnolias ni hibiscos reventones, sino de edificios de cristal y acero en toda la gama de colores fríos. Intentaba convencerme de que tampoco era para tanto, que a fin de cuentas un Versace es un Versace (por más que se tratase no de alta costura sino de *pret à porter* en este caso) y que seguro que mi hermana Laureta se moriría de envidia si supiera que acababa de salir de esta *boutique* con el equivalente al sueldo de tres meses de su (segundo) marido metido en unas bolsas. Pero Laureta no es rubia y no tiene las tetas enormes, así que seguro que el traje rojo le habría quedado de lo más fino y elegante, digno de pasarela, en lugar de darle aspecto de novia de rapero o de conejita de *Playboy*. Y lo peor de todo era que no habría nada de malo en parecer una conejita de *Playboy* si es que a una le gusta parecerlo, pero en mi caso yo no me había llevado la ropa a casa tanto porque me gustase como porque le gustaba al hombre que me la había comprado. Y aquel pequeño detalle inclinaba la balanza de tal modo que lo que podría haber sido coquetería pasaba a ser exhibicionismo, exhibicionismo no femenino sino masculino, por parte del hombre que quiere dejarles claro a todos los demás machos que se está beneficiando a una real hembra, con lo cual los trajes de Versace me recordaban, desde la bolsa, mi recién adquirida condición de objeto sexual. Y tampoco habría nada de malo en ser el objeto sexual de alguien en según y qué momentos dado que el sexo no pasa de ser un juego que requiere cierto grado de objetivación, pero es que a mí nunca se me había ocurrido ni se me ocurriría decirle al FMN cómo tenía que vestir o comentarle que quizá no le viniese del todo mal leer un poco más o averiguar quién había sido en realidad Madame Bovary.

Y es que yo, ilusa de mí, daba por hecho que ese tipo de indicaciones habrían resultado insultantes, pero si resultaban insultantes viniendo de mí para con él, ¿no resultaría insultante una imposición indumentaria viniendo de él para conmigo? En fin, estaba hecha un lío y más confusa que un tratado de hermenéutica, pero el caso es que acabé poniéndome los cuatro vestidos y, además, los combiné con tres pares de zapatos de tacón de Charles Jourdan que el FMN me regaló después, y todo esto porque él me tenía fascinada, enamorada, obnubilada, prendada, más todos los adjetivos acabados en -ada que se te ocurran, y ya se sabe que cuando uno está enamorado comienza por engañarse a sí mismo antes de acabar engañando a los demás, y ¿qué mejor forma hay de engañarse a sí mismo y a los demás que llevar unas pintas de las que tu más íntimo yo se avergüenza?

Para colmo de males me encontré en NY con el problema que había intentado dejar atrás en Madrid, pero multiplicado por cinco. Ya dicen que la ciudad la llevas siempre contigo, así que qué más daba que yo hubiera cambiado una por otra si la inseguridad me la había traído en el equipaje y, con la inseguridad, mis problemas con el alcohol. Porque el FMN bebía, por supuesto, bebía mucho, y con él bebía yo. Bebíamos vodkas en los clubes en los que los porteros recibían nuestra llegada como si del Segundo Advenimiento se tratara, bebíamos vino en los restaurantes caros en los que me hacía leer la carta en francés para ver cómo sonaba, bebíamos champán, o más bien espumoso californiano, en Gotham, donde solíamos ir a tomar el *brunch* y a que nos viesen, bebíamos desde por la mañana hasta por la noche casi sin darnos cuenta de lo que bebíamos, y a veces pienso que quizá fuera la nube etílica en la que me movía la que me mantenía enamorada, trastornada, enganchada o como quieras llamarlo siempre y cuando termine en -ada. El caso es que a él la nube etílica parecía no afectarle en absoluto. Daba igual qué bebiera y en qué cantidades. Su ánimo permanecía imperturbable. A las tantas, después de haber hecho el recorrido nocturno por el Lotus, el Roxy, el Spai, el Oxygen, el Twilo, el Sound Factory, el Ten's o dondequiera que aquella noche hubiéramos iluminado el local con nuestra rutilante presencia, cuando yo ya trastabillaba y hablaba con lengua de trapo y casi no me acordaba de mi nombre, él seguía igual a como se había levantado por la mañana, es decir: más bien taciturno y callado, con ese aire desengañado que arrastraba, la misma sonrisa condicional que nunca se afirmaba claramente en un rostro en el que se veía aflorar continuamente cierto cansancio, la misma gracia de movimientos propia de aquellos que han ejercitado los miembros para conseguir de ellos lo que quieren con el mínimo esfuerzo, sin participación indiscreta o torpe del resto del cuerpo, de forma que se mueven como si flotaran, sin que casi parezca que lo hagan, y es que verdaderamente el FMN cultivaba un aire ausente, como si anduviera dos metros por encima del suelo y se situara en un plano superior al del resto de los mortales, lo cual, en cierto modo, así era, puesto que se trataba de un hombre muy alto.

Al FMN, por supuesto, le conocían allá donde fuéramos. Los camareros, los porteros de los clubes, los dependientes de las tiendas, todos le dedicaban las más estudiadas sonrisas robóticas de su repertorio. Pero es que además nos agasajaban muchos otros rostros con sonrisa que no trabajaban en el sector servicios. Allá donde fuéramos siempre nos encontrábamos con alguien. Músicos, productores, periodistas, perfiles anónimos que se plantaban a nuestro lado y se enzarzaban en largas conversaciones con el FMN ignorándome a mí y dando por hecho, supongo, que una rubia tetona enfundada en un traje de Versace de los de minifalda a ras de coño estaba allí más para hacer bonito que para entrar en la conversación. Tampoco es que a mí me importara demasiado que no me hicieran ni caso mientras tuviera una copa en una mano y la otra enlazada a la de mi acompañante (que, todo hay que decirlo, siempre me tenía agarrada: no me soltaba nunca excepto para ir al baño, y me hacía sentirme tan atada a él como si me hubieran puesto unas esposas). El tema de conversación era siempre, invariablemente, el mismo: la música o, más bien, la industria de la música. Con quién estaba grabando Menganito, para qué compañía iba a firmar Perenganito, la crítica que Zutanito le había hecho a Fulanito en el *Q* o en el *Jazz Hot*, la gira europea que iba a emprender Taranganito, etcétera. El FMN había grabado su último disco hacía tres años y, según decía, estaba concediéndose a sí mismo un año de descanso, pues había pasado casi cinco seguidos de gira casi ininterrumpida (paró sólo para la susodicha grabación), pero todo el mundo esperaba, y él el primero, que antes o después retomara el ritmo de trabajo, ritmo que parecía haber abandonado del todo a tenor de la vida que llevaba conmigo, dedicada a la nada más absoluta. Y era ésa otra de las cosas que me sorprendían de él, cómo me había integrado tan rápidamente en su existencia, como si no hubiera nada más en ella. Es decir, era normal que yo dispusiese de todo mi tiempo para dedicárselo, puesto que al fin y al cabo estaba de vacaciones y no conocía prácticamente a nadie en la ciudad, excepto a Sonia y a Tania, que vivían dedicadas a su trabajo, y al rumano, al que casi no había vuelto a ver desde el primer día, exceptuando dos o tres visitas relámpago al apartamento en las que le atisbé por allí. Pero al FMN se le suponían amigos, relaciones, gente a quien llamar, compromisos que atender... Pues bien, si los tenía, los aparcó, o quizá no los tenía y su año sabático era auténticamente sabático en todos los sentidos, incluido el de desatender a sus relaciones sociales, aunque bien pudiera ser cierto lo que afirma Sonia de que en Nueva York nadie tiene amigos sino *acquaintances* y, por lo tanto, los amigos del FMN fueran aquellos hombres que apestaban a Armani y Davidoff y con los que se tiraba horas hablando sobre cifras, ventas, giras y contratos.

Una de esas noches fuimos al Blue Note y, para variar, nos encontramos con el individuo trajeado de rigor, que apestaba a colonia cara como todos los individuos trajeados que nos encontrábamos, y que iba vestido de negro de la cabeza a los pies. Debía de ser un tipo muy importante porque, por una vez, insólito caso, fue el FMN el que se dirigió hacia él en lugar de permanecer sentado tranquilamente en su mesa esperando a que el otro viniera a hacernos los honores. Me lo presentó como Dave, y yo estoy bastante segura, pero no del todo, de que se trataba de Dave Grusin. Iba acompañado de una rubia, rubísima, más rubia aún que yo, una rubia extrema, casi albina en su tono plástico, alta, juncal y carilinda, con pinta de supermodelo, que llevaba un traje bastante parecido al mío pero que le sentaba, todo hay que reconocerlo, francamente mejor que a mí. Al momento ya estaban enzarzados en la charla de siempre, el ritornelo tantísimas veces repetido sobre contratos y cifras. Yo intenté entablar conversación con la rubia más rubia, pero no hubo manera, entre otras cosas porque tardaba minutos en contestar a cualquier pregunta que yo le hiciera y, cuando por fin se decidía, lo hacía con un monosílabo que nunca acababa de responder a la pregunta formulada. Por ejemplo, cuando le dije que yo me llamaba Eva y le pregunté su nombre, transcurrieron unos dos minutos hasta que me dedicó un «Hummmm, yesssss...» arrastrado, como si tuviera la boca llena de papilla. Pronto me di cuenta de que la ultrarrubia iba borracha o puestísima de algo y de que mis intentos de entablar conversación no tenían futuro, así que me concentré en el vodka doble con tónica que un camarero acababa de traerme por indicación expresa de Dave y en la música del grupo que estaba tocando, que era, si no recuerdo mal, Brad Jones' AKA Alias, y claro que lo recuerdo bien, ¿cómo no lo voy a recordar si tuve una hora entera para escucharles con la máxima concentración dado que a mí nadie me prestaba atención alguna? Una hora entera me pasé, repito, sin que nadie me dirigiera la palabra. El grupo tocó lo que tenía que tocar e incluso, a petición del respetable, hicieron un bis, y allí seguían aquellos dos, enzarzados en animada charla y sin hacernos ni a mí ni a la rubia sintética-narcótica el más mínimo caso. Así que me levanté y fui hacia el cuarto de baño.

Pero está claro que cubrir una distancia tan pequeña como la que dista desde una mesa del Blue Note hacia los baños no resulta tarea fácil cuando una lleva un traje que está diciendo cómeme y encima lo combina con una melena larga y rubia, porque se me olvidó comentarte que para colmo de males me había hecho mechas antes de llegar a Nueva York, mechas que la piscina de New Jersey había aclarado hasta dejarlas blancas, y que no devolví a mis cabellos el castaño claro original con un baño de color, como hubiera sido mi primera intención, porque el FMN insistió en que ese rubio antinatural era exactamente el color que le gustaba. Así que entre las mechas, el bronceado y el Versace, lo raro habría sido que hubiera pasado desapercibida y nadie intentase entrarme de camino al baño. Por eso nada tuvo de especial que otro tipo trajeado que olía intensamente a colonia y que se parecía mucho a cualquiera de los tipos trajeados y bienolientes que frecuentaban los *clubs* por los que nos movíamos me abordara en una esquina de la barra. Por un momento pensé que iba a preguntar por mis tarifas, pero se conformó con recurrir al socorrido truco de ¿no nos hemos visto antes? A punto estuve de decirle que probablemente me había confundido con Pamela Anderson, pero pensé que no iba a entender la ironía, así que me limité a decirle que no, y reconozco que no estuve tan seca como habría debido estar, o más bien que no estuve seca en absoluto, muy al contrario, que me mostré de lo más empalagosamente amable, porque estaba enfadada, por-

274

que estaba harta de que todo el mundo me tratase como si fuese el apéndice del FMN, una extensión de su persona sin autonomía o importancia por sí misma, y aunque ligar con un desconocido que probablemente no iba a considerarme mucho más de lo que los demás tipos trajeados me consideraban, y al que desde luego no le había atraído mi valía intelectual o mis capacidades espirituales, no constituyera exactamente la manera más adecuada de reclamar mi derecho a ser tratada como persona antes que como jarrón ornamental, en ese momento resultaba la única protesta que el destino me ofrecía (vale, también podía haberme largado sin más a casa, pero se ve que me había creído yo misma el papel de rubia tonta que representaba), así que le seguí la corriente al tipo aquel, que no era nada feo, todo hay que decirlo, y en seguida estábamos hablando de los *clubs* de jazz que yo había conocido desde mi llegada a Nueva York y en los que hipotéticamente podíamos habernos encontrado con anterioridad.

Estamos cerca de la barra y, como es natural, el tipo me pregunta si me apetece algo de beber, y en lugar de decirle, como sería de rigor, que estoy acompañada y que me ha pillado de camino al baño pero que debería volver en seguida con mi novio, le digo que vale, que sí, que por qué no, y le digo que quiero un vodka con tónica, obligando a mi corazón a latir con el feroz impulso de resistencia que desde el instituto, desde que las pijas de Loden abatieran sobre mí sus miradas por encima del hombro, he aprendido a oponer por instinto a cualquier menosprecio. El tipo me dice su nombre y yo le digo el mío y he de reseñar aquí que transcurrió por lo menos media hora antes de que el FMN se presentase por aquel rincón, lo cual quiere decir que había tardado en echarme de menos, que ni siquiera se había dado cuenta de que me había ido, enfrascado como estaba en su conversación con Dave, Dave Grusin o el Dave que fuera.

Cuando el FMN llega yo le presento, haciendo gala de mi mejor educación europea, al tipo que me ha invitado, que evidentemente reconoce a mi acompañante (al que, por cierto, yo presento como «mi novio») porque se le queda mirando con unos ojos desmesurados. Yo le agradezco muchísimo su amabilidad al tipo y le digo que espero que nos volvamos a encontrar alguna vez, y acto seguido me dirijo hacia el sofá presuntamente antiguo donde estaban sentados Dave y su rubia y donde ya no están. El FMN me agarra por los hombros y el resto de la escena es predecible. Él está enfadado, yo también. Él porque me he ido, yo porque me aburro y porque estoy harta de hacer de florero. Él insiste en la importancia de ese Dave y yo replico que los negocios no se hacen en los bares sino en los despachos. Él me llama estúpida y me dice que no tengo ni idea de lo que estoy hablando. Yo le digo que puede que yo sea una estúpida, pero que por lo menos sé quién es Madame Bovary y cuál es la capital de Perú, y además hablo cuatro idiomas. Él me agarra de la mano y prácticamente me saca a rastras del local. Saca el móvil del bolsillo y llama a un taxi. Le digo que llame a otro también para mí, porque yo me voy a mi apartamento del Bronx. Dice que iremos donde él diga y que estoy demasiado borracha para saber lo que digo. Sí, puede que esté borracha. Hemos cenado en un sitio de la Segunda Avenida que pretende ser mexicano y que estaba hasta los topes de gringos acicalados con camisas de Paul Smith y trajes de Dolce & Gabanna rebosando margaritas por las orejas, y he bebido mucho, quizá para compensar lo mala que era la comida, que por cierto no había sido lo que se dice barata. Y antes del Blue Note hemos parado dos minutos en el Alphabet Lounge, donde me he recuperado de las margaritas con dos rayas de coca y he seguido bebiendo y... Vale, puede que esté borracha, le digo, pero a pesar de todo, le grito, sé perfectamente lo que hago, gracias, ahora y siempre, y estoy harta de que me trates como si fuera idiota. *Sometimes I think you are a bitch.* Ahí me entra la risa histérica. *Bitch! You've just called me bitch! You think you're a rapper or wot? Man, you are pathetic.* Y en ese momento se gira y me arrea un bofetón que corta el aire. El portero del local, que lo ha visto todo, permanece imperturbable.

Yo, al principio, tampoco reaccioné, y me quedé allí plantada, ahogada de humillación, como si me hubieran atornillado al pavimento, porque no me acababa de creer lo que había pasado. Sí, por supuesto que me habían pegado antes. Me había pegado mi padre, me había pegado mi hermano Vicente en alguna de las numerosas riñas domésticas, me había pegado algún novio borracho en la primera adolescencia, pero nunca habría esperado que me pegase un señor que vestía de Dolce & Gabanna, que desayunaba con champán (rectifico, espumoso californiano) y que cenaba en restaurantes en los que hay que reservar mesa con semanas de antelación, y porque además, no sé, desde el principio toda la historia había parecido tan perfecta y tan suave... Y de pronto caigo en la cuenta de que de alguna manera todo encaja: los trajes de Versace, las conversaciones inexistentes, las rayas de cocaína en la piscina, las horas que me he pasado haciendo nada mientras él habla de cifras y acuerdos y hace un trato aquí y negocia otro allá y ni se toma la molestia de explicar a la rubia que le sigue a todas partes como un perrito faldero qué son todas esas cosas tan importantes que discute con los hombres trajeados y que le impiden dedicarme un poco de atención, y reconozco, gracias a un instinto primario e instantáneo parecido al que al caminar nos hace poner un pie delante de otro antes de que tengamos tiempo de pensarlo, una historia parecida a tantas historias que ya he vivido y a tantas historias que ya he escuchado en boca de aquellas mujeres que asistían a la terapia de grupo, y me vienen de pronto a la memoria y cobran retrospectivamente un valor de advertencia, de presagio, y me digo que esto es sólo el principio, que a partir de ahora todo va a acelerarse rodando cuesta abajo.

Ahí está el taxi, frente a nosotros.

Entra, me dice él.

No.

No seas idiota, entra.

No.

No es tonto, no me va a meter en el taxi a la fuerza, no delante de toda esta gente, no siendo él el FMN. Puede que en realidad se muera de ganas de cogerme de los pelos y meterme en el vehículo a patadas, pero no lo va a hacer.

Pues muy bien. Ahí te quedas. Él entra y cierra de un portazo, mientras el taxi se pierde engullido por el tráfico.

Diez minutos después, yo encuentro otro taxi que me lleve a casa. El conductor se pasa el trayecto entero intentando convencerme para que me vaya a tomar una copa con él.

Sé que me ha tomado exactamente por lo que parezco.

15 de noviembre.

Nos reciben dos médicos en el cuartito destinado a la información a familiares. Sólo por la expresión de sus rostros ya sé, antes de que abran la boca, que las noticias no son buenas. El doctor nos explica que el resultado del electroencefalograma muestra un daño en la corteza cerebral. Es decir, en algún momento ha habido falta de riego de oxígeno, una anoxia. Esto significa que, en el caso de que mi madre sobreviviera, es bastante probable que esa falta de riego en el cerebro le haya afectado a las facultades mentales. Que volvamos a casa con una niña de dos años encerrada en un cuerpo de ochenta.

El lunes le harán otro TAC y un escáner para verificar si hay daño en la región subcortical, por si hubiera una lesión más grave.

—Y entonces —dice el médico más mayor—, tendríamos que actuar en consecuencia.

No hace falta que me explique qué se entiende por «actuar en consecuencia»: desconectar el respirador. Mi padre se queda tan blanco como si acabara de ver pasar un fantasma por el cuarto. El doctor joven, que ha debido de notar el impacto de las palabras de su compañero en mi padre, intenta arreglar la cosa.

—De todas formas, han de recordar que la palabra más importante en medicina es siempre paciencia.

—Y resignación —añade el mayor—, una palabra desgraciadamente muy olvidada en la cultura occidental.

Parece que estén jugando a poli bueno y poli malo.

—Estamos haciendo todo lo posible, podemos asegurárselo. Pase lo que pase, nunca se podrá decir que no lo hemos intentado todo —dice el joven—. El problema es que en nuestra cultura el proceso de vejez se está dilatando hasta extremos insospechados desde hace menos de medio siglo, y con la edad se van acumulando los factores de riesgo. Es por eso que una simple pancreatitis como la de su madre puede provocar una reacción en cadena y desatar un proceso de altísimo riesgo.

Él no lo dice, pero yo interpreto el subtexto: ¿es mejor morir más joven o apurar la carrera hasta los cien años a costa de sufrir muchísimo en el último tramo?

—Y... —intervengo yo—, ya sé que esta pregunta es difícil de contestar, pero, más o menos, ¿con cuántas posibilidades contamos?

—A esa pregunta no le puedo contestar —me responde el médico joven—. Nunca se puede contestar. Aquí las cosas dan muchas vueltas. Llegan pacientes con un cuadro muy simple, que a primera vista no es mortal, y de la noche a la mañana la cosa se complica y fallecen, mientras que entran otros por los que nadie apuesta y acaban saliendo adelante. Nosotros aquí estamos muy acostumbrados a ver milagros.

—Pero es que la vida en sí misma es un milagro —añade el viejo—. Un milagro en equilibrio.

16 de noviembre.

Me he puesto los vaqueros raídos que solía llevar antes de quedarme embarazada: me caben. No han hecho falta dietas ni milagros. Me estoy consumiendo de pura ansiedad. O quizá a base de no dormir y pasarme el día de aquí para allá.

17 de noviembre.

Sigue sin volver, pero reacciona. Ya es más que antes. De vez en cuando parpadea y casi parece que va a abrir los ojos, pero nunca llega a abrirlos del todo. También mueve la boca, incluso la hemos visto bostezar. Cuando le he susurrado al oído he visto cómo se le resbalaba una lágrima. Caridad me ha asegurado que se trata de un reflejo, que el ojo le llora igual que la mano supuraba, porque le están inyectando líquidos sin parar. He aceptado la explicación, pero al volver a casa se me ha ocurrido que llevan desde el principio inyectándole líquidos y que nunca hasta ahora la habíamos visto llorar.

De alguna manera llego a mi apartamento del Bronx dando gracias a la providencia divina porque curiosamente ayer, en un arrebato de inspiración que podría interpretarse como profético, decidí traer mis cosas desde el apartamento del FMN al del rumano, cuando pensé que él podría entender como invasión de su intimidad el encontrar casi toda mi ropa en sus armarios. Por eso —y menos mal— dejé allí lo imprescindible (cepillo de dientes, secador de pelo, crema hidratante, tres mudas) y me llevé el resto, y por eso todavía llevo las llaves en el bolso, porque me olvidé de sacarlas de allí en vez de dejarlas en el apartamento del FMN como suelo hacer porque me parece idiota llevarlas siempre encima y correr el riesgo de perderlas si sé con seguridad que no voy a dormir allí. Asciendo los dos tramos de escaleras sobre mis ridículos zapatos de Jourdan y de pronto me siento muy mareada, unas náuseas vertiginosas me revuelven el estómago y unas palpitaciones de ritmo cada vez más intenso disparan el pulso de mi sangre; no sé ni cómo consigo llegar hasta la puerta del apartamento y arrastrarme hasta el cuarto de baño, apoyo la cabeza en las rodillas, escucho el timbre del teléfono que suena, a estas horas sólo puede ser él, el FMN, y me parece tan extraño, tan distante y absurdo que hace apenas diez minutos todo fuera amor y lujo y un carrusel de colores y luces brillantes, una especie de ruido histérico que se suponía era mi vida, y de pronto esté aquí, en silencio, sin más compañía que este retortijón agudo en las profundidades del estómago que, tal vez por eso mismo, antes de que me dé cuenta, brota desde allí y me hace vomitar una resaca que ha llegado antes de tiempo. ¿No debería llegar mañana? Pero mañana, antes de despertarme, ya tendría en la cama, en una bandeja de desayuno especial para este tipo de momentos (Philippe Starck, desde luego), una copa de champán, perdón, espumoso californiano, que el FMN me sirve cada mañana, así que nunca me llega la resaca porque nunca le doy ocasión a presentarse, nunca corto el suministro de alcohol el tiempo suficiente para que se manifieste la abstinencia, y de pronto caigo en la cuenta de que si ahora empiezo a vomitar y vienen los temblores y el dolor de cabeza me voy a tener que comer la tragedia yo solita, porque ahora no hay rumano que me traiga paracetamoles ni sopitas, porque ahora éste debe de estar en la casa de su novia, esa de la que nada conozco pero que seguro que no bebe ni se viste de puta de lujo. Podría llamar al FMN, sé que lleva el móvil en el bolsillo, probablemente esté esperando mi llamada. Pero no, un destello de cordura me acomete en medio de todo este delirio, no puedo llamarle. Recuerdo que tengo paracetamol en alguna parte, en esa habitación que prácticamente no he pisado desde que llegué, me arrastro como puedo por el pasillo entre temblores, revuelvo las maletas de arriba abajo... nada. Y entonces, milagro, encuentro en el neceser cuatro Valiums que había metido allí en Madrid para ayudarme a dormir en el avión pero que no utilicé porque pensé que si me quedaba dormida en semejante postura no habría quiropráctico capaz de deshacerme después la contractura. Los agarro como si de diamantes se tratasen y me dirijo al cuarto de baño donde me los trago, los cuatro, con un chorro de agua del grifo, sin vaso, y desde allí me arrastro al futón y me quedo dormida mientras escucho el timbre del teléfono que vuelve a sonar, distante como los ruidos de la calle.

Los ojos se me cerraron tan deprisa que ni tiempo me dio a darme cuenta de que me quedaba dormida, y luego todo se confunde en sucesión de vigilia y duermevela, me despertaba un instante y me sentía incapaz de levantarme del futón, tenía la boca pastosa y los miembros entumecidos y sabía que no me convenía quedarme así, que al menos debería desnudarme y ponerme un pijama, pero el cuerpo me pesaba como si hubiera comido piedras y no conseguía moverlo, así que me volvía a dormir, y al rato me despertaba y me resultaba extrañísimo encontrarme allí, con un letargo que me pesaba como escamas sobre los ojos, me preguntaba qué hora podría ser, volvía a dormirme, me despertaba un instante, el tiempo justo para escuchar el crujido orgánico de la madera del suelo y calcular, por el cambio en la calidad de la luz que entraba por la ventana, que ya no era por la mañana sino por la tarde, o que ya no era la tarde sino la noche, y hacerme una idea aproximada por no decir remota de las horas que llevaba durmiendo. Volvía a dormirme y en mi sueño aparecía el FMN y mi cuerpo sentía el calor del suyo y cuando estábamos a punto de unirnos me despertaba, y sentía todavía el hueco de su figura en la sábana, su olor en mi cabello o el calor de su último beso en la mejilla, y poco a poco el recuerdo de aquel sueño se disipaba disuelto en otro sueño en el que había vuelto a sumirme, viajando a toda velocidad por el tiempo y el espacio sobre una cama que se había convertido en alfombra mágica, abandonando el plano del lugar en el que me quedé dormida de forma que, cuando me despertaba más tarde, después de haber estado sumergida durante un tiempo indefinido en una nada viscosa de la que iba emergiendo despacio, ignoraba dónde me encontraba e incluso quién era. Apenas recordaba que había atravesado vastas regiones para regresar de la nada, pero notaba en el centro de mi conciencia la certidumbre de una tristeza, y esa tristeza me recordaba quién era, alguien triste, sola, y entonces mis vestidos, colgados de la barra como figuras exánimes, fantasmas de otro tiempo reciente que ya era lejano, un tiempo mejor que ya era peor, venían en mi ayuda para sacarme de la nada de la que no habría podido salir sin ayuda y recordarme que estaba en Nueva York, en un apartamento del Bronx, efectivamente sola, y de ahí me transportaban a distintos dormitorios, al de mi casa en Madrid, al del apartamento del FMN, al del piso de mis padres, al de Santa Pola, diferentes alcobas en las que había dormido, recordando el estampado de las colchas, la orientación de las ventanas, el color de las paredes, días lejanos que en aquel momento parecían recientes e incluso actuales, evocaciones enroscadas y confusas que se amalgamaban y tiraban de nuevo de mí hacia el subsuelo del sueño, nostalgias a las que cedía porque me encontraba demasiado cansada para resistirme, y una dulzura laxa se iba apoderando de mis huesos y ablandándolos, por más que yo supiera que no debía dejarme llevar, que no podía dormir durante días seguidos. Pero nada parecía aliviar aquel cansancio infinito, y las horas de sueño, en vez de repararme, sólo me daban más sueño.

Estuve durmiendo dos días y medio, hasta que el rumano, que sí se pasaba de cuando en cuando por el apartamento, o al menos con la suficiente asiduidad como para reparar en mi presencia y para advertir que yo no me movía de la cama, se preocupó y me obligó a levantarme. Me duché, por supuesto, y comí algo, pero lo único que me apetecía era volver a la cama. Pensé que probablemente estaba incubando una gripe, así que volví al futón y el ciclo de sueño se reanudó.

Estuve cinco días prácticamente sin levantarme. Mi compañero de piso se asustó y me obligó a bajar a la calle, pero no llegué ni al Deli de la esquina y el trayecto lo tuve que hacer apoyada en él, porque no encontraba fuerzas ni para caminar. Resultaba evidente que aquello no podía ser una incubación de gripe, pues la gripe habría tenido tiempo más que de sobra para manifestarse. Todo apuntaba a una mononucleosis o una hepatitis, o eso opinaba el rumano, que no era médico pero sí biólogo, así que un mínimo de entendimiento sobre el tema se le suponía. Fuera lo que fuera había que llamar al médico inmediatamente, pero en su lugar a quien llamamos fue a Sonia. Sonia llamó a su vez al *Doctor Referral's Number* del Lennox Hill Hospital, en donde informaban de los especialistas más cercanos al domicilio de quien llamara. Le dieron tres números, a los tres números llamó y explicó lo que pasaba con su amiga y en los tres le vinieron a decir lo mismo, que la consulta eran cuatrocientos dólares pero que, seguramente, dado lo que estaba contando, habría que hacer análisis y pruebas, y que la cosa se pondría en seiscientos.

—¡Seiscientos dólares! ¡Tú estás loca! ¿Cómo voy a pagar yo seiscientos dólares? Pero si eso es lo que ha costado el billete de avión... Tiene que haber un médico más barato.

—Estás en Nueva York, bonita, no hay un médico más barato.

—Eso es imposible. Tiene que haber servicios sociales o algo. ¿Quieres decir que cada vez que tú te coges una gripe o unos hongos te gastas seiscientos dólares?

—Aquí, si yo tengo una gripe o unos hongos no voy al médico; me voy a la farmacia y me compro un bote de antibióticos, y si tengo algo más serio pago lo que haya que pagar porque me saqué en España un seguro médico internacional que luego me reembolsa lo que haya gastado.

—¿Y por qué no tienes un seguro aquí?

—Porque aquí sólo tienen seguro los millonarios.

—Pero hay seguridad social, ¿no?

—No. Hay seguro médico si trabajas para una empresa y la empresa lo costea, porque cuando yo trabajaba para la Black Star sí tenía uno, pero si trabajas *freelance*, como es mi caso ahora, pues no. Y ya casi todo el mundo trabaja como autónomo porque prácticamente ninguna empresa hace contratos.

—Y entonces, si una persona normal, un camarero pongamos por caso, se encuentra con un problema médico serio, ¿qué hace?

—Pues cruza los dedos para no encontrárselo, porque si tienes un accidente te endeudas hasta las cejas. O si no se busca la vida, o no vive en Nueva York. A mí qué me cuentas. Oye, que si quieres una reforma del sistema sanitario americano llamas a Hillary Clinton, a mí no me líes.

Yo insistía en que era imposible que todos los médicos fueran tan caros y que tenía que haber algún otro sistema, pero el rumano me confirmó que la cosa era así, que cuando su compañero de piso, el gogó cuya habitación yo ocupaba, pilló la hepatitis, estuvieron buscando por todos lados la manera de encontrar un médico más barato y que al final acudieron a un servicio para gays y lesbianas en Chelsea, que era más barato pero no tanto y que en realidad se ocupaba más de enfermos de sida que de otra cosa. También podíamos intentar que me aceptaran en urgencias, pero en urgencias sólo te admitían si te habían pegado un tiro o te habías roto una pierna, no porque te encontraras cansada y adormilada, y además me lo cobrarían igualmente.

—Aunque cobrarlo, tanto como cobrarlo... —dijo el rumano—, te vas sin pagar y punto. Que te busquen luego para cobrarte la factura.

—Ya, pero te repito que no puedes presentarte en urgencias sólo porque estés fatigada —me apuntó Sonia.

—¿Cómo que no? ¡Si tiene hepatitis!

—¡Qué va a tener hepatitis! ¡Si tuviera hepatitis estaría amarilla!

—Pues yo no tengo seiscientos dólares. O sea, los tengo, pero entonces me quedo en bragas —dije yo—, además, es que no me lo creo, no me puedo creer que sea tan caro.

—Mira guapa, cada uno de esos modelitos horteras que tienes ahí —se refería a los mini vestidos de Versace que colgaban de la barra bien visibles puesto que, como ya he dicho, en aquella habitación no había armarios— ya vale mil dólares, así que algo tendrás.

Y entonces caí en la cuenta de algo que me había dicho el rumano y a lo que hasta entonces no había prestado más atención: que en el contestador había acumulados diez mensajes del FMN en tonos que iban desde la amabilidad hasta la amenaza pasando por la simple exasperación.

18 de noviembre.

Muy a mi pesar, he tenido que volver a la famosa tienda de ropa infantil de la calle Carretas porque hace un frío pelón y tú no tienes guantes. Así que entro con tu carrito por delante y pregunto si tienen manoplas para bebés.

—Sí, claro —la dependienta mira al ocupante del carrito, un bebé cuyo mono a rayas verdes y amarillas poco revela de su género—. ¿Es niño o niña? Niño, ¿verdad?

—Niña.

La dependienta se dirige inmediatamente a una estantería repleta de prendas rosas y me tiende unas minimanoplas. Rosas.

—¿No tenéis de otro color?

—Sólo azules.

—Vale, pues me las llevo azules.

—Ah, que no son para tu niña... ¿Es un regalo?

—No, son manoplas para mi hija, y las quiero azules —aclaro contundentemente pero haciendo acopio de paciencia, aunque no sé por qué me rebajo a proporcionarle ninguna aclaración a la señora.

Salgo de la tienda indignadísima porque unas manoplas de apenas diez centímetros de largo me han costado cinco euros. Las podía haber hecho yo, con estas manitas y mis abalorios, en diez minutos y no creo que la lana hubiera llegado al euro. De hecho, estoy pensando seriamente en hacerte unas manoplas verdes. Y otras amarillas, y naranjas, y moradas...

Recuerdo un estudio muy difundido de alguna universidad norteamericana sobre indumentaria, género y roles. A un mismo bebé se le había vestido primero de niño y luego de niña. Del color de su ropa dependía el diferente trato de las personas que lo visitaban. Los adultos que se acercaban a la «niña» se mostraban más cariñosos, pero cuando lo hacían al «niño» eran más reacios al contacto físico y le hablaban con voces más profundas y fuertes.

En el hospital me he encontrado con la tía Eugenia, que ha venido a visitar a mi madre. La tía Eugenia en realidad no es mi tía, de hecho no nos une ningún vínculo de sangre, pero es una de las amigas más antiguas de mi madre, y también de las más íntimas. Tan íntimas que habían desarrollado una especie de código privado para entenderse entre ellas en presencia de terceros. Por ejemplo, si iban a una reunión en la que alguien llevaba un traje espantoso, la una le decía a la otra: «¿Has visto el vestido de Maruchi, qué bonito?» Y la otra respondía: «Sí, tan bonito como Fátima.» Y es que años atrás hicieron un viaje a Portugal del que volvieron algo magulladas (ya te he dicho antes que tuvieron un accidente en el camino de vuelta) y afirmando tajantemente que la basílica de la Virgen de Fátima era el edificio más feo que habían visto en su vida, lo cual no le impidió a mi madre traerse un muestrario de medallitas y escapularios varios y unas cuantas botellas de agua bendita, porque el sitio podía ser feo, pero eso no tenía por qué quitarle lo milagrero.

Mi madre estuvo siempre muy orgullosa de su amiga porque era una de las pocas mujeres de su generación que había hecho una carrera, Farmacia, pues por entonces la tónica general se ajustaba a lo que había dicho el obispo de Orihuela de que «la educación de las mujeres es un lujo innecesario», y a la menor ocasión proclamaba que Eugenia era la mujer más inteligente que conocía.

La tía Eugenia se ha empeñado en volver conmigo en el metro porque no pasó el último test de renovación del carnet de conducir: casi no ve. A veces me resulta un poco fatigosa la señora porque habla y habla sin parar, en un tono exageradamente pausado, como si tuviera que tomar aliento entre una palabra y otra, pero esta vez he hecho el mayor de los esfuerzos para resultar agradable y solícita, supongo que porque he sentido complejo de culpa al darme cuenta de que a mi madre últimamente tampoco le prestaba mucha atención. Me debato entre la compasión y el hastío, porque sé que Eugenia vive muy sola y probablemente no tenga muchas ocasiones de hablar con alguien. Su única hija, una moderna que se las da de artista conceptual, vive en Berlín, creo, y por eso la tía aprovecha para largarme uno de sus monólogos inacabables. Me cuenta que hace poco se hizo una revisión y que el médico le dijo que tenía que hacerse una serie de pruebas y le iba firmando volantes para cada una de ellas. Pero cuando le preguntó por su edad y ella le respondió que ochenta, el médico rompió todos los volantes y le dijo que se olvidase de las pruebas.

—Debió de pensar: «Esta vieja se me muere pasado mañana de todas formas, así que para qué nos vamos a gastar el dinero en pruebas.» Y entonces yo me levanté toda seria en su consulta y le dije: *«Ave Caesar, morituri te salutant.»* Supondría que era una vieja chocha, porque se me quedó mirando de hito en hito, como si no entendiera la broma.

—Igual lo que no entendía era latín, tía.

19 de noviembre.

Ya tienes dos meses. Ya me sigues con la mirada cuando te hablo, y sonríes cuando se te dicen cosas. Alzas la cabeza y la mantienes en alto durante unos épicos segundos cuando te colocamos boca abajo, pero no puedes sostenerla muy bien cuando te siento, y te empeñas en heroicos esfuerzos por mantenerte erguida, tanto que, cuando no lo consigues, te enfadas y berreas. Ya has aprendido a agarrar objetos: cuando te damos un minianimalito de peluche lo ases con una avaricia digna de Lady Macbeth y te lo llevas a la boca de inmediato: ¡mío! Si te emocionas mucho, pedaleas. También ríes y sonríes. A cualquiera, no sólo a tus papás, como antes. Y has desarrollado un repertorio de expresiones faciales digno de la Duse: me enfado, me sorprendo, me inquieto, me pregunto, me canso, me emociono, me aburro, me entristezco... Cuando te cambio, me dedicas unos piropos increíbles. Te ríes sin parar y me hablas en una entusiasta mezcla de gemiditos y gorjeos para contarme que te alegras mucho de haberte despertado, que te parece estupendo que te cambien el pañal y que, en resumen, estás encantada de haberte conocido.

Como contrapartida, también eres mucho más exigente que antes. No, ya no vale dejarte en el cuco así como así, porque no te gusta que te dejen sola y lo haces notar a gritos. Te enfadas muchísimo cuando no se te hace caso y reclamas atención constante. Además, ya apenas duermes de día. En estos momentos escribo porque he logrado engañarte con un móvil de animalitos, pero no sé cuánto va a durar la calma.

Me he acordado de lo que dijo aquel médico cuando habló de la resignación que nos falta en la sociedad occidental. El profesor que me envió al grupo de terapia me dijo que una de las claves de la felicidad estriba en la resistencia a la frustración, y creo que esta sociedad no sólo no nos enseña nada de esto, sino que nos condena a la frustración misma. Como te pases un rato viendo la tele u hojeando una revista de moda acabas con una depresión del quince, convencida de que nunca vas a ser lo bastante delgada, lo bastante estilosa, lo bastante rica. Lo bastante nada. Por ejemplo, el cómic de la revista para la que trabajo dice textualmente:

«Ya tenemos encima la Navidad. Bastante deprimente es la España que nos rodea como para no permitirnos soñar un poquito. Así que imagínate que:

»1) En primer lugar, adelgazas cuatro kilos gracias a tu super-dieta navideña.

»2) El fin de semana previo a la Navidad vas y ligas con un chico que lo tiene todo: guapísimo, riquísimo y conectadísimo.

»3) Tu chico te pide que te vayas a París con él.

»4) Allí os invitan a la superfiestaza de Karl Lagerfeld.

»5) Mario Testino te hace una foto.

»6) Tom Ford te pide que seas su musa. Y tu chico te pide en matrimonio. Y todo eso porque llevas un fabuloso Valentino.»

Y así se resumen, por lo visto, los sueños de las lectoras. Lectoras que pueden aspirar, como mucho, a conocer a un chico (y punto, bastante sería, porque los solteros no abundan... o sí abundan, pero los de la rama *politoxicómano-psicopática*), a que les inviten a una fiesta no demasiado petarda y a que les quepa la *petite robe noire* de Zara después del atracón que se van a pegar en Nochebuena para compensar el estrés de las compras navideñas.

O peor: yo, que me voy a pasar la Navidad en un hospital si no la paso de velatorio. Y los millones de niños que no van a tener ningún tipo de fiesta.

Por cierto: ¿quién coño es Mario Testino?

Pero hablaba de la resistencia a la frustración porque esta mañana he salido a pasearte en el carrito y me he encontrado con una vecina a la que ni siquiera conocía. No me extraña que la gente se enganche al «Gran Hermano»: si vivimos en semejante sociedad alienada como para llevar tres años viviendo en un edificio y no haber visto nunca siquiera a la vecina del sexto, ¿cómo no nos vamos a enganchar a una comunidad virtual que promete un sucedáneo de intimidad y comadreo? En fin, la señora, que hasta hoy había ignorado mi existencia y ni me había dirigido la palabra cuando nos habíamos cruzado por la calle (yo ya me había fijado en ella, pues me llamaba la atención el abrigo de piel, un poco ajado pero no sintético, visón auténtico, algo que casi nunca se ve en este barrio), hasta el punto de que ni siquiera sabía que vivía en mi edificio (ella sí, sí lo sabía, se sabe mi vida y milagros, según he deducido de la conversación), y se ha embobado mirándote. Tu presencia me legitima: ya no soy la chica de vida dudosa y mala fama mediática, ahora me he convertido en toda una madre de familia, lo que me supone el honor de tener acceso a su conversación. Y me cuenta que tiene dos hijas, y que las dos han nacido por fecundación *in vitro*. La primera después de siete, ¡siete! intentos fallidos, a 4 200 euros cada uno, que son ¡29 400 euros!, o sea, cinco millones de pesetas de las de entonces. La segunda llegó después de tres. Pero añádele a este dinero los muchos costes varios de clínicas y médicos y análisis y pruebas y no te costará deducir que los felices padres se han endeudado hasta las cejas. Por las niñas, nada de vacaciones, coche de segunda mano, adiós salidas a cenar... Se han empeñado en unos créditos «que terminarán de pagar mis hijas», me dijo.

—¿Y por qué no adoptaste? —le pregunté yo (se me quedó en la punta de la lengua la frase que ya me borboteaba entre los labios: empeñar el visón).

—No, nada de eso, no es lo mismo. Yo quería sangre de mi sangre, tú ya me entiendes.

Pues no, no lo entiendo. Incluso me dan pena esas niñas que ya nacen endeudadas por su propio nacimiento, como una reinterpretación moderna del Pecado Original. Esas niñas que no se podrán permitir ser rebeldes, o vagas, o simplemente tontas porque sus padres han invertido tanto en ellas como para que no vayan a aceptar tan alegremente que les decepcionen. No sé por qué, pero imagino a dos veinteañeras neuróticas que ni siquiera podrán tener el consuelo de ir al psiquiatra porque bastante gasto tendrán con los plazos de universidad y los pagos del crédito que permitió que nacieran. Y me acuerdo de aquella frase típica de las disputas que viví en su día entre madre e hija adolescente, la respuesta a aquello que me solía decir la misma mujer que ahora duerme enganchada a tubos y máquinas en una cama de hospital, aquello que decía de *me debes un respeto porque te traje al mundo*: yo nunca te pedí nacer.

Pues bien, esas niñas nunca pidieron nacer. Tú tampoco. Pero me parece que a ti te va a tocar pagar menos por el dudoso privilegio de haber llegado a esta tierra sin sentido.

Pienso en la tía Reme, que nunca tuvo hijos. Mi madre aseguraba que había sufrido mucho por eso. Y si sufrió, nunca lo exteriorizó. Ni una sola palabra al respecto, ni una sola queja o reproche a su marido. Desde luego, se notaba que los niños le gustaban porque siempre fue cariñosísima con nosotros y nos colmaba de besos y regalos. Recuerdo cuando, hace unos años, cruzamos a la perra de mi madre, una teckel de pelo largo, greñuda como una fregona, a la que llamábamos *Puxa* —pulga—, aunque en realidad se llamaba *Sandra von Lehrschen Forst* y no sé cuántos apellidos más, pues vino con unos papeles que así lo atestiguaban y que decían que era hija de campeones. Esta perra había sido el costoso regalo de Navidad para los niños que yo cuidaba por entonces, y los padres se gastaron una auténtica pasta en el regalito. Pero en cuanto la madre cayó en la cuenta de que el monísimo cachorro se hacía pis en las alfombras persas y mordisqueaba los cojines de los sofás de cuero del saloncito ideal, me ofreció quedármelo, digna y encastillada en su orgullosa antipatía, como si me estuviera haciendo el favor de su vida, una oferta hecha en el mismo tono de aburrido menosprecio que siempre usaba para dirigirse a mí, esa chiquilla vulgar que formaba parte del servicio. Y no acepté el perro porque fuera caro, me lo llevé porque me daba mucha pena y con la idea de buscarle una casa. Al final no hubo ni que buscarla, porque mi madre se encariñó inmediatamente con la cachorrita y se la quedó. Y con el tiempo la perra nos salió bien cara porque, como suele suceder en estos casos, para conseguir su pedigrí de generaciones el criador había cruzado a padres con hijos y a hijos con hermanos, y el resultado había sido un animal muy cariñoso, pero más delicado que un Borbón y que estaba siempre enfermo. Cuando por estricta recomendación veterinaria, para evitar un posible cáncer de mama, cruzamos a la perra, fue con otro hijo de campeón, un novio de buenísima familia que le buscó el de la clínica. Yo habría querido un pretendiente más golfo, sin tanto apellido, para que nos salieran unos cachorros fuertes, pero mi madre dijo que los cachorros nobles eran más fáciles de colocar y que ella no quería verse, de la noche a la mañana, con cinco perritos a los que nadie quisiera. Así que nos vimos con cuatro chuchos *von no sé cuantos* por los que nos ofrecían varios billetes de los azules. Cuando quisimos regalarle uno a la tía Reme nos dijo que no quería un cachorro, porque de lo contrario en el barrio iban a murmurar, dirían que se había buscado un perrito faldero sólo porque no podía tener hijos. Fue la única vez que le oí mencionar el tema. Y una de las muy pocas en toda su vida en la que detecté en su voz un poso de amargura.

Quizá por eso bebiese tanto en las cenas familiares.

Cuando la teckel tenía catorce años las cataratas le velaron los ojos con una telilla transparente. Ya casi no veía y se iba dando golpes con todos los muebles de la casa. Además, se hacía pis por las esquinas, como un cachorro. El veterinario nos sugirió sacrificarla, pero dijimos que no. Poco más tarde empezó a vomitar todo lo que comía y se pasaba el día tumbada en su cestita, gimiendo bajito, así que volvimos a llevarla al veterinario, que esta vez nos vino a decir que la perra tenía el hígado hecho migas y que no iba a sobrevivir, que en nuestra mano estaba evitar que sufriera y proporcionarle una muerte dulce. Así que le pusieron una inyección y ése fue su fin.

Y no sé por qué me acuerdo de aquella historia precisamente ahora, porque se me vienen las lágrimas a los ojos, y creo que no exactamente por la perra.

La misma resignación nos falta para aceptar la muerte. Esta tarde, en la UVI, había dos señoras venga a llorar. No me sonaban ni de lejos, estoy casi segura de que no las había visto antes. Estaban dando todo un espectáculo bastante incómodo, sobre todo para los que nos venimos esforzando en contener las lágrimas por no desanimar más aún a los que tenemos alrededor. Un señor que iba con ellas ha comenzado a amenazar a uno de los ATS con el puño, a gritos, y no me he enterado muy bien de lo que decía. Al final al señor se lo han llevado entre dos celadores y un guardia de seguridad. Después Caridad me ha explicado que a la madre del señor le habían ingresado de urgencia con unos dolores agudos en el estómago, algo que no parecía nada grave pero que ha resultado ser una peritonitis muy avanzada. Le habían hecho una intervención de urgencia, pero sufrió un *shock* séptico y la mujer no sobrevivió al postoperatorio. El hijo prefería culpar a los médicos que al destino, o a la madre naturaleza, o a la misma paciente o a su familia, a los que no se les había ocurrido visitar al médico antes, cuando la cosa aún se hubiera podido solucionar.

De la misma forma que no vemos gordas en las revistas de moda ni en los programas de televisión, tampoco vemos la muerte a nuestro alrededor. Ya nadie o casi nadie lleva luto y nunca se habla de los familiares muertos, como si no existieran. Sólo cuando cuentas que tu madre está en el hospital descubres que a la mayoría de tus amigos les falta un padre, o una madre o un hermano, una ausencia que hasta ahora nunca habían mencionado. Me recuerda un poco a lo que pasaba en el *Mundo Feliz* de Aldous Huxley, cuando de vez en cuando alguien vislumbraba el perfil o el humo de los crematorios pero no acertaba a recordar para qué servían aquellos edificios.

20 de noviembre.

Sigue igual. Abre un pelín los ojos si se le grita al oído y de vez en cuando ladea la cabeza ligeramente o mueve la boca. Eso no quiere decir que nos entienda o que sepa que estamos ahí: puede tratarse de simples actos reflejos. Aunque Caridad intentó animarme y me dijo que estaba segura de que entendía, porque por la mañana le había preguntado si le dolía mucho y ella movió la cabeza para decir que no. Me gustaría creer a Caridad, pero a nosotros no nos ha hecho ningún gesto revelador. Sé que sabe que estamos ahí, pero su percepción podría ser tan limitada como la tuya, que sabes quiénes somos y entiendes nuestro tono, pero no comprendes nada de lo que te estamos contando.

Resulta curioso cómo la vejez acerca a los humanos al estado de bebé. Porque ahora ella es como tú: incapaz de moverse o incluso de sobrevivir sola. Y, sin darnos cuenta, sin querer, sin pensarlo, todos le hablamos como a un bebé, empleando un tono agudo al dirigirnos a ella y moviendo exageradamente la boca.

Me ha sorprendido ver que alguien ha colgado en la cabecera de su cama una estampita de la Virgen de la Asunción. Le he preguntado a Caridad quién la ha puesto ahí y me ha contestado que no está segura, pero que juraría que mi padre, lo que me ha sorprendido todavía más, porque de toda la vida siempre fue muy escéptico con respecto a lo que consideraba supercherías.

Mi madre sufría una cardiopatía congénita que los profesionales no supieron diagnosticarle hasta los veintitantos años. Cuando ella era pequeña, en Alicante, el médico aseguró que sufría fiebres reumáticas. Le costaba muchísimo hacer esfuerzos, se ahogaba si tenía que ascender por un tramo de escalones, no podía cargar con las bolsas si iba a la compra y siempre estaba sufriendo de palpitaciones. Sus manos, desde que yo las recuerdo, llamaban mucho la atención porque eran blancas como la cera, exangües, consumidas, de dedos largos y frágiles como pequeñas cañas de bambú y surcadas, desde las muñecas a los nudillos, de finos ramales verdiazules. Cuando tenía una crisis de palpitaciones los labios se le ponían de color violeta y parecía una resucitada. Por eso había adquirido el hábito de llevarlos siempre pintados y de no salir a ninguna parte sin un pintalabios y un espejito de bolsillo. Este aspecto lánguido y enfermizo no mermaba su belleza, más bien al contrario: de la enfermedad le venía la extrema delgadez y el aire elegante y delicado.

En cualquier caso, le dijeron que no podía tener hijos porque dada su condición un embarazo suponía un riesgo mortal tanto para la madre como para el hijo. Pero ella, siguiendo la tradición, se encomendó en las fiestas de Elche a la Virgen de la Asunción, que dicen que asegura la descendencia, y acabó teniendo tres niñas y un niño, nada menos, y todo, según aseguraba, gracias a la intercesión de la Santísima Virgen, a la que había rezado devotamente implorando protección. Cada quince de agosto se iba a Santa María a la misa de ocho —porque en esa fecha la basílica está a rebosar, y la única misa que no está hasta los topes de fieles es la primera— y le ofrecía a la Virgen un rosario, con el pañuelo bien sujeto en la cabeza, un traje con las mangas por debajo del codo y la falda por debajo de la rodilla y hasta ¡medias!, haciendo como hace en Elche en agosto un sol de castigo, porque entonces los curas exigían que las mujeres entrasen en el templo bien tapadas para «no despertar la lascivia masculina» y le decían a los hombres que les hacían responsables de que sus mujeres y sus hijas fueran decentemente vestidas (porque correspondía al varón, según no sólo la Iglesia sino el Código Penal, corregir a «su» mujer), y también se obligaba a que unos y otros entrasen y saliesen al templo por diferentes puertas, para evitar la fatídica tentación. El caso es que uno de sus médicos me dijo una vez que no nos tomáramos la devoción de mi madre en broma, que hubiera intercedido o no la Virgen, él estaba convencido de que no había mejor medicina que la fe, y que si un enfermo confiaba a ciegas en su curación ya llevaba el médico la mayor parte del camino ganado. Seguro que si su abuelo, mi bisabuelo, hubiera levantado la cabeza la habría vuelto a agachar, avergonzado, por más que lo de mi madre fuera más superstición que otra cosa, porque el resto del año no se comportaba como católica practicante estricta, sino que aparecía por la iglesia cuando quería y podía, no cada domingo como el catecismo exigía.

A la primera niña la llamó, como era menester, Asunción. Cuando se quedó embarazada de mí (cuarta gestación) el peligro se disparó, dado que a la cardiopatía se sumaba la edad de mi madre, dos factores de riesgo combinados. Se pasó todo mi embarazo en la cama, rezando entre susurros y manoseando una estampita de la Virgen. Y es por eso que yo me llamo Eva Asunción (agárrate), aunque no sea normal que dos hermanas compartan el mismo nombre. Y cuando escribo esto me doy cuenta de que ninguno de mis dos nombres es sólo mío, que desde la misma cuna mi identidad descansaba en un préstamo.

Seguro que en Madrid debe de haber más de una y de dos iglesias dedicadas a la Virgen de la Asunción. Me estoy pensando si localizarlas e ir a hacer un rosario, pero yo no tengo fe. Ni tampoco la más remota idea de cómo se reza un rosario.

Le he preguntado a Caridad por qué no se desespera con un trabajo como éste, si no le entran ganas de tirar la toalla a veces. Dice que no, que para ella es muy satisfactorio. Por lo visto al principio trabajaba en la UVI de neonatos y allí sí que no se vio capaz. Tuvo que pedir el traslado porque cada vez que un bebé no sobrevivía ella se pasaba días llorando.

—Pero es muy distinto tratar con adultos. Si alguno fallece lo sientes, por supuesto, pero es más fácil de aceptar. Te dices lo que suelen decir las abuelas, que le ha llegado la hora. Pero es difícil de entender que le llegue la hora a un bebé, porque su vida se cuenta precisamente en horas y a veces no llegan ni al día. Además, aquí sobreviven más de los que fallecen, y cada uno de los que sobrevive me lo tomo como un triunfo personal. Es un trabajo bonito, de verdad, aunque no lo parezca. Claro que tiene sus días malos, pero cuando se muere alguien que lo lleva escrito desde que lo ingresan entonces lo asumes desde el principio. Sin embargo el otro día, por ejemplo, me enteré de que se había muerto un señor que había estado aquí dos meses y que nos había costado muchísimo sacar adelante. Pues se murió en planta de la manera más tonta, se ahogó con un moco, ya ves. Y como en planta van tan cortos de personal, no había ningún enfermero alrededor que se diera cuenta a tiempo. Mira, esa muerte fue de las que me dolió.

Me da vergüenza reconocer que, por mí, hubiera caído tan bajo como para llamar al FMN sólo porque no tenía manera de pagarme un médico, es decir, que habría renunciado con la mayor tranquilidad a todo lo que se entiende por principios, orgullo y dignidad. Me habría encantado escribirte que me comí aquella hepatitis —que luego resultó no serlo— yo sola, consumida en el futón de aquel apartamento en el Bronx, que habría preferido morirme a volver a llamar a aquel miserable que se había atrevido a abofetearme en pleno Mercado de la Carne (y nunca mejor dicho), pero no me queda más remedio que ser fiel a la verdad y confesar que si no le llamé hecha un mar de lágrimas explicándole que no había respondido a sus llamadas porque estaba enferma y que no sabía lo que me pasaba y casi no me podía mover, fue porque a Sonia se le ocurrió llamar a Tania, y resulta que Tania sí que tenía seguro médico por cuenta de la universidad para la que trabajaba, y que bastaba con que yo me presentara en el médico y diera el nombre de Tania, su número de la Seguridad Social y el número del departamento de Stony Brook para que su seguro cubriera la visita médica, porque Tania aseguraría que yo era ella, o que ella era yo, o sea, que la visita la había hecho Tania Fernández. Y además, ya puestos, se empeñó en que me fuera al Monte Sinaí, o sea, al hospital más pijo de Nueva York, que casualmente estaba al lado de la casa de Sonia, donde trabajaba una doctora muy amiga suya (lesbiana, por supuesto), una WASP de lo más *uptight* neoyorquino que hablaba con un extraño acento británico porque había estudiado en Bristol, según me explicó, que sabía perfectamente lo de la suplantación de identidades, que fue amabilísima conmigo y que se encargó de que me trataran como a una reina y me hicieran todo tipo de pruebas y análisis de sangre, de orina y hasta de saliva, lo juro.

Me tuvieron esperando tranquilamente acomodada en una cama de una habitación de lo más agradable (habitación que casi no disfruté porque me pasé el rato dormida) hasta que trajeron los resultados de las pruebas, y entonces me recibió la encantadora médica (que trataba también, según me enteré más tarde, a toda la plana de músicos de NY y que estaba especializada en endocrinología y nutrición), que interpretó conmigo los resultados.

—Por los resultados obtenidos en las pruebas te puedo afirmar categóricamente que no tienes hepatitis ni mononucleosis. Normalmente no obtendríamos resultados de mono con tanta rapidez, pero en este hospital contamos con nuestro propio laboratorio y, dada la importancia del caso... —(En realidad yo no creía que el caso tuviera tanta importancia como para apremiar al laboratorio, pero me abstuve de manifestarlo)—. Tampoco estás embarazada. Ya sé que no habías contemplado esa posibilidad —añadió, supongo que al advertir mi cara de pasmo— pero, como profesionales, debíamos descartarla. Aparece una ligera anemia que podría justificar cierto cansancio, pero difícilmente se podría afirmar que una persona no pueda siquiera levantarse de la cama por culpa de una leve deficiencia de hierro. En fin, podemos hacer más análisis, por supuesto, pero primero me gustaría hacerte unas cuantas preguntas, si no tienes inconveniente.

—No, ninguno.

—¿Has sufrido algún *shock* emocional o algún acontecimiento traumático recientemente?

Dudé antes de responder. ¿Que un negro de metro noventa te abofetee en plena calle puede considerarse *shock* emocional o acontecimiento traumático?

—No, ninguno.

—¿Consumes drogas?

—No —mentía—. Sí... pero muy esporádicamente.

—¿Qué tipo de drogas?

—¿Se refiere a las legales o a las ilegales? Bueno, no fumo. Sí tomo café, bebo alcohol y de vez en cuando me meto alguna que otra raya.

—Cuando dices que bebes alcohol, ¿de qué cantidades estamos hablando? ¿Bebes a diario, por ejemplo?

—No siempre, aunque últimamente la verdad es que he estado bebiendo mucho...

—Pero estos días en los que dices haberte sentido tan cansada, en los que apenas podías levantarte de la cama, no has bebido ¿verdad?

—Exacto.

—Ya... ¿Y recuerdas la última vez que bebiste?

—Pues sí. Hace cinco..., no, seis... no, siete noches. Salí y bebí bastante. Después me fui a mi apartamento a dormir y desde entonces prácticamente no he podido levantarme.

—Ya... Todo concuerda.

—¿Concuerda?

—Verás, lo cierto es que no podría afirmarlo con rotundidad, pero si has llevado un ritmo de ingesta de alcohol diario y constante durante un tiempo prolongado lo lógico es que al interrumpir este ritmo el organismo presente un síndrome de abstinencia. Esos síndromes se pueden manifestar de maneras muy distintas según cada individuo, y este cansancio extremo, esa especie de gripe que crees tener, pudiera tener relación con la abstinencia. Ya te digo que esto es sólo una hipótesis, pero vistos los resultados de los análisis y lo que tú misma me has explicado, me parece la explicación más plausible. Pero, evidentemente, yo no conozco tu caso, ni tus circunstancias, y por lo tanto no me puedo aventurar.

—Vale, supongamos que yo admito que sí que he estado bebiendo mucho, muchísimo. Entonces, según usted, ¿qué debería hacer?

—Quizá lo mejor es que volvieses a casa y procurases alimentarte bien y hacer un poco de ejercicio suave. Caminar, ya sabes, esas cosas. Si sigues encontrándote tan cansada en quince días deberíamos hacerte nuevas pruebas. Y si vuelves a beber, entonces eres tú quien debe decidir.

—¿Decidir qué?

—Decidir consultar tu problema con un especialista. Yo no trato adicciones.

A punto estuve de decirle que lo mío no se trataba de una adicción, que yo no era ninguna alcohólica, pero preferí callarme y me despedí con la mejor de mis sonrisas.

—Y bien, ¿qué te ha dicho? —me preguntaron a la vez Sonia y Tania, que me estaban esperando en la sala de espera.

No sabía qué decirles, porque desde luego no podía contarle que aquella doctora estupenda poco menos que me había llamado alcohólica.

—Anemia —respondí, con la sensación de que no mentía puesto que de alguna forma sí era cierto que estaba anémica, o eso me había dicho—. Y... también ha dicho que tiene que ver con lo mucho que bebo.

—¿Y cómo sabe ella lo que tú bebes? —dijo Sonia—. Oye —ahora se dirigía a Tania—, ¿tú le has dicho algo a esta mujer de con quién salía Eva?

—¿Yooo? ¿Yo qué le iba a decir?

—Eso, ¿qué le iba a decir? ¿Y cómo va a saber Tania con quién salgo?

—Pues porque se lo he dicho yo, claro. Como comprenderás, si una amiga mía sale con un famoso, no vas a esperar que me lo calle.

—Ya no salgo con él. Y además no sé por qué tendría que saberlo la doctora, y si lo supiese, qué tendría que ver eso con mis problemas médicos.

—Pues porque si supiese que sales con un alcohólico, puede suponer que tú también lo eres.

—¿Y qué te hace pensar a ti que el FMN es alcohólico?

—Joder, Eva... ¡Porque lo sabe todo el mundo! Ha estado internado ni se sabe la de veces en el Presbyterian Center, ha salido en la prensa y todo, aunque creo que su problema era con la coca, ¿no? —Esto último se lo preguntaba a Tania.

—No estoy segura, pero creo que sí, o eso vi en la tele —añadió Sonia— en uno de esos programas de la MTV que no sé cómo se llaman, esos que hablan de la vida del famosillo de turno y salen sus parientes y conocidos y toda la plana mayor poniéndolo a caldo —añadió Tania.

—Acabáramos.

Y entonces se me desvelaron algunos interrogantes que habían flotado sobre la figura de mi amado durante el corto tiempo que duró nuestra breve pero intensa, por así decirlo, relación. Cuando nos conocimos parecía que nos encontrásemos en algún paraíso vacacional que supusiera un paréntesis de nuestras respectivas vidas, como dos quinceañeros que comparten un amor de verano en la playa y se encuentran de pronto solos, sin amigos, sin relaciones, incapaces de gestionar tantas horas como se presentan por delante de ocio absoluto, sin compromisos, con un montón de tiempo para gastarlo y una necesidad apremiante de encontrar un compañero con quien hacerlo, dos adolescentes que se embarcan en un blando calendario de planes que se improvisan a última hora. Y ya te he dicho que en mi caso se entendía así, puesto que efectivamente estaba de vacaciones y prácticamente no conocía a nadie, pero que en el suyo yo no acertaba a explicarme a qué respondía ese aire de viajero en permanente tránsito. De pronto lo entendía todo, las piezas encajaban, cinco años de gira bebiendo y esnifando cada día, supongo, y finalmente el obligado paso por una cura de desintoxicación y luego el vacío de tener que empezar una nueva vida sin coca y el intento de llenar ese vacío a base de priva acompañado por otra desocupada como yo. Sí, todo cuadraba. O no, vete tú a saber. Apenas habíamos pasado juntos un mes, veintitantos días, ¿qué sabía yo de él o de su vida?

Nada. Desde luego que con los discos que había vendido contaba con dinero suficiente como para pasarse el resto de sus días sin dar golpe, así que ¿por qué habría de darlo? ¿Y qué si quería tomarse una temporada saliendo cada noche? ¿Acaso no había pasado yo por temporadas parecidas en mi vida? Sí, claro, pero entonces tenía yo veinte años, no cuarenta y tantos, como el FMN. No, no tenía ni idea de con quién había pasado aquellos días y aquellas noches, y si por alguien había estado trastornada, obnubilada, traspasada, y demás adjetivos acabados en -ada que se te puedan venir a la mente, ese alguien había existido sobre todo en mi cabeza, y ahora que sentía que esa ilusión comenzaba a disolverse me embargaba una difusa pena al entender que debía abandonar ciertos placeres simbólicos a los que había concedido el mismo valor que los demás le concedían, porque desde fuera podía parecer maravilloso el hecho de que los porteros de los *clubs* de moda te saludasen con una respetuosa inclinación de cabeza, o el disponer de una casa con vistas al mar y al jardín, y piscina y litografías de Taaffe en las paredes desnudas, y me encontraba de pronto con que el debilitamiento de la ilusión se correspondía simultáneamente al deseo de seguir alimentándola, de permanecer en aquella etapa tan particular de mi vida de la que ya estaba saliendo. Sin embargo, con todo, no era tan tonta como para no darme cuenta de que por mucho *club* de moda, casita en New Jersey, apartamento en Tribeca y *brunch* diario en Gotham que el futuro pudiera depararme, nada justificaba que me embarcase con un desconocido en un carrusel etílico inevitablemente condenado a girar sobre sí mismo sin llegar jamás a destino alguno excepto, quizá, al de acabar averiado y detenido para siempre o, peor aún, desmantelado.

21 de noviembre.

Todo el mundo (amigos, conocidos, parientes, enfermeras y varios ATS) parece de lo más sorprendido de que mi madre aguante tanto tiempo. He oído la palabra milagro innumerables veces y ya forma parte de mi vocabulario habitual. Incluso si no sobreviviera, opina mucha gente, el simple hecho de que haya aguantado casi dos meses tras la operación ya es un milagro en sí mismo. Sobre todo por su edad. El caso es que mi madre tenía razones para vivir: sus nietos, sus amigas, sus libros, sus viajes, su propia tozudez. Se empeñó en tener hijos y los tuvo. Si se empeña en vivir, lo conseguirá.

Jaume estuvo en casa ayer por la noche. Sí, el mismo Jaume que me escribió un *mail* diciendo que hablara a mi madre porque él sabía por experiencia que aun inconsciente en apariencia, en pleno sopor mórfico, un enfermo se entera de lo que sucede a tu alrededor. Visita relámpago desde Alicante. Vino a firmar algo de un contrato y se vuelve a casa hoy mismo, según él porque tiene mucho trabajo pendiente, pero sospecho que la verdadera razón es que no quiere dejar a Manolo, su novio, solo. A Jaume y a Manolo los conozco desde que éramos críos y críos debían de ser ellos cuando se liaron. Ante familiares amigos y conocidos siempre fueron una pareja de amigos inseparables. De la solidez real de esta inseparabilidad me enteré yo a los veinte años, cuando me explicaron la situación, pero nunca me han dicho en qué momento la cosa pasó de amistad a amor. En cualquier caso, no iba aquí a hablarte de sus vidas sino de un tumor cerebral que a Jaume le extirparon cuando era muy joven y que le costó tres meses en cuidados intensivos. Dice que sobrevivió porque ni un solo día dudó de que lo lograría. Me contó que cuando ya le habían quitado la morfina y estaba despierto, jugaba a las cartas con otros pacientes de la planta. Tenían una norma: cada uno debía pagar sus deudas a final de partida. No se fiaban, porque nunca se sabía si el deudor despertaría vivo a la mañana siguiente.

22 de noviembre.

Lo que sucedió en el cuerpo de tu abuela se parece mucho a lo que sucede en el entorno del enfermo. Se vuelve a aplicar ese viejo axioma de la sociología del cuerpo como metáfora de la sociedad. Una pancreatitis que provoca una mediastinitis que provoca un absceso que provoca un neumotórax que exige antibióticos que provocan un fallo en el riñón... Una reacción en cadena. Una hija de una madre que se pone enferma, una hija que va al hospital y vuelve cansada y enferma a su vez de complejo de culpa, y entristece a la persona que vive con ella, que a su vez se deprime... Y la tristeza se va extendiendo como una mancha negra, inexorable como un cáncer. Otra reacción en cadena.

El hospital es un caos. Hay camas arrumbadas en los pasillos y por todas partes se ve al personal corriendo de un lado a otro como hormigas despavoridas de un hormiguero pisoteado. No puedo dejar de pensar que transcurrieron casi dos días desde el ingreso de mi madre hasta que se confirmó el diagnóstico de pancreatitis. Tal vez, de haberlo sabido antes, no estaríamos en las que estamos pues se habría podido atajar la infección. Pero qué más podía hacer un grupo de médicos estresados en un hospital al que le falta personal, medios, y, sobre todo, dinero.

El sábado estaba haciendo *zapping* de cadena en cadena, contigo en brazos, con la vana esperanza de encontrar algo que te distrajera, cuando aterricé en un programa del corazón. Una invitada anunció alegremente que había habido un desfalco en el ayuntamiento de Marbella de cincuenta y seis mil millones de pesetas y luego siguió hablando de su divorcio como si tal cosa, como si el tema del dinero robado no tuviera mayor importancia y, desde luego, fuera mucho menos relevante que los cuernos que le puso su marido, como si la desaparición de semejante cantidad fuera cosa de todos los días y como si esa cantidad no fuera propiedad en realidad del pueblo de Marbella, que se la han cedido al ayuntamiento vía impuestos. Por menos se montó la Revolución Francesa.

23 de noviembre.

A veces estoy tan cansada y tan desesperada que me gustaría estampar algo contra la pared. Pero no lo hago porque racionalizo: pienso antes de actuar. En el pasado, cuando bebía, ese paso intermedio, la milésima de segundo de razón que precede al acto impulsivo y lo aborta, no existía: el alcohol lo eliminaba. Por tanto actuaba siempre por puro instinto y acababa haciendo todo tipo de estupideces.

Lo curioso es que en lugar de deprimirme sienta rabia. Rabia. No quiero llorar, no. Mi primer impulso sería emprenderla a puñetazos con alguien, salir a quemar el Ministerio de Hacienda. Y eso lo he aprendido de mi familia. En

309

mi familia nadie llora en público, ni se coge la mano o se besa. Pero sí gritan a la mínima ocasión. Incluso mi madre, que tenía prohibidas las alteraciones por expresa indicación médica, se enzarzaba a gritos con mi padre día sí día también. Obvia decir que estas discusiones las ganaba siempre él. Ya te he dicho que era quien tenía siempre la razón y la última palabra. Es una extraña contención de sentimientos propia de esta familia, que sólo sabe expresarlos cuando ya están acumulados y de pronto explotan como una olla a presión. Será por eso por lo que, por mucho que lo intente, no he sido capaz de acercarme a mi madre inconsciente y decirle al oído que, a pesar de que nunca lo haya parecido, en realidad sí la quiero. Pero nos opone un mundo derruido que se alza como obstáculo entre mi madre y yo, un montón de ruinas cercadas por una impenetrable barrera de silencio.

Y te preguntarás por qué me concentro en contarte la historia del FMN, que al fin y al cabo tan poco duró y nada dejó, ni estelas, ni marcas, ni pisadas ni recuerdos tras de sí. Pues te he contado la historia porque la encuentro muy importante a pesar de que muchos puedan pensar, y con razón, que poca importancia llegara a tener, si ni siquiera cumplió el mes, una historia vivida junto a un hombre del que nunca más volví a saber nada, cuyas intimidades o secretos jamás conocí, al que sólo me unía un lazo muy precario hecho de ilusión e inseguridad. Pues bien, a mí me resulta muy importante esta historia porque el FMN representaba el Santo Grial que yo me había pasado media vida persiguiendo, en aquellos tiempos en los que no entendía por qué Susan Sarandon rechazaba a Michael Madsen en *Thelma & Louise,* en aquellos tiempos en los que trepaba trabajosamente por la escala social de Madrid tratando de que me invitaran a las mejores fiestas para ver si allí encontraba a ese hombre rico, famoso, talentoso, glamuroso y demás adjetivos terminados en -oso que me gustara, que cuidara de mí, que me hiciera la mitad de una pareja, de la pareja del milenio a ser posible, y que me diera una vida fácil y llena de lujos, una vida en la que el dinero nunca fuera un problema, una vida en la que las entradas y salidas viniesen a colmar el vacío inmenso del que estaba hecha mi historia, una vida en la que experimentara por primera vez sensación de pertenencia, en la que pudiera llamarme «señora de» para poder decirme a mí y al mundo que efectivamente yo era de alguien, una vida en la que los demás me colocaran en un puesto fijo, en la que los otros me reconocieran por mi nombre y así me explicaran quién era, una vida en la que se acusara mi presencia, se registrara mi nombre, se perdonaran mis errores y se atendieran mis necesidades. Una vida delegada a la que dejara de llamar mía, cuya responsabilidad recayera, por fin, en otro.

Por eso, el hecho de que nunca respondiese a la retahíla de llamadas que se fueron acumulando en el contestador podría revestir poca importancia a ojos ajenos, pero marca para mí el momento en que te concebí sin ni siquiera haberte concebido, pues el hecho de verme una persona entera y no como una mitad en permanente búsqueda de la otra mitad que debía completarla, implicaba además la asunción de mi capacidad de enfrentarme a la vida yo solita, sin muletas. Y de rebote, mi capacidad de reproducir esa misma vida si quisiera. Porque por supuesto yo nunca había siquiera soñado con tener hijos, no era aquella una perspectiva que me llamara lo más mínimo la atención porque, como solía decir por entonces a quien quisiera escucharme repitiendo una coletilla muy de moda entre la gente con la que me movía: ¿cómo iba a saber cuidar de otra persona cuando ni siquiera sabía cuidar de mí misma?

Y sin embargo, cuando meses más tarde y ya en Madrid descubrí con sorpresa que estaba embarazada, lo asumí con la mayor naturalidad del mundo, pese a que sé muy bien que si aquella doctora neoyorquina pija y lesbiana me hubiera dicho que los análisis revelaban no una anemia ni una hepatitis ni una mononucleosis sino un embarazo, lo primero que le habría preguntado acto seguido habría sido el emplazamiento exacto de la clínica abortiva más cercana.

24 de noviembre.

Llego hoy al hospital y me encuentro en el *hall* a Reme y a Eugenia, las dos con los ojos rojos y abesugados, con pinta de haber llorado mucho. Prácticamente no se miran la una a la otra. Cuando digo que voy a coger el tren para volver a mi casa, Eugenia se empeña otra vez en venir conmigo, y yo me resigno a lo inevitable: a que me largue uno de sus inmisericordes monólogos y me haga recuento de todos sus achaques. «Estoy pasando las de Caín, te lo juro —me dice en cuanto se acomoda en el asiento del tren—, en un mes me he echado encima diez años, me están quitando la vida entre unas cosas y otras, tanto hospital, tanta enfermera, tanta, tanta, tanta... Yo es que todo esto lo estoy llevando fatal, no me hago el ánimo... pero es que cuando he visto a la Reme se me ha puesto el corazón en la garganta y el estómago en un puño, de verdad, que la pobre no tiene la culpa de nada, bastante tiene con lo suyo, tantos años malcasada con ese bruto... y cada vez que pienso que no tuvo hijos, con lo que tu madre sufrió para que al final Reme no tuviera hijos... Hay que ver qué absurda es la vida, hija mía.» Yo no entiendo nada. No veo qué tiene que ver que Reme tuviera o no tuviera hijos con toda esta historia, y se lo pregunto. «Pues eso, nena. Que Miguel se casó con Reme porque creía que Eva no podía tener hijos, y ya ves, al final la Reme no tuvo ninguno y la tuya cuatro.» Entonces ¿es verdad esa historia del antiguo noviazgo entre mi madre y mi tío? Yo ya lo había oído contar alguna vez, lo de que el tío Miguel había estado con mi madre, pero nunca había escuchado nada de que no se casaran por una cuestión de niños. «Pues por eso fue, nena, por eso y porque Miguel siempre fue un hombre sin voluntad, un calzonazos. Muy resultón, todo lo que quieras, porque a Dios lo que es de Dios y al César lo que es del César, que era un hombre que de joven tenía mucho ángel, sobre todo, que hay que reconocer que sin ser guapo era resultón, muy hombre, ya me entiendes. Pero en los adentros siempre fue un insustancial dominado por la madre. En cuanto escarbabas un poco debajo del hombretón no había más que un niño de teta, y a la madre se le puso entre ceja y ceja que con Eva no se casaba y con Eva no se casó. Pero desde entonces ya ha llovido y mejor no remover más las cosas.» Y la tía Eugenia suspira y mira por la ventana, como dándome a entender que aquí se acabó la charla. Yo intuyo que no voy a tener otra oportunidad como ésta, que no voy a volver a estar cara a cara a solas con una Eugenia tan necesitada de desahogo como hoy, y me puede la curiosidad. Mi madre siempre ha sido un misterio, y ahora que de pronto parece que alguien ha abierto una rendija en la puerta del hasta ahora hermético sanctasanctórum del pasado no voy a dejar escapar la ocasión, así que suelto la pregunta para encajarla en el hueco recién abierto a modo de palanca: ¿y por qué esa inquina de la madre de Miguel hacia la mía? «Pues ya te lo he dicho, porque Eva no le gustaba, porque estaba enferma y el médico había dicho

313

que no podría tener nenes. Y porque la veía poco para su niño. Ya sabes que en la familia hubo mucho rojerío, y lo que decían de las Lloretas... Porque tenían miedo, porque entonces se represaliaba a cualquiera, podías acabar en la cárcel sólo porque hubiera habido un rojo en tu familia, y si tenías la suerte de estar libre no encontrabas trabajo de ninguna manera... Ésa era la política de los nacionales, la tierra quemada... Soltera se quedó por ejemplo la pobre Sabina, tu tía abuela, con lo guapísima que era, tan rubia, y además que ella en política ni entraba ni salía, que el novio le salió rojo como le pudo haber salido azul. Y en la familia de Miguel eran unos tiralevitas de los de cilicio y estameña, que tenían la casa plagadita de imágenes y hasta les tenían un lugar reservado en las misas de la catedral... Para que te hagas una idea, por aquellos años el ayuntamiento debatió una moción, respaldada por los falangistas, para que a la ciudad se rebautizase como Alicante de José Antonio, porque ya sabes que a él le fusilaron en la prisión provincial, ¿no?, pues figúrate quién fue uno de aquellos falangistas, ¿lo imaginas?, el padre de Miguel, claro, que era miembro de la Junta Directiva del Centro Católico, reducto integrista del nacional-catolicismo alicantino, o sea... te haces una idea, y a la señora se le atravesó la Eva desde que le echó la vista encima, le tomó una ojeriza tremenda. Mira, nena, entonces no era como ahora, la gente era muy suya. Por aquéllos nos dábamos caminatas por la Explanada o por la Rambla, las chicas por su lado y los chicos por el otro, y cuando dos grupos coincidían se lanzaban miraditas, y durante mucho tiempo el Miguel le echaba a Eva unos ojos que partían el alma, y no sabes lo que tardaron en hablar el uno con el otro, ni te lo imaginas. Pues al final empezaron a hablar, como decíamos entonces, y a verse a solas... En mala hora. Y también a quedar para tomar un café o dar un paseo, todo de lo más inocente. Lo normal habría sido que después cada uno le hubiera presentado al otro a su familia, que así se hacían entonces las cosas, porque ya en la ciudad se comenzaba a hablar. Pero el Miguel nunca habló de que Eva conociera a sus padres, y cuando ésta insistía le daba largas, y si más insistía más él se enfadaba, y ella no entendía bien lo que pasaba. Si Eva le preguntaba abiertamente si es que algo iba mal, si es que sus padres no querían conocerla, a él se le volvía todo en decir que no, que no pasaba nada, que él la quería más que a nadie y que se casaría con ella. Y ella le creía y esperaba, por mucho que ya la gente hablara, porque entonces, si un chico se veía a solas con una chica durante cierto tiempo y la cosa no se formalizaba, a la chica la llamaban de todo, tú ya me entiendes, nena. Pero tu madre nunca fue de ésas, ¿eh?, que estar con un hombre, lo que se dice estar, sólo estuvo con tu padre, y eso después de que el cura le diese la bendición, pongo mano en candela. Con el Miguel fue novia, pero en decente. Y es que el Miguel para engatusarla se daba mucho arte. Mentía mejor que Judas. Y lo peor, lo que yo nunca le perdoné, es que no se atreviera a decirle la verdad, que la tuviera engañada tanto tiempo si sabía desde el principio que no se iba a casar con ella, que era como el perro del hortelano, ni como ni dejo comer. Total, que estuvieron de novios una eternidad, años, pero sin serlo, porque las familias nunca se habían visto, y yo venga a decirle a Eva que aclarara las cosas, que le obligara a tomar una decisión, que a ese paso se le iba a pasar el arroz, que ya empezaba a írsele el lustre, que se le apagaba la cara de tristeza, que daba penita verla... Y así se le iba la vida, esperando y esperando, que era ceguera la suya, y con toda la ciudad hablando de ella, criticándola o teniéndole pena. Si sería pava... A mí es que se me abrían las carnes, de verdad, de verla hacer el bobo de aquella manera. Y en el ínterin un día se encontró con veintisiete años y soltera, que entonces no era como ahora, que hoy en día a esa edad se es una chica pero entonces se era una señora y parecía que si no se casaba entonces no se casaba nunca, que se quedaba a vestir santos como Sabina. Y por fin se atrevió y le dijo: "O me presentas a tus padres o lo dejamos, pero de este año no pasa." Y él que seguía dándole largas y ahí ella entendió lo que pasaba y lo dejó. Porque por su gesto creo que Miguel habría seguido aplazando la cosa *ad aeternum.* Pero entonces la ciudad era pequeña, y a Eva ya le habían llegado por muchas correveidiles noticias de lo que la madre de Miguel decía de ella, que no quería para su hijo una mujer enferma y que no pudiera darle nietos, porque tu tío Miguel era hijo único, y la señora no sé si era muy mañaquera o no, pero nietos quería, seguro. Y tu madre tonta no fue nunca y entendió lo que pasaba. Y al poco, al año más o menos, aparece en el *Diario de Alicante* el anuncio del compromiso de Miguel con Reme, y nos quedamos de piedra. Primero porque la Reme era casi una niña, no había ni cumplido los dieciocho años, y segundo porque no entendíamos cómo después de haber estado con una mujer como era tu madre iba a acabar Miguel con una chica como ésa, porque Eva a la Reme le daba ciento y raya, que la Reme era, cómo te voy a decir, una blanda. Blanda, lacia y escurrida, una mujer sin sustancia. Pues sí, una sinsustancia. Pero una sinsustancia sana, muy sana, y de buenísima familia, justo lo que la señora quería para el niño. No sé, quizá buscaba una chica como Reme porque a tu madre se le veía que tenía mucha fibra, muy de mi cuerda, y la otra parecía más fácil de llevar, poquita cosa. Siempre fue sosona, y de joven más. Pero probablemente lo más importante fue lo de los nenes.»

Llegamos a Atocha y, excepcionalmente, no ardo en deseos de que Eugenia tire para su casa. La última vez recuerdo aún la tortura que supuso tener que aguantar su charla de pie en mitad de la calle, escindida yo entre el hartazgo y la compasión hasta que no me quedó más remedio que decir que la tenía que dejar, que en casa me esperaban. Pero ahora las tornas han cambiado: soy yo la que quiere seguir con Eugenia. Así que le digo que la invito a un café y se le iluminan los ojos como si mis palabras le hubieran encendido bombillas de cien vatios en las cuencas. Cogida de mi brazo, renqueando con dignidad, porque Eugenia se ha convertido ya en una anciana desvencijada, avasallada por la edad, que casi se arrastra hasta el café de la estación. «¿Te importa si pido una copita de anís, nena? Ya sé que a estas horas no es lo suyo pero, chica, un día es un día, y de vez en cuando hay que tener correa...» Yo encantada de que se tome un anís, por supuesto, a ver si el chinchón le suelta la lengua. Un camarero sudamericano muy ceremonioso viene a atendernos, la tía me pregunta por ti y yo repito la cantinela de siempre: que si eres muy mona y muy buena y te estás criando muy bien, hasta que llegan su anís y mi té, y no tengo que esperar mucho hasta que Eugenia retoma el tema que me interesa, probablemente porque a ella le interesa tanto como a mí.

«Tu madre ya estaba más cerca de los treinta que de los veinte y además arrastraba la historia del noviazgo con Miguel, así que parecía que se iba a quedar para vestir santos para los restos, y no por falta de pretendientes, porque admiradores le sobraban, pero o eran señores casados que la pretendían para querida, o viudos mucho mayores que ella, porque los de su edad ya se habían casado casi todos. Y en éstas que aparece un viudo, un notario de Elche, un hombre de mucho fundamento, que estaba muy pero que muy bien situado y que le hubiera podido dar una vida de reina.» Es la primera vez que oigo hablar del notario, aunque de la historia del romance entre mi madre y Miguel ya me habían llegado rumores. «Y ya parecía que la cosa estaba encarrilada, y que se iba a anunciar el compromiso en un suspiro cuando se encontró con tu padre, que tampoco se había casado porque siempre fue muy golfo, ése había corrido más que el baúl de la Piquer. Les presentaron en el teatro Principal, me acuerdo porque yo estaba allí, que habíamos ido a ver una representación de los *Entremeses* de Cervantes a cargo del Grupo de la Escuela de Comercio, que por entonces tenía mucha fama, y en cuanto se miraron te juro que vi saltar la chispa, que me dije: adiós boda con el notario. Y justo. Lo vi tan claro como si fuera la bruja Juli ésa.» Lo que no entiendo es por qué en todos estos años nunca me ha contado nada, nada, por qué precisamente hoy, si será porque siente como inminente la partida de mi madre, y qué tendrá que ver esa asunción con su repentina necesidad de desenterrar el pasado, aunque también es cierto que Eugenia y yo casi nunca hemos estado a solas, de forma que pocas oportunidades tuvo de contarme nada, si es que alguna vez quiso contarlo. «Habría podido llevar una vida de lujo, ya ves, pero prefirió a tu padre, que estaba entonces con una mano detrás y otra delante, como quien dice, que ya te he dicho que la familia tenía cierto nombre pero poco más, que ya antes de la guerra se habían arruinado porque su abuelo había llevado un derroche de gran señor, despilfarrando alegremente, y fue vendiendo las fincas y saqueando lo que quedaba de la dote de su hija. Habían empeñado los cuadros y las joyas, o eso se decía, y les quedaba la casa y el apellido. Imagínate el escándalo, más cuartos no le habrían podido dar al pregonero: la nena deja al mejor partido de la provincia por un señoritingo sin oficio ni beneficio, y encima éste resulta ser el hermano de la mujer del novio que le dejó. Vamos, ni en *Lucecita*... Ni te quiero contar lo que se dijo y lo que no se dijo. Más de uno y más de dos llegó a decir que se casaba sólo para estar cerca de Miguel el resto de su vida, imagínate. Fue una boda muy deslucida, mucho Coro del Misteri y mucha tontería, pero de invitados los menos.» ¿Los menos? Las fotos de la boda sí sugieren una celebración bastante sobria, pero yo nunca había considerado las cosas de semejante manera, más bien pensé que se trataba de una prueba más de la elegancia de mi madre, siempre tan ajena a las estridencias. «Como entenderás, conforme estaba la cosa, al principio las relaciones con Reme eran más bien tirantes. Pero después le empezó a dar pena la chiquilla, que no sabía ni dónde se había metido la pobre, que al casarse había hecho oposiciones a la desgracia. Porque enseguida quedó claro que al Miguel la Reme no le daba ni frío ni calor, o más bien le daba frío, que yo creo que seguía coladito de medio a medio por Eva. Y el Miguel empezó a beber y a la Reme le dio muy mala pero que muy malísima vida, no te quiero contar cuando pasó el tiempo y se vio que los nenes no llegaban, no veas el calvario que tuvo la pobre chica, y con la suegra metida en casa y malmetiendo todo el santo día, duelo sobre duelo, que se le llenaba la boca de decir que un buen hogar cristiano debía recibir la bendición de unos hijos, y que la mujer que no tenía niños que cuidar se arriesgaba a caer en cualquier tentación, como si la pobre Reme fuera la que tuviera la culpa de todo, cuando aquí, *inter nos*, te digo yo que creo que el problema era de Miguel, que bebía mucho, y no sé si sabes que a veces el que bebe no puede..., tú ya me entiendes, no me hagas hablar. Y ahí tu madre sí que se portó como una señora, que no me extraña que la Reme le esté tan agradecida, porque apoyó siempre a su cuñada y no aprovechó como habrían hecho otras, no, se portó talmente como si la Reme fuera su propia hermana, porque ya sabes que su hermano, tu tío, se murió y creo que le echaba mucho de menos, y me parece que quiso hacer por Reme lo que no pudo hacer por Blai, protegerla, cuidarla, y por eso no le dijo ahí te pudras ni mentó el tema del antiguo noviazgo, de eso no se volvió a hablar nunca.» Me lo dirás a mí, Eugenia, a mí me lo dirás. «No se habló en tu casa, porque en Alicante se habló mucho. Que al Miguel se le iban los ojos detrás de su cuñada lo decían todos. Yo creo

que por eso se fueron a Madrid después de que ella hereda-
se, para poder vivir en discreto, que en el fondo nunca lo llevó bien. Figúrate, no tiene que ser plato de gusto semejante
situación, que tu nombre lo estén mentando siempre en bocas ajenas. Y yo sé que a tu madre la capital no le gustaba,
pero también sé que se alegró de venir. Y cuando tu tío Miguel se mató se habló muchísimo de que le había dejado una
carta a tu madre, de que no había soportado la idea de que
ella hubiera dejado la ciudad y ya no pudiese verla todos los
días, pero yo nunca supe si había algo de cierto en aquella
historia o no serían más que habladurías. Ahora, en lo to-
cante a si seguía enamorado, ahí sí que no tengo dudas: seguía.» Se me pasa de pronto por la cabeza si la que estaba enamorada de mi madre no habrá sido, rizando el rizo, la tía
Reme o Eugenia. ¿Miguel se mató, Eugenia? ¿Cómo se
mató? Porque de la muerte del tío Miguel tampoco he oído
nunca hablar. «Pues se mató porque era un inmaduro.»
¿Quieres decir que se suicidó? «Mira, yo no sé, de ese tema
se habló mucho y siempre se supo poco, coincidió cuando tu
madre se fue a vivir a Madrid. Un ataque al corazón dijeron
que fue. Pero el Miguel era joven y el corazón lo tenía sanísi-
mo por mucho que bebiera, y hubo muchos rumores, qué
quieres que te diga. Está enterrado en camposanto, eso sí
que te lo puedo decir... Así que infeliz Miguel e infeliz la
Reme..., y todo porque a aquella señora se le puso entre ceja
y ceja que con Eva no se casaba porque no podía tener niños,
y porque su abuelo era masón y en la familia había rojos. Y ya
ves, Eva cuatro nenes y Reme ninguno. Y Reme pobre y Eva,
de la noche a la mañana, millonaria, porque Miguel se bebió
o malgastó casi todo el patrimonio y tu madre heredó el terreno aquel de la playa de la Xanca. Sería hasta gracioso de
no ser tan triste.» ¿Y mi madre? ¿Tú crees que fue infeliz?
«No nena, no, qué cosas tienes. Claro que no. Tu padre tendrá sus cosas, como todo el mundo, no te lo niego, pero por

lo menos era joven y guapo, no como el notario. Y además os tuvo a vosotros, infeliz no ha sido.» ¿A qué cosas te refieres, Eugenia? ¿Qué cosas tiene mi padre? «Ay, nena, no me tires de la lengua, sus cosas, que nadie es perfecto. Tú sabes mejor que nadie cómo es tu padre.»

¿Y por qué, Eugenia? ¿Por qué lo voy a saber yo mejor que nadie?

Y de pronto me encuentro atrapada en uno de esos cepos de amnesia que una divinidad traviesa o quizá benévola ha colocado en el túnel por el que se sale desde la infancia a la edad adulta. No sé a qué se refiere. O no quiero saberlo. No recuerdo, o no puedo, o no me da la gana. A veces prescindir del pasado es una exigencia para poder disfrutar del presente. Se trata de un olvido económico, como un sistema que adopta la vida para sacudirse la angustia y seguir su camino, un olvido que no es acción y que sin embargo resulta fructífero en su pasiva quietud, como si la mente se dejara en barbecho para poder plantar en el futuro nuevos cultivos. Y ciertos episodios se relegan al desván del olvido o tal vez a ese depósito que sólo puede visitarse en sueños, sin que se pueda llevar de regreso a la vigilia nada de lo que allí se ha hurgado.

25 de noviembre.

Decía Freud que toda persona se siente culpable ante la muerte de uno de sus padres, porque de pequeño siempre hemos fantaseado con que mueran. Según Freud, las niñas nos enamoramos de nuestros padres y queremos matar a nuestras madres, y según Bruno Bettelheim, las madrastras malvadas de cuentos como *La Cenicienta* o *Blancanieves* no hacen sino metaforizar la rivalidad entre madre e hija, compitiendo por el amor del padre. Es cierto que yo me siento muy culpable, culpable, por ejemplo, de desear que todo acabe de una vez. Ya he perdido la esperanza, ya entiendo que mi madre no va a sobrevivir y no le veo el sentido a alargar esta agonía innecesariamente, como se ha venido haciendo.

26 de noviembre.

El timbre del teléfono me despertó a las tres de la mañana. No hubo de sonar ni cuatro veces: el primer toque me sacó del sueño, al segundo salté de la cama y al tercero descolgué el auricular y escuché la noticia que ya sabía que me iban a dar. No quise volver a la cama, donde tu padre dormía sin haberse enterado siquiera de que el teléfono había atronado. Pensé en hacerme un café, pero no necesitaba de excitantes para mantenerme despierta si ya sabía que no dormiría en toda la noche. Empecé a pasear cocina arriba y cocina abajo, andando y desandando mis pasos como un animal enjaulado. Y por fin me calcé unas botas y me puse un abrigo sobre el pijama y bajé a la calle.

En la puerta del karaoke, Tibi hacía su turno de todas las noches, inamovible y referente como un faro. No me preguntó nada cuando me vio llegar, y me acogió en su pecho enorme y cálido, negro y narcótico como la muerte.

Ahora son las siete de la mañana. Salgo para el hospital.

3. LAS ÚNICAS FAMILIAS FELICES

Todas las familias felices se parecen entre sí, pero cada familia desdichada ofrece un carácter peculiar.

León Tolstói, *Anna Karenina*

FAMILIA: La familia funciona como un sistema. Como tal, establece canales de comunicación entre sus miembros, los protege de las presiones exteriores y controla el flujo de información con el exterior, siendo su meta conservar la unidad entre los miembros y la estabilidad del sistema. Cuando hay demasiada permeabilidad el sistema se cierra y se aísla, provocando desviaciones significativas en las interacciones que se dan entre los miembros de la familia, lo cual lleva al sistema a un estado de desequilibrio, como es el caso específico de la violencia intrafamiliar.

La dinámica es lo que en su momento permite diferenciar a una familia de otra. Para definir la dinámica familiar han de tenerse en cuenta diversas variables; principalmente la relación que existe entre cada uno de los miembros de la familia, y también los lazos comunicativos, las expresiones de afecto, las pautas de crianza, los castigos y los métodos de manejo de autoridad y poder.

La familia como sistema configura las condiciones inmediatas del espacio social en el cual el individuo afronta las posibilidades reales de realizar o no lo que desea y puede hacer. Esta situación lo pone en perspectiva del tiempo, sus vivencias del pasado y del presente como posibilidades del futuro, las cuales se unen en un sentido estructurante en cada individuo, expresado en un estilo de vida.

Este sentido estructurante define las posibilidades psicológicas de la persona, que según algunos psicólogos tiene que ver con una doble dimensión de la conciencia individuo-familia: a) La con-

ciencia de sí mismo que distingue unos de otros; b) *La conciencia de la procedencia familiar, como también de la experiencia de la pertenencia a un universo psíquico, social y espiritual.*

Así propuesto, el sentido estructurante/estilo de vida *hace referencia al modo en que cada uno modela o intenta modelar su propia vida, define cómo se construyen significaciones a partir de situaciones cotidianas y consecuentemente cómo cada cual decide interactuar con los otros. El sentido tiene un carácter cognoscitivo que afecta al modo en que se construyen las posibilidades de comprensión de lo vivido. El ser humano atribuye significación en el ámbito de su vida de acuerdo con los elementos de la cultura y gracias a la apropiación que de ella hace como sistema activo de personalidad.*

Enciclopedia Médica y Psicológica de la Familia

Han pasado ya dos meses desde que mi madre falleciera y en esos dos meses he sido incapaz de sentarme frente al ordenador y acabar lo que empezó siendo una carta para ti, Amanda, continuó siendo una especie de diario y, sinceramente, no sé en qué acabará. He escrito sobre muchas otras cosas, he redactado innumerables artículos sobre drogas y adicciones para todo tipo de publicaciones: para revistas femeninas (*Elle*: «La droga no está de moda») o juveniles (*Ragazza*: «Cómo y por qué decir no»), para boletines de organizaciones feministas (*Emakunde*: «Género y drogadicción: Marginación dentro de la marginación»), para gacetas gratuitas de la Comunidad de Madrid (*In Juve*: «Adolescentes y drogas: Medidas útiles de prevención»), hojas universitarias (*Información del Campus*: «Éxtasis o ésta no: qué lleva realmente una pastilla») o semanarios de información política (*Tiempo*: «Droga, el negocio del siglo»)... En fin, he aceptado todos los encargos que me han ido ofreciendo, incluyendo algunos que nada tenían que ver con las drogas (un reportaje para *Gentleman* sobre comida y sexo, una entrevista para *Marie Claire* a Laia Marull, una serie de críticas de libros para la revista de *Club Cultura*, y no te sigo haciendo la relación porque no acabaría nunca). Y cuando empezaba a redactarlos todo fluía con facilidad, los dedos tamborileando ágiles sobre el teclado, haciendo ese ruidito familiar que con probabilidad empezará a sonarte a música conocida porque normalmente cuando trabajo tú estas cerca de mí, en tu cuna, jugando con tu sonajero o mordisqueando tu manojo de llaves de plástico, entonando extrañas cancioncitas de tu invención a gorgorito pelado. Dice la pediatra que puedo estar contenta de que chilles de esa manera, que eso significa que no eres sorda, que estás ensayando las capacidades de tu propia voz, preparándote para hablar. Dice también que eres una niña precoz, aunque eso no hacía falta que me lo dijera: ya lo sabía yo. Es cierto que a veces pensaba que todo era pasión de madre, que quizá yo te viera más lista de lo normal porque eres hija mía y que el hecho de que tú hicieras muchas más cosas de lo que los manuales de pediatría decían que estabas capacitada para hacer podía deberse a que éstos estaban anticuados o a que yo veía donde no había, que exageraba tus capacidades y tus logros llevada por el orgullo o el deseo. Hasta que una tarde bajé a la plaza de Lavapiés a pasearos al perro y a ti, y mientras el bicho corría a su bola yo me senté al sol y llegaron entonces otras dos chicas con sus niños, las dos ecuatorianas, las dos muy jóvenes, mucho más que yo según calculé a primera vista, y se sentaron a mi lado. Una traía dos críos, una niña de dos años y un rorro de seis meses, y la otra sólo uno, un bebé de cinco. Sé la edad porque las madres me lo dijeron, no porque sea fácil calcular por su aspecto la edad. Y comparé. Tú, que acababas de cumplir los cuatro meses, reías cuando yo te hacía morisquetas, agarrabas el manojo de llaves al vuelo si te lo agitaba por delante de las narices, mirabas al perro cuando te lo señalaba y lo seguías con la mirada mientras él correteaba detrás de los otros chuchos, me tirabas del pelo en cuanto tenías oportunidad y subrayabas con enfervorizados grititos cada uno de tus triunfos. Eras activa, en resumidas cuentas, y te interesabas por las cosas y te comunicabas, mientras que los otros dos bebés, mayores que tú, se limitaban a permanecer plácidamente en sus carritos, adormilados al sol como los viejos, y apenas sonreían sino muy de cuando en cuando y después de muchos esfuerzos por parte de sus madres, que tenían que recurrir al halago exagerado, a las cancioncitas entonadas con voz de pito o a las palmas palmitas.

Pues eso, yo tecleo y tú cantas, el ruido de mi teclado acompaña al de tus trinos y ahora hay una música de fondo en la casa que parece jazz experimental, y en todo este tiempo nos hemos acostumbrado la una a la otra, y has estado escuchando este constante teclear que nos da de comer a ti y a mí. Pero este ruido sincopado, esta extraña percusión que acompaña a tus canciones, nada tuvo que ver con esta carta, porque durante dos meses no te he escrito, y eso que si alguna vez hubo una musa interesante, ésa has sido tú, la más linda, la más dulce, la más inspiradora de todas. Pero yo no he podido dedicarte mis palabras, porque la carta que empecé para ti acabó demasiado ligada a la muerte de mi madre. Y ya no podía volver a eso.

Yo había oído hablar cien mil veces del bloqueo del escritor y del miedo al folio en blanco y de todas esas cosas, pero nunca las había sentido. Las novelas que en su día redacté, ésas que duermen en el cajón el sueño de las nunca requeridas, surgían como manantiales casi sin esfuerzo. Yo llegaba cada noche y me sentaba frente al teclado y seguía un plan organizado, el esquema que había diseñado previamente y que después había pinchado en un tablero frente al escritorio. Me imponía un plan estajanovista, de seis a diez páginas diarias, plan que cumplía puntualmente, y luego las corregía una y otra vez hasta que las consideraba perfectas y las enviaba a los editores, que no las consideraban perfectas en absoluto y ni siquiera publicables. Tanto esfuerzo para nada.

El proceso de redacción de *Enganchadas* siguió esa misma tónica, esa obsesión por cumplir plazos que caracterizaba a mi trabajo. Elegía los sitios, los centros de desintoxicación, los de expedición de metadona, los de reunión de alcohólicos anónimos o de terapias de grupo, las cárceles. Llamaba, concertaba entrevistas con los directores, hablaba con ellos. Encontraba mujeres dispuestas a confesarse conmigo, a vaciar frente a una grabadora sus corazones o sus estómagos o sus hígados destrozados o las cuatro neuronas que aún les quedaban sanas, que no se había llevado por delante la coca o el alcohol o las pastillas o el *jaco*. Acumulaba cintas rebosantes de historias. Las clasificaba. Las transcribía. Y después organizaba lo que el papel había recibido y dotaba a la narración de un tono dramático, de una estructura coherente, con su principio, su nudo y desenlace, de una razón de ser, de un algo trascendente que hacía de una yonqui de barrio una heroína. Y todo ese proceso de hormiguita, ese acumular y clasificar y transformar, lo llevaba a cabo sin prisa pero sin pausa, sin bloqueos ni miedos. Era lo que tenía que hacer, y lo hacía. Nunca me quedé quieta frente al teclado, no se me pasaron los minutos haciendo cualquier cosa excepto escribir, no perdí tiempo navegando por la red en busca de estupideces que de nada me servían (páginas de satanistas, galerías virtuales, arte en la red...) para huir de la exigencia de acabar el trabajo.

Pero *Enganchadas* no hablaba de mí pese a que yo fuera una de tantas enganchadas al alcohol y a la propia angustia. No hablaba de mí porque nunca puse toda la carne en el asador, porque tomé distancia y no me comprometí jamás, porque no tuve el valor de ponerme a mí misma en los folios y escribir de cuánto bebía o de algo mucho más importante: de por qué bebía. Y por eso, porque me negué todo el rato, no sufrí bloqueo alguno. Porque el bloqueo es el aviso de que uno se acerca a lo que no quiere ver. Para no hablar de mí, hablé de otras, y así nunca tuve que reconocer que yo también estaba enganchada. Si *Enganchadas* fue un éxito era porque yo conocía el tema bien a fondo aunque no contase mi experiencia, porque escribía desde la verdad, hablaba de mí sin saber siquiera que lo estaba haciendo, desde el momento en que yo vivía la misma dependencia que mis entrevistadas aunque yo, la entrevistadora, viera la paja en el ojo ajeno y de ningún modo la viga en el propio.

Y por eso eran tan malas mis novelas y ningún editor las quería. Porque nunca hablaban de mí. Porque no eran sino experimentos metaliterarios en los que se reinterpretaban historias que ya se habían contado muchas veces. Porque nacían de mi cobardía, de mi vanidad, de mi pedantería.

Pero todo cambió cuando llegó la hora de acabar esta carta. Y mi famosa consigna de concluir lo empezado se fue al carajo.

Cuando pensaba en que tenía que recapitular y poner un punto final —tenía que hacerlo por mucho que nadie me obligase, por mucho que fuese sólo una tarea que me había autoimpuesto— un cansancio infinito me acometía, y entonces me iba a la cama y te llevaba conmigo, te colocaba a mi lado, te rodeaba de almohadas para evitar una posible caída mientras yo durmiera, y me quedaba inmóvil con tu puño amarrado a uno de mis rizos mientras tú cantabas bajito, porque de alguna manera entendías y entiendes, no sé por qué, que cuando tu madre duerme hay que bajar la voz, pero que no molestas si gritas cuando escribo.

Ese bloqueo, ese pavor al folio en blanco, no era sino un terror a lo que el folio pudiera revelar una vez impreso, cuando el mecanismo catártico de la escritura descubriera lo que no se dice, escarbando en el fondo del subconsciente y traduciendo a palabras imágenes, símbolos, sueños y fantasías; tantas cosas que no encontraban un correlato en la vida real, que sólo aparecían por las noches, pero que a veces se entreveían en vigilia, jirones de historias rescatadas de los confines del sueño que se han quedado adheridos a una mientras ascendía desde el subsuelo del letargo hacia la vida que hemos convenido en llamar real. He tenido miedo todo este tiempo de enfrentarme a mi propio dolor porque no me ha quedado otro remedio que almacenarlo muy dentro, en un recipiente sellado, casi diría encapsulado, porque no podía ponerme a llorar, no podía paralizar el ritmo de la vida, las facturas que reclaman su pago, la nena —tú— que quiere atención y mimos y biberones y cambio de pañales, los encargos que urgen en su entrega, el perro que necesita sus tres paseos diarios, los paquetes que hay que llevar y recoger de correos, todas esas rutinas diarias que no se pueden ir acumulando, problemas que hay que solucionar cuando se presentan y no después.

Hubiera querido vestirme de negro —cierto es que lo hice al principio— y después encerrarme en casa y llorar, arrastrar mi duelo como hacían las damas antiguas y no salir excepto para ir a misa. Hubiera querido que todos entendieran que no podía levantarme del lecho del dolor. Pero eso se hacía en un tiempo en el que no había ni fax ni teléfono ni recibos por pagar ni plazos de hipotecas ni oficinas postales ni insidiosos aparatitos móviles con llamadas urgentes de editoras de revistas reclamando una colaboración, un tiempo en el que durante cada mes hay que ganar el dinero que una tiene que tener dispuesto a día uno del siguiente. Pero es que además de la vida que seguía su curso, indiferente a la muerte de mi madre, había otra razón para seguir activa, y era el miedo que yo tenía a dejarme llevar por el dolor. Pensaba y pienso que si me permitía sentirlo, aunque sólo fuera un poco, se extendería enseguida como una mancha de aceite, o como un cáncer, devorador, ineludible, y antes de que pudiera darme cuenta me habría vencido y ya no sabría librarme de él.

Siempre he tenido miedo a sufrir, y he preferido por ello no sentir. Por eso nunca me he embarcado en relaciones con futuro, por eso las elegía con su fecha de caducidad ya impresa, historias con hombres egoístas o alcohólicos o narcisos o inmaduros, romances turbulentos pero nunca muy profundos en los que no llegaba a comprometerme del todo, pasiones cuyo final podía preverse desde el mismo principio, final que yo de alguna manera ya presumía al empezarlas, aunque ante nadie, ni siquiera ante mí misma, lo habría reconocido. No fue casual que tu padre fuera el único de entre todos mis amantes que no bebía y que se preocupaba de algo más que de su ombligo. Porque en algún momento decidí sentir, y abandoné por tanto el alcohol, mi anestésico de confianza, y algún óvulo que navegaba en el légamo de mis entrañas tiró de mí con tanta fuerza como para incitarme a iniciar una historia ineludible, un lazo que no se podía romper de la noche a la mañana, una apuesta que exigía un compromiso sólido y firme y que requería también de un colaborador para iniciarla, un hombre que pudiera ser padre, y un padre que no estuviera mal de la cabeza, o no del todo.

Pero aunque tenerte a ti constituyera un hito en mi vida de cobarde, la mayor apuesta que nunca acometiera, la mayor aventura que jamás emprendiera, eso no significaba que me hubiera curado, que fuese valiente de la noche a la mañana, tan sólo implicaba un propósito de enmienda, una necesidad de amar y de sentir para encontrarme viva, pero no la capacidad de asumir el dolor del corazón e integrarlo como parte de la existencia. Por eso no quería acabar esta carta, porque finalizarla significaba recordar no sólo la muerte de mi madre sino todos los dolores, profundamente enterrados en esa tierra estéril de lo que no se nombra, que su muerte exhumó. Significaba revivir antiguos rencores y afrentas nunca solucionadas. Y yo no quería tocar al cadáver desenterrado, hacerle la autopsia, analizar sus tejidos y sus fibras, observar sus órganos al microscopio, incluso si sabía que en cierto modo sería necesario, que yo no podría seguir viviendo negando por siempre lo evidente.

En el fondo todos tenemos una razón íntima, determinada, para hacer las cosas, y esta razón que nos anima acaba siendo más poderosa que el azar o su república. Te cuento, por ejemplo, que mi amiga Nenuca solía decir que ella había vivido una infancia feliz, muy feliz, y por eso nadie entendía cómo una persona que en apariencia no había vivido trauma ninguno, el mimado retoño de una familia excelentemente avenida, sufría tamaños ataques de ansiedad, angustia y abandono, y cómo era capaz de aguantar relaciones tan destructivas como la que vivía con Mirta —relación idéntica a otras igualmente dañinas que la precedieron— con tal de no estar sola, y cómo este terror a la soledad se le notaba tanto como para hacerle atraer siempre a parejas que disfrutaban poniéndose por encima de ella, pues utilizaban su natural dependencia como carta blanca para permitirse todo tipo de irrespetos, conscientes de que ella todo se lo permitiría con tal de que no cumpliesen la tantas veces repetida amenaza de dejarla. Pues bien, sucede que cuando Mirta dejó a Nenuca —por otra, por supuesto, otra que, también por supuesto, tenía más dinero y mejores contactos para conseguirle la tan preciada tarjeta de residencia—, esta última entró en una depresión gravísima y decidió visitar a una terapeuta. Y aquella doctora le ayudó a recordar lo que su mente había borrado: las muchas tardes y noches que había pasado angustiada de pequeña cuando sus padres se iban de casa, bien fuera a una cena, a un cóctel, a una recepción o un viaje de placer, dejando a la hija única al cuidado de algún miembro del servicio, gente que nunca duraba lo suficiente en la casa como para que la niña les tomara cariño o confiara en ellos o pudiera llegar a considerarlos presencias estables y, por lo tanto, garantes de seguridad. Y cómo la infancia que se presentaba tan feliz en el recuerdo no había sido en realidad otra cosa que un tiovivo de angustias, y cómo así no fue el destino o el azar el que la enredara en tantas relaciones sin sentido, sino una poderosa fuerza interna que le enganchaba siempre a mujeres volubles e impredecibles como la madre a la que tanto había amado y a la que nunca había sentido cercana, amores que estaban muy presentes un día y ausentes al siguiente, que exigían cariño incondicional pero imponían al suyo inacabables exigencias, que sólo sabían darse cuando Nenuca dejaba de ser ella misma para ser la Nenuca que ellas querían que fuera, igual que en su infancia su madre sólo la había querido cuando estaba tranquila y calladita y no se hacía notar demasiado. Y en el mismo apelativo cariñoso que había acabado por sustituir a su nombre se notaba que ella se había permitido estancarse en aquellos días, que no había sabido crecer. Porque siempre hay que volver a eso, a esa infancia que la mayor parte del tiempo nos llena el alma sin que nosotros mismos nos demos cuenta y que, sin embargo, tiene mayor importancia para nuestra felicidad que los días que vivimos ya adultos, pues ésos los vivimos siempre a través de ella, y no es sino la infancia la que asigna su pasajera grandeza a cada minuto que disfrutamos. Y yo, como Nenuca, era incapaz de apreciar algo por mi cuenta, puesto que no sabía considerarme, por lo que necesitaba siempre de un refuerzo externo para ver las cualidades de los demás. Por eso el FMN me había impresionado tanto a primera vista, y el rumano... tan poco.

Tras la visita a la médica pija del Monte Sinaí me había prometido no volver a beber. Y el futuro se me presentaba como una sentencia, al menos el futuro inmediato, ya que casi me quedaba un mes entero por pasarlo en Nueva York, porque mi billete no tenía fecha de regreso hasta el dos de septiembre. Por supuesto siempre podía empeñar los Versaces y regresar de inmediato a Madrid para asilarme en casa de Consuelo hasta que se fuera el francés, pero su casa era demasiado pequeña y, además, ¿cómo iba a soportar un vuelo transoceánico si no podía bajar sola a la calle sin ayuda, tal era la flojera que sentía? Así que decidí considerar el piso del Bronx como un retiro, una especie de retiro estival de días huecos y tranquilos en el que me dedicaría a hacer nada o casi nada. Leer y reponer fuerzas, entendiendo por fuerzas unas energías abstractas como las prometidas en la publicidad de cereales o de complejos vitamínicos o en los folletos de los gimnasios. Y acabé por instalar en mi cuarto la mesilla de noche del rumano y su lamparilla para poder leer con más tranquilidad, la mesa plegable de la cocina y una silla para poder escribir, y dos plantas del salón para animar un poco la habitación, y colgué en las ventanas unas cortinas que trajo Sonia y que había encontrado en una tienda del Soho, y me empeñé en hacer de aquella habitación desnuda un rincón agradable y acogedor.

Mi compañero de piso se comportó desde el principio tan servicial como lo fuera aquella primera mañana de monumental resaca que pasamos juntos. Solía salir de casa muy temprano y llegaba más o menos hacia las seis de la tarde. Durante aquellas horas en las que él no estaba yo apenas notaba su ausencia puesto que, por lo general, las pasaba leyendo o dormida, o suspendida entre el sueño y la vigilia, saboreando los restos que se disolvían en la boca como caramelo, con la atención aún flotando entre dos mundos, abotargada por el aturdimiento del primer rayo de luz que entrase por la ventana y que calentara la superficie estancada de los sentidos, adormilados. Cuando llegaba era él quien preparaba la cena para los dos, y ponía también la mesa, así que yo no tenía que hacer más esfuerzo que el de recorrer los apenas diez metros que llevaban de mi cama al salón para dejarme agasajar, como si fuera una princesita de cuento. Ni siquiera tenía que hacer la compra, pues él la traía siempre en su regreso desde el laboratorio de la universidad en el que trabajaba preparando su tesis (¿vacaciones?, ni se las planteaba, no a punto de terminar el doctorado), y sólo aceptó mi contribución económica para pagar las comidas después de que yo insistiera hasta el punto del enfado. En nuestras cenas solíamos mantener largas conversaciones... Miento, yo solía mantener monólogos en los que él intercalaba alguna frase. Yo hablaba de mí, de Madrid, de Alicante, de Elche, de mi perro, de mi barrio, de mis amigas, peroraba y peroraba y él dejaba que me agitase, que me esforzase en impresionarle con mis historias mientras permanecía en la tranquilidad más absoluta, y si yo seguía hablando era porque, cada vez que me detenía, él me hacía alguna pregunta que me obligaba a continuar ¿Y en Madrid a qué hora cierran los bares? ¿Y el perro de qué raza es? ¿Quién te lo regaló? ¿Cuánto tiempo llevas viviendo en el mismo barrio?, preguntas que me intrigaban tanto más cuanto su rostro no delataba signo alguno que dejara sospechar cuál era la impresión que mi charla le causaba. Parecía verdaderamente interesado en todos los detalles de mi vida, pero no impresionado. Y sin embargo él apenas hablaba de sí mismo. A mí acababa por ponerme nerviosa, porque yo exponía allí sobre el mantel toda mi vida, o la reinterpretación de aquella que me había creado, y sólo conseguía a cambio, cuando yo hacía alguna pregunta sobre la suya, evasivas o algún monosílabo casi imperceptible de puro mascullado. Pero su frialdad, en lugar de desanimarme, me impresionaba. Me parecía como si aquel chico estuviese conteniendo su propia energía, como si se estuviera reservando para algo más importante. Y eso me motivaba, activaba algún interruptor en mi más frágil yo, ya que, como buena neurótica, siempre me ha importado mucho lo que los demás piensen de mí, ya lo he dicho. Además, tampoco tenía a nadie más con quien hablar, dado que aún no había recuperado las fuerzas y casi no podía salir a la calle, o no sin ayuda. Sí, Sonia y Tania venían a verme, pero no tanto como yo quisiera. Las dos estaban muy ocupadas con sus respectivos empleos y en el momento en que supieron que mi presunta enfermedad, si es que así se la pudiera calificar, no revestía carácter grave, se desinteresaron del asunto.

Pero poco a poco el rumano empezó a abrirse, a hablar; de su tesis, de su laboratorio, de sus experimentos... Como era casi morbosamente cauto usaba siempre medias tintas, como pensándoselo mucho, pero sus comentarios, certeramente agudos y precisos, tenían un sabor totalmente suyo. No era mucho lo que contaba ni era muy personal, pero era algo, suficiente como para que yo pensara que acabaría por encontrar en sus palabras la clave para entenderle, sobre todo porque esas palabras las hacía brotar yo con mis preguntas, imitando su propio juego, y así me sentía como una investigadora que por medio de pruebas confirmaba suposiciones, buscando ávidamente la significación de sus silencios en unos ojos que por fin me sonreían, y de esa manera, antes de que me diera cuenta, ya lo había instalado en mi espacio como si fuera otro *atrezzo* del mobiliario, como la mesilla o la lamparita o las plantas, algo que me hacía la vida más fácil, una distracción que poseía el verdadero secreto de hacerme el tiempo agradable justamente porque no aspiraba a ello, sino sólo a hacérmelo menos aburrido, y no sé cuándo, exactamente en qué preciso instante, dejó de ser la persona que cada tarde estaba allí, el incuestionable hecho de la vida, inevitable pero carente de interés, para pasar a ser casi el centro de mis días, algo que esperaba con ansiedad y que se me hacía tan necesario como una droga, y me encontré desplazada de mi propio yo, como si me hubieran trasladado por ensalmo a un territorio diferente; y así caí en la cuenta de cómo, por debajo de los incidentes visibles y desde la primera noche en la que dormimos juntos en el desfondado sofá de Sonia, había existido una subyacente nota callada, tan misteriosa y potente como la influencia que prepara a las hojas de los árboles para brotar cuando todavía se hiela el agua en los charcos de las aceras, y entonces advertí que volvía a estar enganchada, y me pregunté qué habría sido de aquella novia de la que ninguno de los dos había vuelto nunca a hablar.

Han pasado ya dos meses, y no sé por dónde empezar a contarte...

Quizá no debería contarte nada. Quizá debería archivar este montón de folios y olvidarlos. O quizá debería empezar por la locura que supuso ir a buscar un traje negro para tu padre, que nunca antes se había vestido de esta manera.

Teníamos apenas una hora para encontrar uno, pues habíamos quedado en que a las diez de la noche estaríamos en la que fue casa de mi madre para poder salir hacia Alicante a la mañana siguiente.

No, no es así...

Me llamaron a las tres de la mañana, eso lo sabes. Insistieron en que no apareciera en el hospital hasta el día siguiente. Me presenté allí a las nueve, en la cafetería del hospital donde estaban todos reunidos: mi padre, mis hermanos, Reme, Eugenia, más un montón de parientes, amigos y conocidos cuyos nombres y caras no me decían nada a pesar de que todos parecían saber quién era yo, y cómo había sido de pequeña, las coletitas que mi madre solía hacerme y el ceceo que no conseguí quitarme hasta casi los diez años. Me explicaron que mi padre había llegado al hospital a las siete y firmó todos los papeles que había que firmar. Pregunté si podía ver a mi madre y todos intentaron disuadirme aduciendo que debía esperar a que la arreglaran y acicalaran, que pronto la bajarían al velatorio y que entonces podría verla, pero antes no. Sin embargo yo insistí denodadamente y acabé por subir a la UVI, donde me encontré con Caridad, a quien le rogué que me permitiera ver a mi madre, o lo que de ella quedaba (consideré milagro, intervención divina, que aquella mañana estuviera allí, y que además fuera la primera enfermera con la que me topara). Caridad accedió enseguida, sin decir palabra. Ella también parecía afectada —me hubiera atrevido a decir que había rastros de lágrimas en sus ojos—, y me llevó hasta una camilla donde había una bolsa verde con una cremallera que la recorría de forma transversal. Ya había visto ese tipo de bolsas en las series de la tele —cuando el forense enseña el cadáver a la desconsolada viuda que ha de reconocerlo y que rompe a llorar acto seguido—, pero nunca había estado delante de una. Caridad abrió la cremallera y entonces vi a mi madre, o a una parte de mi madre sin mi madre, a su envoltura mortal (porque me vino a la cabeza de inmediato aquella frase de Hamlet: *this mortal coil*), blanca, fría, muy fría, helada, pero no rígida aún, porque pude cogerle aquella mano aterida pero todavía flexible y apretarla contra mí, y sólo en aquel instante me di cuenta de que aquello ya era irreversible, de que a partir de ese momento ya sólo me quedaría recordar cómo era el tono de su voz, de qué manera sus gestos, sus palabras o sus silencios se grababan en las retinas de la interpretación ajena y dejaban algo escrito en la involuntaria memoria de los otros, memoria a la que tendríamos que recurrir desde entonces para revivir a quien ya no estaba. Y entonces lloré. Lloré como no había llorado nunca en el hospital, como no había llorado cuando me enteré de la muerte de José Merlo, porque entonces no lloré una lágrima, sino que me fui de bares y me cogí una cogorza mayúscula que duró tres días seguidos. Lloré por el amor que le había tenido y que tantas veces se había transformado en odio cuando caía en el crisol de la impotencia. Mi impotencia ante la imposibilidad de verla feliz, sana, contenta. Mi impotencia al sentir que ella no era otra cosa que un apéndice de mi padre, alguien a quien yo no quería de ninguna manera parecerme y a quien sin embargo siempre acababa imitando en mi estúpido coleccionismo de hombres que me gritaban siempre para ponerse por encima de mí, réplicas de mi padre que yo no sabía identificar pero que sólo yo, al fin y al cabo, había elegido.

Las madres regalan la vida, Amanda, y siempre simbolizan eso para sus hijos, de forma que aquellos que no nos hemos entendido con nuestras madres interpretamos la vida como un regalo envenenado y avanzamos a trancas y barrancas porque albergamos un feroz y permanente instinto de muerte que tira de nosotros. Y a esa pulsión de muerte yo la llamé Mi Otra. Y la Otra, que había nacido del amor a mi madre, se quedaba allí, impotente frente a una bolsa verde, viendo cómo la razón de existir que la animara se reducía a eso, a un envoltorio.

Me daba vergüenza que Caridad viera las lágrimas, así que articulé como pude un «gracias» entrecortado. Recogí la estampa de la Virgen de la Asunción que aún seguía en la cabecera de la cama ya vacía, me la guardé en el bolsillo y me marché.

Bajé a la cafetería, aguanté de nuevo el chaparrón de comentarios sobre mis coletas y mi ceceo y lo mona que yo había sido de pequeñita y lo mucho que mi madre me quería y descubrí que ya habían hecho planes por mí.

Estaríamos en el velatorio por la tarde. De seis a diez. Y a las diez yo llegaría a casa de mi padre, que se acostaría a las once. A las siete de la mañana del día siguiente nos levantaríamos para estar a punto a las ocho y emprender camino hacia Alicante.

Por supuesto mi eficientísimo hermano ya había hablado con todos los representantes de funerarias y decidido quién llevaría a mi madre desde Madrid en un coche fúnebre. Había elegido también el féretro, sobrio pero no en exceso, lo suficientemente caro como para que se notara que nos importaba. (De Tatiana o Marushka o como se llamara nada se supo, y no me atreví a preguntar, quizá no se la consideraba parte de la familia como para compartir esos momentos o quizá mi hermano ya se había deshecho de ella, agobiado ante la inminencia de chalet adosado y pareja de niños ideales que la continuidad de aquella relación parecía sugerir.) Según le oí decir más tarde, uno de los comerciales que intentaba colocarle un ataúd carísimo —de caoba con repujados, asas de bronce y un cristo yaciente con incrustaciones de oro sobre la tapa— había utilizado un argumento de venta bastante singular: «Es igualito que con el que enterraron a Franco.» Huelga añadir que nadie me preguntó mi opinión, que nadie pensó que yo tuviera una opinión sobre el féretro en el que la enterrarían, o más bien a su envoltura.

Todos esos planes a los que debía ceñirme me obligaban a organizarme para comprar un traje negro, preparar las maletas y la bolsa de tus cosas y llegar al velatorio sobre las siete, ya que a las seis me sería imposible y mi familia me había concedido magnánimamente una hora de gracia. Y encontrar entretanto un rato para comer.

Eran las once. Si me daba prisa llegaría a casa a las doce

342

y contaría con seis horas para hacer el equipaje y comprar la ropa, sin desperdiciar el tiempo en lágrimas y desmayos.

Oh, la sacrosanta eficiencia de la familia Agulló, herencia de nuestro recto y organizado padre, la misma que hizo que yo en su día clasificara por orden alfabético las cintas que contenían mis entrevistas y me impusiera un horario espartano de cinco horas diarias —de siete de la mañana a doce del mediodía— para escribir mi libro; la misma que consiguió que entregara el manuscrito quince días antes de la fecha de entrega señalada, para pasmo de la editora, que nunca había visto algo parecido en la historia de la edición, por mucho que yo entonces bebiera como una cosaca y me pasara borracha la mayor parte del día (pero no hay licor ni bebida espirituosa capaz de borrar una imposición que te grabaron a fuego en la cabeza de pequeña: antes morir que no terminar el trabajo a tiempo, y bien hecho); la misma que no nos deja tiempo ni para llorar a nuestra madre si hay que encargar un féretro, la misma que hizo que yo llamara a tu padre desde el taxi, sin una sola lágrima ni un trémolo en la voz, para avisarle de que debía esperarme en el portal a tal hora y tantos minutos, contigo preparada, subida al carrito, la bolsa a punto con su cambiador y su biberón y su muda de repuesto, porque teníamos que comprarle ropa negra, y es que la familia Agulló no entendería que para una ocasión tan formal como un entierro se presentara el *nuero* de la finada —que no era en realidad tal *nuero*, puesto que su unión con la hija no ha sido legitimada ni civil ni religiosamente, ni siquiera con una ceremonia en Bali— sin vestimenta formal con su chaqueta y su corbata, por mucho que no se hubiera puesto una corbata en la vida. Las formas, ya sabes, son las formas.

Llamé también a Consuelo y quedé a la misma hora en el portal para que me asesorase con la ropa. Y cuando llegué, puntual como una sentencia, allí me esperabais los tres, mi compañero, mi amiga y mi hija, dos de ellos con cara de pompa y circunstancias, la tercera feliz cual castañuela como siempre que la sacan a pasear. Y no imaginas la tortura que supuso, en una ocasión tan rara como aquélla, someterse al estrés que implica encontrar en menos de dos horas un traje, unos zapatos, una corbata y una camisa, todo oscuro, y someterse de paso al escrutinio de un dependiente que no entendía qué hacían esas dos mujeres dándole órdenes a aquel chico pasmado, evidentemente ajeno al mundo de las formas y los complementos, mucho más preocupado de la niña que le miraba desde el carrito que del corte o de la sisa. Y agradécele a la diosa o a la suerte o al azar o al Todo Cósmico el que tu padre tenga buen tipo y no fueran necesarios posteriores ajustes o retoques y pudiéramos salir de Cortefiel a la hora programada con dos trajes de chaqueta negros —uno de señora y otro de caballero—, una camisa, una corbata, un par de zapatos negros y un agujero también negro en la tarjeta de crédito de tu madre que hubo que rellenar después con el importe de cinco artículos hechos contra reloj.

Cierto es que no lloré, pero más cierto es aún que fue Consuelo (y nunca se lo agradeceré bastante) la que me tuvo que hacer las maletas porque a mí me temblaban las manos. Pero no lloré y eso es lo importante: no traicioné las consignas de los Agulló según las cuales las formas y la compostura no se pierden en familia, sobre todo en los momentos en los que se entendería que alguien pudiera perderlas, y me presenté en el velatorio a las siete y dos minutos, vestida de negro y con el pelo recogido en un moño de lo menos vistoso, como si fuera a interpretar *La casa de Bernarda Alba* en un teatro de provincias, arrastrando a tu padre, igualmente vestido de negro y más incómodo en su recién estrenado atuendo que un baloncestista con tacones, y contigo acicalada y repeinada, vestida de rosa como mandan los cánones, con más puntillas que un huevo frito y apestando a Nenuco a kilómetros.

Había estado en muchos velatorios antes, pero nunca en uno tan feo.

En realidad no había estado en tantos. Cinco, para ser exacta.

Dos en Alicante, y los dos en la casa del finado, con el féretro en medio del salón rodeado de velas y flores y, en una habitación contigua dispuesta a tal efecto (quizá fuera el comedor y alguien se había llevado la mesa y dejado las sillas), unas cuantas señoras de negro que lloraban junto a una mesita y en ella una bandeja con licor y pastas mientras los señores, todos encorbatados, fumaban en el recibidor. O así es como se me aparece la escena, difuminada entre las brumas del recuerdo, alzándose ficticia desde mi contemplación desentendida, pues aquellos velatorios (uno el de mi abuelo paterno y el otro creo que el de mi abuela) los viví muy jovencita, puede que a los once o doce años. Quién sabe si al describirlos estoy regresando a salones en los que en realidad no haya estado nunca.

Los otros tres velorios los había vivido en Madrid, siempre en el tanatorio de la M-30. Uno fue el de un amigo que falleció por sobredosis, otro el de otra amiga víctima de un accidente de tráfico y el tercero el de una compañera de trabajo, directora de la colección de narrativa en la editorial para la que yo trabajé de correctora, a la que un cáncer fulminante se llevó antes de que cumpliera los cincuenta. Y de aquellas velas de tanatorio, aquellos acompañamientos urbanos, organizados y asépticos, tengo un recuerdo muy distinto.

En el tanatorio de la M-30 hay diferentes salas para cada finado, algunas más pequeñas y otras enormes, más grandes que mi propio apartamento, pero todas decoradas en los mismos tonos pastel, melocotón para las paredes, si no recuerdo mal, y rosa palo para la moqueta, con una iluminación indirecta a tono con la calidez del papel pintado y unos sillones mullidos y confortables, de tal forma que aquello parece un salón recién copiado del *Elle Decoración*. Cada sala dispone de una pequeña habitación adjunta en la que reposa el féretro, de forma que al velado se le puede ver a través de un cristal, sin tocarlo, eso sí, para que nadie advierta que está frío y rígido y así pueda mantenerse la ilusión de que simplemente duerme. Recuerdo que había incluso un libro de visitas a la entrada en el que cada cual escribía su último mensaje y me queda en la memoria un extraño perfume, como de señora mayor, que definía el ambiente. Creo que el aroma es igual en la memoria al que era en realidad y tiene, perennemente presente, si se levantase de donde finge que duerme, el mismo poso decadente, la misma nota almibarada, pues todo tenía un aire tan civilizado, tan elegante, que una esperaba ver aparecer en cualquier momento a camareros paseando entre los invitados con una bandeja de Ferrero Rocher.

Los velatorios de hospital, sin embargo, como el de mi madre, no tienen libro de visitas ni colores pastel ni sillones mullidos. Tienen una sala común con sillas de plástico duro, una máquina expendedora de Coca-Colas que ya ni funciona y un suelo helado y no muy limpio de loseta barata. Y después una serie de habitaciones individuales que dan a un pasillo común, tan pequeñas como para que prácticamente sólo quepa el féretro (una de las coronas de mi madre, la que habían enviado desde La Estrella, la compañía de seguros en la que trabaja mi hermano, era demasiado grande y por poco no cabe, hubo casi que encajarla contra el ataúd), minihabitáculos que casi parecen armarios y que no disponen de cristal que separe al muerto de los vivos, sin mampara que distancie a un cadáver tangible y obvio que visto de cerca parece una estatua de cera, porque allí, a diferencia del tanatorio, no hay lugar para la ilusión y el sueño.

Nadie lloraba, nadie. Mi padre, grave y circunspecto, iba saludando con exquisita corrección a aquellos que llegaban a presentarle sus últimos respetos a mi madre, o a su envoltura, los mismos que no supe reconocer por la mañana y alguno más, todos con el mismo comentario a flor de labios, que qué desgracia tan grande y qué excelente mujer era, y cuando se dirigían a mí venga a decir qué guapa eras tú (que lo eres) y cómo te parecías a mí (no te pareces, te pareces a tu padre en versión sensiblemente mejorada), y de nuevo a sacar a colación las coletitas y el ceceo, supongo que porque era mejor hablar de mi infancia que de mi presente de madre soltera y de presunta cocainómana liada con un actor casado, pues las últimas noticias que tuvieron de mí se remontaban al escándalo *Cita*. La tía Reme estaba sentada en una esquina, con un aire bastante abatido pero sin soltar una lágrima, mientras mis hermanas, en la otra, hacían causa común con la tía Eugenia, venga a hablar de historias de Alicante que sucedieron antes de que yo naciera, anécdotas que todo el mundo parecía conocer menos una servidora. Mi hermano, de pie, le relataba a quien quisiera escucharlo la historia de la difícil elección del féretro y de cómo hubo de regatear entre varias empresas funerarias para conseguir la mejor relación calidad-precio. Me sorprendió enterarme de que estas empresas de pompas fúnebres tienen varios comerciales que se pasan el día en el hospital y a quienes los propios médicos ponen en contacto con los familiares de los pacientes fallecidos. Y me quedé con un detalle que no sé si calificar como sórdido, esperpéntico o netamente celtibérico: estos señores van vestidos de negro, traje y corbata de luto, el mismo disfraz que hubo de ponerse tu padre para la ocasión, con la diferencia de que ellos no lo hacen por respeto a ningún familiar (o a las formas) sino porque ése es su uniforme de trabajo y porque el negro es para ellos lo que el naranja para los butaneros, supongo. Ya sé que lo que estás leyendo suena a comedia negra de Mihura, pero te juro que no me lo invento, y para cuando leas esto ya me conocerás lo suficiente como para saber que no bromearía con algo así.

Nadie lloraba, nadie. Se me vino a la cabeza una antigua canción de Golpes Bajos que yo solía tararear cuando tenía quince años y llevaba túnicas negras y muñequeras de pinchos: *Ni una sola lágrima.* Y después me vino una reflexión de Canetti o de Ortega sobre la individualidad que se pierde en la masa, y es que en un grupo humano el individuo tiende a acomodar su actuación a aquélla, por imitación, pese a que sea el individuo, a solas consigo mismo, el único ser que sienta, de ahí que siempre se presuponga una cierta insinceridad en los sentimientos colectivos. Probablemente si alguien hubiera empezado a llorar (la tía Reme era la que tenía todas las papeletas), otro alguien le habría seguido (alguna de las señoras con cardado y pendientes de perla que parecían saberlo todo sobre mi ceceo), y aquello habría degenerado, como suele suceder en esas situaciones, en un duelo de plañideras a ver quién se hacía notar más. Pero no, eso hubiera ido en contra del espíritu Agulló —en público, la contención ante todo, que las emociones sólo se ventilen en privado— y bastaba con la actitud de mi padre para poner dique a aquella potencial descarga de desconsuelo. Y así nos dieron las diez tranquilamente y nos marchamos todos a cenar a casa de mi hermana que —otra vez la famosa eficiencia familiar— puso a nuestra disposición una cena fría que había dejado preparada antes de salir para el velatorio, cena que casi ni probé puesto que se componía en su mayoría de embutido (Asun siempre olvida que soy vegetariana, como olvida o ignora casi todo sobre mí) y porque tenía un nudo en el estómago, con todos los sentimientos reprimidos estrujados allí dentro como un trapo viejo. Y de ahí a casa de mi padre, a la antigua casa familiar, el piso de Madrid en el que yo viví hace tanto, desde el que partiríamos mi padre, el tuyo, tú y yo, a Alicante a la mañana siguiente.

No te diré que no pude conciliar el sueño porque sería falso. A las once nos retiramos, tu padre durmió en la que fue la habitación de Vicente y yo me metí en mi antigua cama, la misma que dejé a los veinte años cuando me marché de allí pegando un portazo después de una sonada discusión con tu abuelo, y apenas una hora más tarde estaba profundamente dormida ahogada en un sueño denso, absoluto, sin imágenes, de esos que suelen resultar del cansancio acumulado, y del que no desperté hasta las siete, cuando mi padre entornó la puerta para anunciarme que ya era la hora y descubrí, sorprendida, que no habías llorado en toda la noche.

Ni se me ocurrió remolonear cinco minutos en la cama, como hago cuando estoy en casa, disfrutar de esa lentitud confusa entre el sueño y la vigilia, porque bien sabía que ni siquiera la muerte de mi madre serviría de excusa o de coartada para saltarse una de las reglas inquebrantables de los Agulló, una de las pocas reglas de la que he sabido olvidarme con los años, desaprendiendo con esfuerzo algo que en mi infancia habían grabado a fuego en mi mente: que el tiempo no está para perderlo y que el día hay que empezarlo con decisión castrense. De hecho, toda la vida he sospechado que mi padre se levanta y se ducha con agua fría, porque él siempre ha combinado admirablemente dos personalidades casi opuestas: fuera de casa, el hombre sociable, simpático y *bon vivant*, y dentro el espartano, el eficiente, el sobrio, la máquina de racionalidad matemática, y en

349

ese sentido me sorprendió que Eugenia, en aquella conversación sobre la juventud de mis padres, me lo definiera como un golfo, porque de golfo no creo que haya tenido nunca nada aunque de puertas para fuera pudiera a alguien parecérselo. Desde luego, no me sorprendería nada si alguien me dijera que mi padre, de joven, salía de juerga hasta las tantas, pero estoy segura de que, si lo hacía, se levantaba al día siguiente a las siete y se quitaba la resaca con una ducha helada.

Yo no me he duchado nunca con agua fría ni lo haré, pero sí es cierto que he aprendido a hacerlo en el menor tiempo posible porque durante años viví en una casa con dos cuartos de baño, uno para padres y otro para cuatro hermanos, y todos teníamos que entrar en el colegio a la misma hora, así que ninguno podía perder tiempo en la ducha pues le estaría robando su turno a otro, y esa obligación de la ducha rápida es otra imposición de las que se graban a fuego en el subconsciente: tu madre, aunque lo intentara, nunca sería capaz de entregar un trabajo tarde o permanecer más de tres minutos bajo el chorro del agua. Así que a las siete estaba despierta, a las siete y diez duchada y a las siete y veinte vestida, y durante ese tiempo tu padre te había despertado, cambiado y dado el biberón. A y media en punto estábamos los dos sentados en la mesa frente al desayuno que la asistenta había preparado, y a las ocho, cumpliendo con los planes previstos, estábamos más que listos. Un cuarto de hora después llegaría Vicente a recogernos en la puerta de casa: todo organizado y predecible como el mecanismo de un reloj. La sacrosanta y siempre perfecta eficiencia Agulló.

Llegamos al hospital con tiempo de sobra para firmar los papeles de rigor y puntuales a nuestra cita con el hombre de negro que nos presentó al chofer del furgón funerario que llevaría el cuerpo de mi madre hasta Alicante. Estaban allí también Asun y Laureta con sus maridos y sus niños y sus coches respectivos. Qué precisión de máquina bien engrasada.

Tal y como estaba calculado (por supuesto ¿lo dudabas?) llegamos a Alicante a la hora de comer, donde habíamos quedado con el resto de la familia y con Reme y Eugenia, que habían salido en el primer tren de la mañana desde Atocha.

Y todo transcurrió según el plan trazado. Llegada a Alicante y comida familiar en La Finca, el que fuera el restaurante favorito de mi madre y donde se sirven, se supone, los mejores arroces de Alicante (arroces que no probamos, ya sabes lo de las manías de mi padre, tu abuelo, pero que sí probaba mi madre cada vez que Eugenia quería agasajarla). Con la comida todavía en el estómago nos subimos en los coches y enfilamos para el segundo velatorio, éste en el tanatorio de Elche, epítome del *kitsch* ibérico funerario donde los haya y situado en las afueras de la ciudad, en un polígono industrial que se halla en la carretera de Aspe, entre un hiper y una gasolinera presuntamente ecológica (pese a que la expresión «gasolinera ecológica» constituya en sí misma un oxímoron) y rodeado de fábricas de zapatos. A la entrada de este tanatorio hay una fuente medio seca que gotea agua verdosa (el limo podrido de su fondo suelta una pestilencia más densa que la de ningún cadáver), rodeada de arbolitos estragados y famélicos y de cactus rozagantes (si es que un cactus puede ser rozagante, que lo dudo), única vegetación, junto con las palmeras y los aloes, que sobrevive en semejante secarral. Preside la fuente una reproducción de la Dama de Elche, tan escasamente lograda como cualquiera de las otras muchísimas representaciones que el Ayuntamiento ha ido situando estratégicamente por toda la ciudad y en las que la pobre más que dama parece fallera, y tras ella surge el tanatorio, un edificio que parecería de lejos una fábrica más de no ser por los añadidos de estilo neoclásico de su fachada, decorada a base de vidrieras y piedra de granito de colores (un muestrario del sillar de Novelda y una demostración del arte de vidriera alicantino, pero en falso, porque son de cristal coloreado y no de vidrio) al más puro estilo mediterráneo, fachada que queda muy mona y muy alegre pero desde luego para nada en consonancia con el propósito del lugar.

Esta tónica de lo vistoso y lo nuevo rico continúa en el interior, donde sigue el muestrario del sillar granítico de Novelda en todas sus variedades (rosa, azul y granate en suelos, paredes y aseos), una especie de mármol que no lo es, porque es granito, pero que brilla mucho más que si lo fuera, sobre todo el suelo, enceradísimo hasta casi resultar peligroso. Al fondo hay un mostrador de madera pintado de blanco inmaculado en el que nos atendió un señor inmensamente alto como un ciprés y muy delgado, vestido de un negro absoluto e imponente por el contraste con el fondo níveo, un señor, por cierto, que tenía la cara azul (sí, he dicho azul, como un cadáver) y que parecía la viva creación del doctor Victor Frankenstein excepto porque iba muy bien vestido y porque, sorprendentemente, nos atendió con una amabilidad exquisita, muy poco propia de un monstruo. Tras indicarnos la planta y la sala en la que se velaría a nuestra madre, decidimos subir por la escalera de granito, y cuál no sería nuestra sorpresa al encontrarnos en el primer rellano con una instalación decorativa digna de ser expuesta en Arco, obra de la florista del cementerio y compuesta de todo tipo de capullos, pistilos y pétalos de plástico (ninguno natural) con los colores desvaídos por la pátina de polvo que se había acumulado sobre ellas, y que se vendían por ramos a unos precios exorbitantes. A partir de entonces empezó a resultar difícil avanzar debido a una multitud que colapsaba el primer piso e incluso la propia escalera, hormigueando arriba y abajo como si aquello en lugar de un tanatorio fueran unos grandes almacenes el primer día de rebajas. Más tarde nos enteramos que estaba integrada por los visitantes al velatorio de algún miembro de la familia Paredes, una de las más importantes y conocidas de la ciudad —que se enriquecieron gracias a las famosas zapatillas—, y que constituía una sonada ocasión social en la que se habían presentado parientes, amigos, conocidos y perfectos desconocidos que iban a cotillear. En suma, el pueblo entero. Nos costó dios y ayuda pasar de la primera planta, nos era imposible avanzar por aquel exiguo espacio repleto de gente y, además, teníamos que detenernos cada dos minutos a saludar, y es que nos encontramos con todo Elche, incluidos los amigos que debían de ir a nuestro velatorio pero que se habían quedado en la primera planta atraídos por el bullicio y la irrepetible plana de personalidades allí reunidas.

Por contraste, en la planta segunda reinaba una desolación absoluta, aunque en cuanto se corrió la voz abajo nos llegó una riada de gente que conocía a mi madre o a su familia y que pensarían que bien podían matar dos pájaros de un tiro y asistir en el mismo día a los dos actos. Así que allí se presentaron no sólo nuestros parientes y amigos, sino el carnicero, el panadero, la frutera, la pescadera, el teniente de alcalde y su mujer, la bruja Juli (aquella que le dijo a mi madre que mi padre jamás la dejaría, y a quien la presencia de mi padre le confirmaba lo acertado de su predicción), la mismísima María Dolores Mulá (una pintora famosísima del pueblo que siempre va muy moderna y a la que todos conocíamos de vista o de oídas pero ninguno personalmente, y que sin embargo se mostró muy amable con todos nosotros y muy afligida por la muerte de nuestra madre) e incluso Pepito, el que había sido el florista más popular de todo Elche porque tenía el puesto en la plaza y al que hacía años que nadie veía en ningún sitio. Y así se formó el revuelo en el velatorio y volvieron los comentarios de siempre «pobreta, qué pena, con lo buena mujer que era», «si es que no somos nadie», «unos vienen y otros se van» y «qué guapa es tu hija y cómo se parece a ti» y vuelta a hablar de cuando yo era pequeña y de mis ceceos y mis coletitas. Harta ya de estar harta, que diría Serrat, enfilé para el baño, en donde me encontré con una multitud haciendo cola y además con una señora que por lo visto había hecho noche en el edificio, velando a un familiar, y que estaba en sujetador y con el vestido arremangado hasta la cintura, lavándose los sobacos con una pastilla vieja de jabón que había encontrado en aquel lavabo desportillado.

Me gustaría poder decir que la tristeza se me había agarrado al estómago, pero mentiría. Ni siquiera sé si estaba triste, porque todo resultaba tan desconcertante y surrealista como para pensar que aquello no era sino un sueño, que antes o después volveríamos a la vida real en la que no habría habido ni muerta ni tanatorio. Y lo cierto es que para las diez ya tenía un hambre de náufraga, y no sólo yo, sino toda la familia. La tía Reme se quedó en la sala, porque se empeñó en que no podíamos dejar a mi madre sola y porque estaba enfrascada en una charla muy animada con la Mulá, y nos bajamos a la cafetería. Tu padre decidió volver hacia Alicante, con Laureta y sus niños y contigo. Entendimos que yo debía quedarme a hacer noche, o al menos parte de ella, en el velatorio.

La cafetería estaba hasta los topes y más animada que una *rave* en Kapital, pues allí estaban todos los que habían ido a acompañar al finado de los Paredes. Supongo que habrían empezado por los cafés, pero después ninguno había podido resistirse a la tentación de los solysombras a un euro veinte y los cubatas a dos cincuenta, con lo que más de uno y más de dos se estaban agarrando una tajada soberana apro-

354

vechando que se habían encontrado en el tanatorio con amigos a los que hacía tiempo no veían. Aquí me topé con el primo Gabi, que traía con él a Jaume y a Manolo, compañeros de correrías y aventuras en Santa Pola desde que teníamos ocho años, quienes parecían afectados de verdad por lo sucedido, porque al fin y al cabo mi madre les había hecho en aquellos veranos quién sabe cuántos bocadillos de Nocilla. Nada más vernos, los tres se dirigieron inmediatamente a la mesa donde estaba sentada mi familia a dar el pésame. Tanto mi padre como mis hermanos los recibieron con exquisita corrección (ya sabemos que los Agulló somos muy finos), y sin embargo se notaba cierta tensión en el intercambio de saludos, y es que a Vicente nunca le cayeron bien Jaume y Manolo. Lo cierto es que mi hermano estaría dispuesto a jurar a todo aquel que le escuchara que él de homófobo no tiene un pelo, pero el caso es que tampoco ha tenido un amigo gay en su vida, y ni Jaume ni Manolo van precisamente ocultando su condición. La situación no era tensa en apariencia, pero yo, que conozco bien a mi familia, entendí enseguida que lo mejor era retirarme, así que me levanté de la mesa y me fui a cenar a la barra un pincho de tortilla que compartí con mis amigos y que, a juego con el ambiente de tanatorio, parecía recién embalsamado.

Tras la cena subimos otra vez al velatorio. Allí estábamos Reme, Eugenia, mi hermano Vicente, mi padre, cuya expresión era casi tan rígida como la del cadáver que estaba velando, mis tres amigos y yo. Resultaba muy difícil iniciar una conversación de circunstancias, pero Jaume se esmeró y atacó con los tópicos de siempre, que si no somos nadie y que qué gran mujer era, como si no hablara un chico de treinta años sino una maruja de cincuenta. En algún momento mi padre intentó ser amable y recordar anécdotas de Santa Pola, cuando mi madre le limpiaba a Jaume los mocos, y me dio la impresión de que ese esfuerzo de buscar algo agradable que hiciera menos penosa la obligación de velar era una metáfora de la vida misma, que no es sino una lucha constante para intentar hacer menos duro lo que siempre lo es. Y en esto estaba pensando, cansada en lo físico y en el alma, con el cuerpo molido de vivir y la cabeza agotada ya de esa tristeza solemne que siempre habita en las reflexiones a deshora, cuando entró un señor desconocido, de unos cincuenta años, que se quedó mirando a mi madre con los ojos desmedidos y acto seguido se puso a llorar casi a gritos. Por un momento pensé si no sería el notario aquel con el que mi madre estuvo a punto de casarse en la juventud, pero luego caí en la cuenta de que si aquél era ya entonces mayor para mi madre, probablemente hacía tiempo que ya habría dejado este mundo. Sin embargo, aquel señor parecía no haber cumplido los sesenta. Miré a mi padre y, por su expresión, adiviné inmediatamente que tampoco él sabía quién era el visitante. En aquel momento el lloroso desconocido se desplomó sobre uno de los sillones de escay de la sala y casi de inmediato se puso a roncar con gruñidos tales que cualquiera habría dicho que había un cerdo suelto hozando por el tanatorio.

—¿Y éste quién es? —susurró Jaume, aunque bien lo podía haber preguntado a gritos, porque estaba claro que a aquel señor ya no lo movía ni una grúa.

—Yo no lo conozco de nada —aseguró mi padre—. ¿Y tú, Eva? —me preguntó, como dando por hecho que si algún indeseable se personaba en el velatorio de mi madre, el susodicho sólo podía haber llegado invitado por mí.

—De nada —respondí—. No lo conozco de nada.

—Este señor apesta —apuntó la tía Eugenia.

—A alcohol, entre otras cosas —añadió Reme.

—Yo creo que venía al otro velatorio y se ha equivocado —opinó Manolo.

—No sé, chico... Me extrañaría, parecía muy afectado...

—Reme siempre tan ingenua, la pobre.

—Pues ahora a ver quién lo mueve de aquí —dijo mi padre, visiblemente enfadado.

Entretanto el señor seguía bramando como una segadora mientras la voluminosa tripa subía y bajaba al ritmo de sus estrepitosos resuellos.

Manolo se acercó al señor e intentó despertarlo, al principio golpeándole ligeramente en el hombro («¿Señor...? ¡Despierte, señor!»), y al final zarandeándole sin contemplaciones, pero el tipo ni se inmutaba. Jaume sugirió avisar al amable Frankenstein que nos había recibido al llegar para que se lo llevara, pero el caso es que siempre cabía la posibilidad de que el señor fuera de verdad un pariente lejano o conocido de mi madre, y entonces no sería cuestión sacarle de allí a la fuerza. Ésa era la opinión de Reme, que no coincidía con la de mi padre, que pensaba que nadie, fuera o no pariente de la finada, podía ponerse a roncar en un velatorio así como así.

En ese momento llegó un nutrido grupo de amistades, ilicitanos todos ellos, a quienes conocíamos bien aunque tampoco fueran íntimos de la familia: Fina la verdulera, Marga la de la pescadería y Lucía Lozoya la del *delicatessen,* acompañados de un montón de caras que nos resultaban familiares pero a las que no sabíamos poner nombres. Venían todos ellos visiblemente achispados —o eso dedujimos de inmediato, porque ninguna persona sobria se pone a cantar *La Manta al Coll i el cabasset* en una ocasión así— y al minuto estaban arremolinados frente al féretro de mi madre, contemplándolo presos de lo que parecía hondo y colectivo pesar. En ese momento mi padre se levantó y anunció con determinación:

—Se acabó. Nos vamos a casa. Este velatorio se da por terminado.

—*Fill meu, qué fas?, que asó no pot ser* —dijo Reme en valenciano, para mi gran sorpresa porque la tía, que es de

357

muy buena familia, siempre ha hablado en impecable castellano—. ¿No ves que no podemos dejarla aquí a la pobre?

—La pobre, como comprenderás, no está ya como para enterarse de si se queda sola o acompañada —dictaminó mi padre, tajante—. Y mañana tenemos que estar bien enteros para el entierro y el funeral. Así que nos vamos y no se hable más. —Y dirigiéndose al grupo de dolientes espontáneos—: ¿Han oído ustedes? ¡Que esto se ha acabado! —Y a nosotros—: Eva, hija, baja a avisar al señor de recepción de que nos vamos y de que hay que cerrar esta sala. Y vosotros, Jaume y Manolo, despertad a... a ese señor, y sacadlo de aquí.

En cinco minutos la reunión estaba disuelta, la sala cerrada y nosotros cinco, Vicente, Eugenia, Reme, mi padre y yo, de camino a Alicante.

Cuando llegué, a las cinco de la mañana, tu padre y tú dormíais en mi antigua habitación, tan profundamente que la luz no os despertó y ni siquiera os agitasteis. Y yo caí completamente derrotada, hundiéndome otra noche más en un reposo inmóvil y vacío de imágenes en el que se dormía pero no se soñaba.

El día siguiente fue catastrófico.

A las once menos veinte salíamos de nuevo hacia el tanatorio, pues el funeral se celebraría en la misma capilla del complejo funerario, sita en la ampliación del vestíbulo del edificio y evidentemente concebida por el mismo arquitecto que diseñó el adyacente horror mortuorio, con la misma composición de mármoles y adornada con profusión de idénticas flores de plástico polvorientas idénticas a las que componían el arreglo que habíamos visto en el vestíbulo el día anterior. El altar, por supuesto, también era de mármol valenciano, de un blanco refulgente, y estaba presidido por un crucifijo de hierro forjado neocubista de lo más setentón. En definitiva, por mucho que se diga que la estética es una cuestión subjetiva y que lo que es bello para algunos puede no serlo para otros, la fealdad de aquella capilla era incuestionable. Y aplastante, pues transmitía una extraña sensación de agobio, de opresión. Parecía que hubiera fuerzas hostiles e incorpóreas ejerciendo presión desde aquel recinto presuntamente sagrado.

La ceremonia transcurrió como suelen suceder las ceremonias de este tipo, una misa católica con sus repetidas letanías parecidas a las que yo recitaba en la infancia, pero renovadas. El Padrenuestro, por ejemplo, ya no era el mismo que yo aprendí, ni tampoco el Credo. Como el cura no había conocido a mi madre y por lo tanto no pudo hacer un panegírico de la finada, en vez de ello se fue perdiendo en tópicos y lugares comunes sobre la vida que les espera a los justos en el Reino de los Cielos y a la derecha del Padre. Hubiera podido resultar solemne de no haber sido tan amanerado, porque aquel cura tenía una pluma tremenda y, en cuanto empezó a hablar, Gabi, Jaume y Manolo, desde la tercera fila, no dejaron de dirigir miraditas y gestos cómplices hacia mí, que estaba en la primera intentando esquivarlas o no darme por enterada, pues me daba cuenta de que si mi padre sorprendía alguno de aquellos gestos se iba a enfadar de veras. La media hora de ceremonia se me hizo eterna, pero de alguna manera me encontré con que habíamos llegado al final sin advertirlo. Entonces llegaron unos señores vestidos de traje negro y corbata y se llevaron el féretro, que había permanecido allí, todo el rato, frente al altar, cubierto de una corona de flores blancas. Y naturales, gracias a dios.

Intenté avanzar como pude por el pasillo central hacia la salida, tarea harto difícil porque a cada metro me interceptaba una prima, una tía lejana, una vieja amiga de mi madre que me había oído en la radio o que había leído mi libro y que ardía en deseos de contarme qué gran mujer había sido mi progenitora o qué mona era yo de pequeña cuando ceceaba y llevaba coletitas. Se colgaban de mí como niños mendigos que abordaran a un turista en una capital árabe, reclamando mi atención y mis palabras como si yo fuera una celebridad, lo cual probablemente sí era, a sus ojos. Yo buscaba a tu padre con los míos, pero tu padre no estaba. Ni siquiera había asistido a la ceremonia, había permanecido todo el tiempo fuera de la capilla con la excusa de que debía atenderte a ti y enmascarando así la verdadera razón de su ausencia: que detesta las iglesias y los ritos. Por fin llegué a la entrada del recinto y alcancé a ver a lo lejos a la comitiva que se disponía a dirigirse al cementerio, situado a un tiro de piedra del tanatorio. En ese momento, mi hermano Vicente empezó a gritarme desde la distancia:

—¡EVA, POR EL AMOR DE DIOS! ¡Que llegamos tarde!

Le hice gestos para indicarle que estaba con Gabi, Jaume y Manolo, y que les seguiría por mi cuenta en cuanto pudiera reunirme con tu padre y contigo. Y cuando por fin os tuve a todos a mi lado, nos dirigimos al cementerio.

En la puerta del camposanto los cipreses, caldeados por el sol, despedían una especie de aliento fúnebre, como un perfume denso, oscuro y profundo. Mi hermano nos esperaba echando llamas por los ojos. Avanzó hacia mí dando zancadas, me agarró del brazo con violencia y me apartó del grupo como si fuera un policía.

—¿Qué hacen ésos aquí?

—Pues vienen con...

—Ésos no pueden entrar porque no son de la familia y ésta es una ceremonia íntima, ¿me has entendido? Ya les estás diciendo que se vayan por donde han venido, ¡que eres gilipollas!

Y acto seguido, se dio la vuelta y se internó por un camino que serpenteaba, entre las tumbas, hacia el panteón familiar, sin permitirme réplica ni explicación, dejándome tirada en la puerta del cementerio con la palabra en la boca y lágrimas en los ojos.

Mis amigos se acercaron. Tu padre y tú os quedasteis algo rezagados.

—¿Qué pasa? ¿Qué te ha dicho?

—No sé... —no me atrevía a decirles la verdad, pero tampoco a decirles que entraran al camposanto, pues la actitud de mi hermano me había asustado—, no me encuentro bien —dije, y era verdad: se estaba apoderando de mí un cansancio infinito—, quizá sea mejor que descanse.

—Claro nena, es normal, la impresión... —dijo Jaume.

—Sí, vamos a buscar un banco y te sientas —añadió Manolo, solícito.

—Igual lo mejor va a ser que no entremos al entierro —aventuró Gabi—, porque si no te encuentras bien puede que no te convenga la impresión. Lo de las paletadas de tierra sobre el féretro, ya sabes... es muy desagradable. Además, tampoco es cosa de entrar con la nena, que es un bebé —añadió señalándoos a tu padre y a ti, que teníais pinta de enteraros de lo mismo. O sea, de nada.

Nos sentamos en un banco en la misma puerta del cementerio. El sol caía a plomo y la luz lo inundaba todo de amarillo con exagerada lentitud. Y en ese momento fue cuando me eché a llorar, cosa muy rara en mí que, como buena Agulló, nunca lloro en público. Sin embargo, de repente noté cómo me ardían los ojos y me atravesaba un sollozo en la garganta que me impedía respirar, un torrente de rabia e impotencia que se solidificaba dentro del pecho. Gabi me abrazó y me hundí en su pecho, aspirando un aroma familiar, a infancia, a tardes jugando al escondite en Santa Pola y a primeros besos robados entre primos. Y yo sabía que Gabi pensaba que lloraba por mi madre, pero yo no lloraba por ella, lloraba por orgullo, lloraba por la humillación de haber asistido al momento en que mi propio hermano le negó la entrada a mis amigos y por no haber sabido defender mis derechos y los suyos, lloraba porque detesto que me griten y porque me he pasado toda la infancia escuchando gritos e imposiciones, jugando al papel de la hermana pequeña a la que nadie considera, lloraba porque pensaba que nadie me había visto como una adulta y que yo misma no había aprendido nunca a verme como tal, y que aún me comportaba como una niña que acepta órdenes y reprimendas. Pero ya no era una niña, acababa de perder a mi madre y no podía jugar ya el papel de hija, tenía que empezar a comportarme como madre, y no me sentía capaz, ni siquiera encontraba fuerzas para desenterrar la cabeza del pecho de Gabi o de levantarme de aquel banco.

Y en ese momento escuché un rumor de grupo que se acercaba y me di cuenta de que el entierro debía de haber acabado ya. El cura ya habría leído el responso y a continuación habrían introducido el féretro en el panteón sin paletadas de tierra, como Gabi creía, porque no se trataba de ese tipo de sepultura. Alcé los ojos y vi cómo una especie de nube negra se acercaba hacia nosotros, y cuando se fue concretando más empecé a distinguir en medio de aquel borrón contornos y figuras familiares, el perfil inmediatamente reconocible de mi padre, de mis hermanos, de mis cuñados, y a figuras que no eran familiares, a perfectos desconocidos que no sabía reconocer pero a los que nadie había negado la entrada al cementerio. Y entendí que la imposición de Vicente nada tenía que ver con el hecho de que existieran unos lazos de familia que debían respetarse para compartir los rituales más íntimos, sino a la necesidad de dejar claro que nuestra madre era más suya que mía, pues nunca la sintió tan cercana como la sintió en la muerte, y a la de demostrar su poder, su superioridad, después de que una vez más yo le hubiera robado el protagonismo, bien que sin desearlo, de la misma forma que llevaba haciéndolo desde pequeñita, desde que ceceaba y llevaba coletitas y le quité el puesto al nene, aquel nene espectacular, el querubín rubio entre las dos hermanas morenas, el de los ojos azules inmensos y asombrados, el niño frente a cuyo cochecito se paraban todas las señoras de Alicante deshechas en alabanzas, triste príncipe destronado al que nadie volvió a hacer caso nunca más en cuanto nació una niña más pequeña y más rubia que él. Nadie volvió a llamarle rey de la casa, ni siquiera su madre, sobre todo su madre, la fue perdiendo desde pequeño, me temo, y cuando la tuvo que dar por definitivamente perdida hizo lo que ha venido haciendo desde siempre, lo que toda la vida había visto hacer a mi padre, traducir su dolor a gritos, porque los niños no lloran, o eso había escuchado él desde pequeño. Y me acordé de aquel documental que vi en la tele en el que un chimpancé al que sus cuidadores le arrebataban su juguete favorito la emprendía a mamporros con otro chimpancé más pequeño con el que compartía jaula.

La linda Laureta, bella como nunca en su traje negro (a primera vista diría un Sybilla, pero yo no tengo mucho ojo para estas cosas), que armonizaba divinamente con su figura de junco y su melena oriental, avanzó hacia nosotros como si lo hiciera por una pasarela.

—¿Pero qué haces aquí? ¿Cómo no has entrado? —me preguntó con tono indignado a la vez que me repasaba de arriba abajo con la mirada, dejando claro sin necesidad de decirlo que mi aspecto no le parecía el adecuado—. Ay, hija, Eva, cómo eres... Siempre a lo tuyo. —Y desvió entonces la mirada como si mi presencia la alterara.

—No se encuentra bien —le explicó Gabi.

Vicente se acercó para anunciar solemnemente:

—Nos vamos todos a comer a La Finca.

—Yo no voy, no me encuentro bien, y además no tengo hambre.

—Claro, la impresión... —intentó explicar Jaume.

—Ya, y las ganas de llamar la atención —respondió Vicente—. Eva siempre se tiene que hacer notar. Recuerda que a las cinco salimos hacia Madrid, algunos mañana tenemos que trabajar —recalcó el *algunos* con una voz de engolamiento campanudo, como si las demás, yo, no trabajáramos.

—A las cinco menos cuarto la tienes en el portal de la casa de tus padres —garantizó Manolo—. Yo la llevo.

—Eso espero. ¿Tú te quieres venir a comer con nosotros? —le dijo mi hermano a tu padre, que negó con la cabeza—. ¿No? ¿Prefieres quedarte con ellos?

Tu padre asintió con la cabeza, sin decir nada porque, supongo, le parecería obvio que no iba a dejarme sola.

—Pues allá tú. Pero te advierto que dentro de dos minutos ésta estará perfectamente y tú andarás muerto de hambre. Los numeritos de mi hermana nunca duran mucho, lo sabrás tú mejor que nadie, que vives con ella. En fin, hasta las cinco —concluyó Vicente, despidiéndose con una inclinación de cabeza.

—No le he dicho lo que se merece porque estamos donde estamos, pero hay veces en que tu hermano anda pidiendo una hostia a gritos —comentó Gabi al verle desaparecer—. No ha cambiado nada desde pequeñito, qué cruz de niño, por dios.

—Y que lo digas. El repelente niño Vicente —confirmó Jaume.

—Yo creo que está un poco tocado —opinó Manolo.

—No, qué va a estar tocado... Ése sabe muy bien lo que hace y lo que dice —le contradijo Gabi—. Lo que pasa es que es una malísima persona, aunque esté bueno de aburrir.

—¿Qué dices? —preguntó Jaume, alucinado—. Qué va a estar bueno...

—Pues claro que lo está, en su estilo pijo madrileño, pero lo está. Si no de qué iba a poder tener tanta novia.

364

—Pues por la pasta —le explicó Manolo—, porque yo le veo más bien enano.

—¿Y eso qué más da? Mira Tom Cruise... —insistía Gabi—. Lo que pasa es que lleva encima un complejo desde niño que le ha vuelto gilipollas, y lo digo con conocimiento de causa porque lo conozco desde pequeño, que para eso es mi primo. Siempre estuvo amargado... Claro, las nenas eran más altas que él, más lucidas, más llamativas... Y no ha sabido crecer con eso y así se ha vuelto: un neuras. Y a Eva, como es más pequeña que él y no ha tenido hasta ahora un marido al lado que, según su punto de vista machista, le haga cortarse un pelo, la ha visto siempre más indefensa y es a la que más caña le ha dado.

—No digas esas cosas, no seas bruto. —Manolo siempre conciliador—. El pobre, en el fondo, no es tan malo. Lo que pasa es que tiene sus cosas, como todos, y ese pronto tan bestia que ha heredado de su padre, todo hay que decirlo. Pero yo creo que no es malo, sólo que Vicente está un poco tocado, siempre ha tenido un punto raro, el pobre niño... Pero aparte de eso tiene muy buenas cualidades. A nadie, y menos a alguien de tu familia, lo puedes describir en blanco y negro...

—Mismamente, por ejemplo, Hitler adoraba a sus perros.

El apunte irónico provenía de Jaume.

—Pues ahí quería ir. Que hasta la peor persona tiene algo bueno. Y Vicente cualidades tiene, a montones. Es muy inteligente, eso todos lo sabemos, y por tu madre siempre se desvivió, nadie puede decir que no ha sido un buen hijo. Lo que pasa es que tiene ese pronto que le pierde, pero eso él no sabe evitarlo, y lo peor es que es a él a quien a la postre le pasa más factura, porque el pronto es tan horrible como para que oscurezca sus muchísimas virtudes, y al final todo el mundo acaba pensando que es un ogro, aunque en realidad, en el fondo, no sea tan malo como parece. No sé cómo te diría... no sabe cómo relacionarse, eso es lo que le pasa. Pero yo creo que en el fondo sufre más que el resto. Si fuera más feliz no fumaría tanto.

—Anda ya... —masculló Gabi, escéptico.

—No te hagas mala sangre, Eva, que eso nunca viene bien y menos en momentos como éste, en los que todo se exagera —Manolo seguía en sus trece—. Vicente se pone así por la sencilla razón de que no sabe expresarse. Se le sube el gallito sólo para disimular que está hecho polvo.

—Sí, pero es que me destroza...

—Mira, Eva, a nadie se le puede definir en blanco y negro, ya lo he dicho, siempre hay infinitos matices de gris. Ni tu hermano es un ogro ni tú eres una mártir, sólo que a veces os da por interpretar esos papeles. Pero tú sólo serás la mártir si a ti te da la gana, porque él únicamente te puede hacer daño en la medida que tú le dejes, ¿no lo entiendes? Si dejas que esto te afecte, te dolerá. Pero si no le das importancia, le quitarás todo el poder sobre ti. Además, ya sabes que en todas las familias siempre acaba habiendo broncas en los momentos de más estrés.

—Por eso dice tan sabiamente el dicho alicantino: «Familia y trastos viejos, pocos y lejos» —apuntó Gabi.

—Oye... ¿tú crees que el rumano éste se ha enterado de la movida? Como no habla patata de español... —Manolo intentando cambiar de tema.

—No estoy tan segura, a veces no sé si de verdad no se entera o si finge no enterarse —dije yo.

—¿Y a ti eso no te importa? —preguntó Manolo.

—Pues no me debe de importar, supongo.

—Pero, ¿tú estás enamorada de este chico?

Éste era Jaume.

—Es el padre de mi hija. Lo de estar enamorado no es más que una ilusión pequeñoburguesa.

—Anda, vamos a dar un paseo —Gabi terminó la conversación porque sabía bien que a mí no me apetecía dar más explicaciones—, y a picar algo.

Y al fin y al cabo, qué es el amor sino una invención. No, no hablo del amor que siento por ti, ni del que sentía por mi madre, un sentimiento que se va construyendo poco a poco, contradictorio pero firme porque se asienta sobre unos cimientos muy profundos, sino de ése que causa vértigos, euforia, mareos, falta de apetito y una total necesidad de otra persona, algo así, por ejemplo, como lo que sentí yo en su día por el FMN y que era, entonces sí, una ilusión, un producto de la química cerebral y de la oxitocina, pero también de mi propia imaginación, de la que brotó un amor inventado por el que me dejé llevar, que inhalé en una respiración ansiosa y que retuve, porque pensaba que ese arrebato romántico significaba el preludio de un cambio en el que el FMN tomaría las riendas de mi destino y lo encaminaría por derroteros mucho más plenos e interesantes que los que hasta entonces hubiera conocido; la misma imaginación que proyectó, como si de una pantalla en blanco se tratase, todas mis carencias, mis frustraciones y mis necesidades por resolver y que se fueron a aplicar como un barniz sobre el objeto de mis ilusiones, ocultándome por entero al hombre que había debajo al confundirse con él, como dos figuras superpuestas que no formaran más que una. Ya lo dijo mi admirada Virginia, esa mujer capaz de consignar en sus cartas el restablecimiento de la salud de un hermano que ya había muerto: *el amor es una ilusión, una historia que una construye en su mente, consciente todo el tiempo de que no es verdad, y por eso pone cuidado en no destruir la ilusión*, y por eso mi pensamiento no era capaz de ver lo que de verdad hubiera debido apreciar, porque no tenía el campo libre, ya que la perspectiva de una vida fácil en Nueva York, lejos del Madrid que tenía asociado a tantas decepciones y dolores, y la admiración que yo sentía por la música de aquel hombre se plantaban allí, obstruyendo la entrada de mi conciencia, estimulando las riendas de mi imaginación y taponando los conductos de mi percepción, porque yo reaccionaba desde el pasado, desde lo que temía y de lo que huía, en un intento desesperado de modelar la forma, aún libre, de mi porvenir. Y de esa manera el FMN que yo me creé y creí, a quien, incluso antes de conocerle, yo había ido elaborando delicadamente a través de la transparente belleza de su música, el FMN imaginado (un prodigio de encanto y sensibilidad, además de un genio musical) que superpuse sobre el FMN real y tangible (un excelente músico —eso era cierto— pero también un tipo soso, cobarde y bastante inculto), resultó ser tan falso como la novia del rumano, quien por fin, en una de nuestras conversaciones en la cena, acabó por confesarme que nunca hubo tal novia. Se la había inventado, tal y como Sonia supuso desde el primer momento, y las noches de ausencia las había pasado en el laboratorio, comprobando resultados de no se qué experimentos y encadenando sueñecitos de cuando en cuando sobre una camilla.

Porque le di miedo, porque le atraje tanto como le aterré, porque aquella escena que vivió la primera mañana que se despertó a mi lado ya la había vivido muchas veces, demasiadas veces, y de ahí que supiera tan bien lo que debía hacer para ayudarme a sobrellevar una resaca que no era proporcional a lo que yo había bebido ni, evidentemente, una de tantas. Desde el principio se dio cuenta que allí había un problema, o más bien reconoció un problema con el que ya había tratado, pues no en vano había convivido muchos años con una mujer que bebía: su madre, que empezó a copear en serio después de que su padre les dejara hacía mucho tiempo, el suficiente como para que apenas le recordara, pues el señor había emigrado a Canadá y de él no sabía más que a través de pocas cartas y menos llamadas, enviadas y recibidas muy de cuando en cuando. Inmediatamente tuvo que asumir el papel de hombre de la casa, y de paso el de enfermero y asistente de su madre, que trabajaba de camarera y solía llegar tan borracha como para que su hijo tuviera que desvestirla, meterla en la cama y prepararle al día siguiente un desayuno a base de remedios anti resaca que había acabado aprendiendo de memoria. Se acostumbró a sus cambios de humor, a sus lagunas de memoria, a su desorden, a que nunca estuviera despierta cuando él se levantaba, a que no hiciera nada, ni el desayuno ni la comida ni la cena, a que contara con su hijo para hacer camas o fregar platos, labores que en su día ella había monopolizado y de las que se había ido poco a poco desentendiendo hasta olvidarlas por completo; dejó de sorprenderse al encontrar vómitos por la mañana en el cuarto de baño y aprendió a limpiarlos sin decir palabra ni quejarse; se hizo a los gritos, a las lágrimas y a las canciones, todos exagerados y todos convocados sin ningún motivo y a veces alternados en rapidísima y absurda sucesión, pues la bebida provocaba en su madre cambios de humor sinusóidicos.

A veces llegaba tan borracha que deliraba, y se ponía a insultar al padre desaparecido como si nunca se hubiese marchado y estuviese allí, delante de las mismas narices, sentado a la mesa de la cocina, o se reía con él de chanzas antiguas, privadas, remanentes de una complicidad amorosa vivida hacía muchos años y después perdida, chistes que el hijo no podía ni quería entender, bromas de aquellos años en que ella había sido guapa, antes de que el alcohol la hinchara como un sapo, le enrojeciese la nariz y le abotargase las facciones. De vez en cuando un hombre la subía a casa, arrastrando su cuerpo inerte por las escaleras, o habría que decir hombres, porque no siempre era el mismo, eran más bien individuos distintos pero muy parecidos entre sí, con la misma nariz roja e hinchada de su madre, los mismos ramales de venillas tiñéndoles las aletas, la misma lengua floja, el mismo aliento agridulce y el mismo falso aire festivo, una necesidad de risas y canciones bajo las que se detectaba fácilmente la desesperación. La mayoría se quedaban, pero algunos, al encontrarse en la casa a un niño que les miraba con ojos grandes y acusadores, se marchaban por donde habían venido después de pasarle al niño la mano por la cabeza como lo harían con un animalito doméstico extraviado. Cuando alguno se quedaba, Anton se tapaba la cabeza con la almohada para no oír los golpes del cabecero contra la pared, los chirridos de los muelles del somier y, sobre todo, unos gruñidos y resoplidos que le recordaban a los de los cerdos que había conocido de pequeño en la granja de su abuela paterna, a la que no había vuelto a ver desde que su padre se marchó. Lo peor es que él quería a su madre, y ella le hacía sentirse querido, por necesitado, y pese a que entendía que la situación era insostenible, sabía de sobra que nunca cambiaría, y sentía una nostalgia casi asesina de su primera infancia y unas ganas desesperadas de largarse lejos de allí, adonde fuera.

Mientras tanto, Rumania se iba sumiendo en una crisis cada vez más grave, y los que podían emigraban, como había hecho su padre. Un día llegó una carta suya en donde le comunicaba que había vuelto a casarse y se había convertido, por matrimonio, en ciudadano canadiense. El país se iba a pique y el pequeño Anton se convertía en la estrella de su instituto, el chico con mejores notas en todas las asignaturas, el que se llevó el premio al mejor estudiante al acabar la secundaria. Y por eso el director, que le había tomado cariño y que conocía muy bien su situación, pues era vecino de su mismo bloque de viviendas, le sugirió que intentara estudiar fuera, que aprovechara la nueva nacionalidad del padre y, puesto que todavía era menor de edad, apelase al concepto de la reunificación familiar, consiguiera tarjeta de residencia en Canadá y obtuviera una beca de estudios allí. Mucho tiempo atrás, antes de que el padre se marchara, cuando la madre aún no bebía ni vino en las comidas, cuando los domingos eran días de pelota y de tren y de excursiones al campo a tres, aquel señor había sido muy amigo del padre, por eso se ofreció a escribirle una carta hablándole de las capacidades de su hijo para convencerle de que un cerebro como aquél no podía desaprovecharse.

Cuando Anton le habló a su madre de la idea del profesor, ella se puso como una fiera. ¿La iba a dejar sola, a la única que se había desvivido por él, para marcharse con un señor que le había engendrado pero poco más, que no se responsabilizaba de nada, que apenas mantenía el contacto, que les había dejado a los dos tirados como una colilla? ¿Y qué iba a hacer ella sin su hijo, su único sostén emocional, su único amigo, su sola razón de vivir?

Para acabar de disuadir a Anton, llegó la larga carta del padre, respuesta a la que había recibido del director, la más larga de las nunca recibidas, tan larga que su extensión superaba a la de todas las demás cartas juntas que habían ido llegando durante aquel no menos largo decenio. Explicaba que nunca le había olvidado, que jamás había dejado de quererle, y hablaba de la responsabilidad y de la hombría, y de los deberes para con la propia sangre, y se enredaba en justificaciones sentimentales que sonaban a canción de radiofórmula, para acabar diciendo que él firmaría los papeles que hubiera que firmar y ayudaría a su hijo en lo que pudiese, pero que éste no podría vivir bajo su techo, pues se había casado con una mujer muy celosa que no quería ni oír hablar de la existencia de un amor previo y, mucho menos, de un fruto de aquel amor.

De forma que Anton asumió que no abandonaría Rumania, que allí se quedaría al lado de su madre, y sin embargo fue curiosamente su madre la que le obligó a marchar, pues tras una larga conversación con el director se había dado cuenta de que no había otra opción, de que su hijo no podía desaprovechar la oportunidad que le ponían en bandeja cuando medio país estaba intentando a la desesperada, y muchas veces infructuosamente, salir de allí jugándose incluso el tipo y la salud, cruzando ilegalmente las fronteras, arribando en países en los que no se conocía a nadie o en donde eran rechazados. Al principio, cuando su madre se resistía a dejarle marchar, su actitud le había parecido a Anton egoísta, casi cruel y hasta odiosa. Pero su repentino consentimiento le inspiró un cariño vivísimo por renacido, y de repente sintió que ya no se quería ir. Decidió que lo mejor sería no marcharse si con ello iba a disgustarla tanto aunque, pese a todo, la misma decisión de quedarse le provocaba más deseos de escapar. Pero no de huir a Canadá, sino hacia un paraíso soleado y difuso que imaginaba en sueños, y que estaba seguro de poder encontrar el día en que fuera libre para ir a buscarlo, el día en que pudiera sentirse ajeno a los chantajes de su madre, o al fantasma de su padre.

Cuando le anunció a su madre su decisión de permanecer a su lado, ella, en lugar de alegrarse, insistió más todavía en la necesidad de su partida. Lo mejor era que se marchara, decía, porque no tendría jamás salida en aquel país devastado. Quería que se fuera y que no tuviera cuidado, que no sintiera ninguna pena por ella, al fin y al cabo su vida ya se estaba acabando y la de él casi acababa de empezar y no quería que su futuro se pareciera en absoluto al pasado que ella había vivido. A Anton, sin embargo, esa recién adquirida obligación de vivir una existencia plena, feliz, exitosa, que contrastase con la de su madre y en cierto modo la resarciera, se le antojaba una carga muy pesada, y le parecía que se desgarraría si se apartaba de ella.

Pero no se desgarró. Muy al contrario, sólo se sintió entero, persona independiente y no parte de un conjunto binario, cuando llegó a Canadá. Su madrastra era dentista y por lo tanto, según los cánones canadienses, casi millonaria, y el padre se había hecho su hueco como agente inmobiliario. A los dos les sobraba el dinero y les faltaba el tiempo, así que su padre, complejo de culpa obliga, le había buscado alojamiento en Toronto, un apartamento minúsculo que se ofreció a pagar mientras hiciera falta. Anton no podía haber imaginado mejores condiciones para establecerse. ¿Qué otro muchacho de dieciséis años podía decir que vivía solo, sin obligaciones ni imposiciones paternas, sin limitaciones de entradas y salidas? Y sin apoyo, sin compañía, sin sentimiento de pertenencia, carencias que se hacían temores en la cabeza de Anton, pero que jamás mencionó a nadie, mucho menos al señor que le pagaba el alquiler y cuyo abogado se ocupó de todos los trámites, incluido el de matricularle en una *High School*.

Al año, cuando ya estaba certificado como ciudadano canadiense y podía alardear de un expediente tan brillante o más que el que obtuviera en su ciudad natal (pues en Canadá el nivel académico resultó ser sensiblemente inferior al rumano, sobre todo en lo que a ciencias se refería) pidió la famosa beca. La obtuvo y se marchó a estudiar biología a Kingston, donde su vida siguió caracterizada por la misma tónica que en Toronto: la soledad. El tiempo que había pasado fuera de Rumania lo había dedicado a tres cosas: estudiar, perfeccionar su inglés y escribirle cartas diarias a su madre. No había hecho amigos en clase, y apenas podía ver a su padre más que una vez cada quince días, cuando éste le invitaba a comer en uno de los mejores restaurantes de la ciudad. De vez en cuando, en cualquiera de esos locales, su padre se cruzaba con algún conocido que les saludaba a distancia y que secretamente inspiraba la envidia de Anton. Aquellas personas participaban en la existencia de su padre, una existencia que transcurría más allá de aquel restaurante, una vida a la que Anton no tenía acceso.

Sí, el señor parecía tremendamente orgulloso de su hijo, pero no tanto como para llevarle a su casa o presentarle a los nuevos hermanos, que los había, y probablemente el hecho de saber que esa omisión no podía interpretarse más que como una canallada derivaba en un complejo de culpa que a su vez se traducía en el pago del alquiler del apartamento y en una renta mensual para su hijo, que ingresaba puntualmente cada primero de mes en una cuenta corriente que el eficiente abogado había abierto a nombre de Anton. La mitad exacta de aquella renta se la reenviaba Anton a su madre (el cambio de moneda obraba un milagro análogo al de la multiplicación de los panes y los peces y convertía aquella moderada suma en una cantidad más que respetable), y así actuaba a su vez tal y como lo hacía su padre: intentando acallar con dinero su complejo de culpa.

Anton adoptó ante la vida una actitud defensiva. Se acorazó en un castillo muy bien fortificado en cuyo centro había una torre de marfil construida con mimo a base de lecturas, estudios y cartas a su madre. Y allí habitaba solo, como un príncipe en el exilio a quien le quedara el título pero no el poder. Hubo algún intento de relación amorosa que a nada le condujo, estudiantes que se sentían atraídas por su aura de misterio y que sirvieron de medicina temporal para la soledad, chicas que no hablaban su lengua ni conocían su pasado, que ni siquiera sabrían situar en un mapa su país, amigas que compartieron alguna vez su cama pero no consiguieron sacarle de su estancamiento emocional.

Las cartas que recibía de su madre eran cada vez más animadas. Al principio, cuando Anton se marchó, entró en una crisis aguda que la sumergió de lleno en la bebida, hasta la mañana en que su vecino, el director del colegio, la encontró desmayada en la escalera con un reguero de sangre seca cruzándole la cara. Él fue quien la animó, o casi la obligó, a acudir a las reuniones del grupo de alcohólicos de la parroquia. Dejó su trabajo, pues en el bar era imposible ni plantearse abandonar la bebida, y el cura le encontró un puesto como limpiadora en un hotel. Ganaba menos y trabajaba más, pero no se pasaba el día rodeada de botellas, y el dinero no importaba tanto ahora que recibía los generosos giros de su hijo (dinero cuya procedencia real ella desconocía, pues Anton —seguro de que ella no habría aceptado jamás un dólar que viniera de su padre o, peor aún, de su nueva mujer— le había contado que tenía un empleo a tiempo parcial como camarero en un restaurante). Ahora acudía a misa cada domingo y había empezado a salir con un hombre, un viudo bastante mayor que ella al que había conocido en las reuniones parroquiales. De vez en cuando Anton la llamaba por teléfono y no sólo la encontraba más animosa y coherente, sino que incluso notaba un cambio en el color y el matiz de la voz, que había perdido ese tono ronco, ese carraspeo áspero del vodka que antaño la caracterizara. Imaginaba que en cierto modo ella había reunido fuerzas y valor para salir del agujero al encontrarse totalmente sola. Él, sin saberlo, la había reafirmado en su debilidad con su mera presencia y aquel estar siempre disponible para arreglarle la cama, para aliviarle sus resacas y para levantarla cuando caía; le había hecho creer que su papel era el de enfermero y el de ella el de enferma y que si actuaba de otra manera perdería todas esas manifestaciones de atención y cariño que su hijo le dedicaba siendo alcohólica. O tal vez eso era lo que Anton prefería creer, porque esa explicación a su mejoría —muy plausible, por otra parte— aliviaba un poco el complejo de culpa que sentía por haberla dejado sola y que los giros mensuales a Rumania no lograban calmar, como tampoco apagaban la terrible nostalgia que a veces sentía de su calor, de su compañía.

Sin embargo nunca fue a verla, ni ella jamás se lo pidió, quizá porque ambos sabían que la relación de dependencia mutua que habían mantenido no había beneficiado a ninguno, quizá porque, por mucho que se echaran de menos, ambos se sentían mejor sin el otro.

Tras cuatro años en Kingston, Anton pidió otra beca y aterrizó en Nueva York. Seguía recibiendo puntualmente su asignación, pero ya no podía enviar la mitad a su madre porque el dinero en la nueva ciudad parecía encogerse como por arte de magia. Por primera vez hizo amigos y, relevado al fin de la obligación de obtener las mejores notas del campus con vistas a la futura beca de doctorado, pues ya la había obtenido y no parecía que le fueran a hacer falta más en el futuro, se permitió hacer cierta vida social. En la gran ciudad su propia vida se le ocultaba enteramente tras una decoración nueva, como si se pudiera olvidar de su pasado y casi de su propia persona para convertirse en alguien distinto, y así decidió emplear todas las fuerzas acumuladas durante su inactividad social en Toronto y en Kingston para entregarse espontáneamente a una vida nueva y libre, porque lo que hasta entonces había vivido no le parecía más que un desierto, una parte mínima del espacio que se extendía ante él y que ansiaba recorrer porque parecía ofrecerle, replegado entre los callejones y las puertas de los *clubs* y los bares, una prolongación y posible multiplicación de sí mismo.

En Canadá, el hecho de no compartir ninguna costumbre ni idea ni recuerdo con los que le rodeaban le había forzado al aislamiento, pero en Nueva York, en medio de aquel crisol de desarraigados, aquel sentimiento de no pertenencia adquiría un efecto contrario, porque la conciencia de que no existía entre su nueva ciudad y la que le había criado le inspiraba la sed de una vida que quería absorber a grandes sorbos, con la ansiedad de quien sentía que nunca había probado una gota de ella. Cuando empezó a salir, acompañado por amistades recién hechas, gente que conocía en las clases, en la biblioteca de la universidad o en fiestas a las que le llevaba su compañero de piso, todo le parecía luminoso, contagiado del brillo de lo nuevo, y tenía tendencia a encarecer el valor de cualquier placer precisamente por lo difícil que le había resultado lograrlos. Cualquier bar, cualquier librería, cualquier restaurante, cualquier concierto, cualquier exposición le contentaba, y por todas partes creía ver mujeres atractivas que parecían estar brindándole en los ojos, en los labios, en las piernas, la oportunidad de resarcirse de tantos años de aislamiento, como si llevara dentro un ideal que reconocía de lejos en cada hembra que pasaba, como si todas pudieran encarnar a la mujer de la que se enamoraría, la que le daría las réplicas en la comedia amorosa que iba escribiendo en la cabeza desde que llegó a la ciudad que nunca duerme. Era como si, lejos de su padre y del sentimiento de exclusión que su cercana lejanía le inspiraba (ese padre que estaba pero en realidad no estaba y que siempre le dejó muy claro que existía una línea limítrofe que nunca se le permitiría cruzar), y más lejos aún de su madre y de aquella sensación de no ser uno sino sólo la mitad de uno, de un uno que estaba en realidad formado por dos, se hubiese encontrado a un Anton desconocido dentro del Anton de siempre, como una muñeca rusa encerrada en otras muchas muñecas, y pudiese por fin actuar en libertad y ser, por primera vez, él mismo.

Se convirtió en otra persona, en alguien que quizá siempre había sido, de la misma manera que otros no pueden recordar cuándo dejaron de ser quienes eran porque, en realidad, nunca fueron nadie. Se convirtió en un chico simpático, sociable, abierto sin dejar de tener un poso reservado, pues aún lastraban su recién descubierto ánimo festivo las inagotables reservas de tristeza, larvadas en la infancia, que afloraban pese a la oposición de la voluntad consciente. Y fue en aquel momento, exactamente, cuando me encontró, cuando a él le empezaba a llamar lo que a mí ya me estaba hastiando, cuando disfrutaba por primera vez de placeres que yo consideraba de lo más común (salir con los amigos, tomar copas, conocer gente) y que le suponían el principio de la vida. Y me convertí a sus ojos en una sirena, tentadora por lo que tenía de promesa de una puerta abierta a la diversión y peligrosa en tanto le recordaba a su madre.

Cinco figuras vestidas de negro arrastrando un carrito de bebé bajo un sol de justicia en medio de un secarral. Cinco figuras que por fin llegan al coche de Jaume y emprenden camino a una terraza de Elche. A una de esas figuras, tu madre, la acometen accesos de llanto intermitentes. Todos la compadecen pensando que llora por su madre y ella no se atreve a explicar que llora por sí misma.

A las cinco menos cuarto en punto estamos en el portal de la que fuera casa de mi madre en Alicante. Nos toca esperar en el bar de enfrente porque mi familia no aparece hasta las cinco y media pasadas, sin ofrecer explicaciones, por supuesto. Nos despedimos afectuosamente de Gabi, Jaume y Manolo —quienes ni se dignan a mirar a mi hermano, por cierto, y son correspondidos con la misma glacial indiferencia— y subimos a recoger nuestras maletas, que habíamos dejado allí por la mañana. Después mi hermano, quién si no, decide la distribución de la comitiva de vuelta a Madrid. Mi padre, Eugenia y él, en su coche, uno de esos grandísimos y flamantes híbridos entre todoterreno y vehículo lunar, con relucientes faros y poderosos parachoques, de esos que casi reclaman escalerilla o taburete para acceder al interior, como bien notaron tanto Eugenia como mi padre, y que aúpan al conductor, mi hermano, el bajito, en una especie de carroza desde la que puede observar desde arriba al resto de vehículos que pueblan la carretera —menos autobuses y camiones, claro—. En definitiva, el sueño de todo señor acomplejado por su tamaño, en una nueva interpretación, mucho más actual, de aquel refrán: «Caballo grande, ande o no ande», y es que no hay nada como un coche bien tremendo para curar complejos y epatar a los demás con la única grandeza de que sus dueños pueden presumir. Y suerte tuvo Reme de quedarse en Alicante, porque si no también habría tenido que auparse a semejante engendro galáctico y soportar, durante todo el camino, la humareda de tabaco negro y las fardadas de Vicente sobre velocidad, tracción, o válvulas del motor, discurso inteligible tanto para ella como para Eugenia.

Mis hermanas se repartieron cada una en sus coches con sus respectivos niños y a nosotros nos tocó ir en el coche de Julián, que no debe de haber oído hablar de cosas como la ecología o el desarrollo sostenible y que piensa que para qué va a viajar su familia en un coche cuando tienen dos. Conste que no ha traído el coche por mí, que a una lo mismo le daba volverse en tren, y de hecho él ha realizado el camino de ida a Alicante solo mientras nosotros lo hicimos con mi padre y Vicente, pero es que Julián dice que no le gusta viajar con los niños en el coche y por eso se los deja a Asun, aunque a veces pienso que lo que no le gusta es ese mareante deje a *L'Air du temps*, el aura a edulcorado paraíso que te inunda la nariz en cuanto pones un pie en el coche de su señora. Lo que no entiendo es por qué, si no quiere viajar con sus propios hijos, accede a viajar con un bebé, pero tampoco estoy yo como para preguntar mucho, porque yo sólo quiero subirme en el coche y largarme de una vez. Así que ahí estoy, plegando tu carrito para introducirlo en el maletero del flamante Mercedes (un maletero amplísimo, de esos que hacen pensar en películas de mafiosos en las que el cuerpo del chivato recién ajusticiado viaja en el portaequipajes del coche de un Estado a otro), cuando se acerca mi hermano Vicente, purito en mano, como siempre y, a modo de despedida, intenta plantarme los dos besos de rigor. El olor a tabaco negro me asquea. No tengo ni ganas de besarle ni motivos para hacerlo. Y aparto la cara.

Y en ese momento mi hermano se vuelve loco.

O quizá, como decía Manolo, siempre lo estuvo, pero el caso es que ahora lo demuestra, porque se le va completamente la cabeza y empieza a gritar como un poseso.

—¿Pero tú quién te crees que eres? ¡Egocéntrica de los cojones! ¡Bastante jodida está esta familia para que vengas tú a joderla más! ¡Ya estamos hartos de ti y de tus numeritos histéricos! ¡Tú estás loca y siempre lo has estado!

Ni mi padre, ni mi compañero, ni mi cuñado, que han presenciado la escena, intervienen, y ante esa pasividad todo mi desasistido yo se repliega al interior de una única y absoluta sensación enferma de fatalidad inminente, y me quedo allí, contemplando a mi hermano con fascinado horror, plantada como una palmera más en una calle cualquiera de Alicante, frente a un maletero tan amplio como un armario, con un carrito de bebé a medio doblar en la mano. Mi hermano trepa a su coche y se planta en el asiento del conductor. Mi padre, sin decir palabra, se sienta a su lado. El coche arranca y desaparece por la avenida y Eugenia, desde el asiento de atrás, me dice adiós con la mano. Yo me miro las mías y noto que estoy temblando como un animal aterrorizado, con la misma violencia histérica con la que tiembla el perro cuando escucha truenos y se esconde bajo la mesa.

Recuerdo aquella terapia de grupo a la que asistí, la misma historia repetida en boca de tantas mujeres diferentes. Cómo había aprendido que si yo soportaba los gritos y las humillaciones era porque estaba entrenada para ello, porque aquél era el trato que había recibido toda la vida, porque había aceptado desde pequeña el papel de víctima. Mi hermano había seguido un patrón de libro, de manual de asistente social: primero se busca una falta que no existe, luego se ataca a la persona en razón de esa falta recurriendo al grito, a la humillación y al insulto y sin dejar posibilidad de réplica. Y si la atacada intentara defenderse se la desautoriza llamándola loca o mala persona. Y todo eso lo había aprendido de mi padre, que solía hacer lo mismo en aquellos tiempos en los que discutía con mi madre constantemente, cuando se empeñaba en repetir a todas horas aquello *del favor que le hizo al casarse con ella* y daba a entender —pero cómo podía saberlo yo por aquel entonces— que en el tiempo en que él la conoció ya era ella mercancía usada, de saldo, que se le había pasado el arroz y que sólo un viudo viejo podía querer llevársela; cuando decía lo *del favor que le hizo al traerla a Madrid* refiriéndose, me temo, a que la había apartado de las habladurías y los chismorreos; cuando vivía devorado por el monstruo de ojos verdes, los celos que sentía de Miguel, de un Miguel que seguía, efectivamente, enamorado de ella, de un Miguel que, según me confesó Reme con voz trémula en el velatorio de Alicante, ahora podría estar por fin bien a gusto, teniéndola cerca en el cielo, si es que el cielo existe, a su lado tal vez ya que siempre la había querido cerca aunque no pudiera tenerla, y por eso, por

381

su ausencia, acabó matándose cuando mis padres se marcharon a vivir a la capital, porque ya nada tenía sentido para él si al menos no podía verla cada día.

Y es ahora, que sé todo esto, cuando me doy cuenta de que probablemente la bruja Juli siempre tuvo razón, de que mi padre estuvo más enamorado de mi madre que ella de él. Pero ¿se puede llamar amor a un sentimiento que le lleva a uno a destruir el objeto presuntamente amado?, ¿tenía razón Wilde cuando dijo aquello de que todo hombre acaba por matar a lo que ama? Me da vueltas la cabeza, no estoy en situación de desenmarañar este lío y a fin de cuentas aquélla era su historia, no la mía, por mucho que yo naciera a consecuencia de ella, y sé que nunca la conoceré del todo, que no entenderé sus mecanismos o resortes y no tiene sentido que me empeñe en descifrar un misterio que a mí no me pertenece.

Subí al coche en estado de *shock*. Tu padre y tu tío seguían sin decir nada. Nadie allí decía nada. Yo lloraba y quería dejar de llorar, pero no podía reprimir el torrente de sal picante de las lágrimas. Estuve sollozando durante kilómetros y horas. Quería parar, pero no podía: el miedo era como un motor enloquecido que, una vez puesto en marcha, no había forma de aplacar. Y todo ese tiempo no hacía más que pensar en cómo me iba a suicidar. Fantaseaba con escribir un testamento en el que dejaría muy claro que mi hija —tú— debía mantener el mínimo contacto o ninguno con mi familia, para después inyectarme una sobredosis letal de heroína de forma que todo pareciera un accidente y no un suicidio. Te parecerá una fantasía infantil, Amanda, y cuando leas esta carta pensarás que tu madre estaba loca. Y lo estaba. Loca de atar, ida, completamente enajenada. A tu madre la estaba consumiendo una frustración infantil que le impedía distanciarse de los problemas de los otros y era incapaz de decirse a sí misma que podía vivir sin necesidad de la aprobación o el cariño de quienes no estuvieran en condiciones de dárselo, consumida por su propia obsesión narcisista, por esa manía de verse sólo reflejada en los ojos ajenos, de no saber explicarse a sí misma de otra manera que a través de las palabras de los demás y magnificando por ello situaciones que habría podido manejar sin esfuerzo de no estar empeñada en exagerar su importancia. Yo espero que cuando leas esta carta, si en algún futuro lejano llegas a leerla, hayas cumplido los veinticinco años, y sería muy feliz si no llegaras a entenderme, porque eso significaría que nunca habrás pasado por un momento parecido y, por ende, que algo habré hecho bien en la vida, que habré criado a una mujer con autoestima, entera, segura, a una mujer que no sea como yo, pero soy perfectamente consciente de lo peligroso que resulta proyectar en los hijos nuestras carencias y esperar que ellos consigan los triunfos que nosotros no fuimos capaces de alcanzar. Ojalá, Amanda, no heredes de tu madre este carácter depresivo y esta incapacidad para establecer distancia. Ojalá, Amanda, tú seas una mujer de acción y no de sentimiento, porque el que siente no avanza, se queda paralizado como yo en medio de una calle con un carrito de bebé en la mano a medio doblar, en medio de la vida, sin atreverse a avanzar, porque el mundo, Amanda, es patrimonio de quien impone su voluntad a sus emociones, porque la vida es una guerra y cada día una batalla. No debe uno quedarse quieto nunca, y mucho menos retroceder ni para tomar impulso. Espero que cuando leas esto, si lo lees, no simpatices con tu madre, no la entiendas, no la apoyes, espero que me odies cuando sepas que fantaseé con matarme y dejarte sola y sin mi apoyo, espero que de ninguna manera puedas comprender por qué cuando una se sume en un estado depresivo grave lo que al día siguiente encontraremos ridículo no nos lo parece en ese momento y sí se muestra, en cambio, como una solución justísima y de una claridad meridiana, espero que no comprendas un razonamiento que machaca en la cabeza diciendo así: «Es verdad, soy una inútil, y nunca voy a poder hacer nada bien jamás, y ya estoy tocada para siempre, porque vengo de una familia de locos y eso nunca se supera, y lo único que voy a conseguir en mi vida es hundirle la existencia a mi hija y a todo el que se acerque, y lo mejor es que acabe con esto de una vez de la manera más rápida posible.»

Me vino a la cabeza en aquel Mercedes, en aquel trayecto Alicante-Madrid, una bronca terrible que me montó una vez aquel novio que quería a su guitarra más que a mí y al que dejé de ver porque preferí creer lo que me habían predicho unas cartas y lo que simbolizaba una brújula que un borracho me entregó en un bar. Recordaba cómo en aquella bronca me había calificado de egocéntrica y loca. Tal y como había hecho Vicente conmigo, tal y como mi padre solía hacer con mi madre. Y pensé que cuando él me insultaba, ya sembraba sobre campo abonado, sobre todo porque trataba con una mujer sin arrestos, asustada de antemano. En fin, yo deseo, Amanda, que cuando crezcas nunca te conviertas en una idiota, en una idiota mayúscula como yo.

Después de aquella bronca con aquel novio volví a casa y me puse a beber, yo sola, chupito tras chupito de vodka hasta que me ventilé una botella entera a palo seco, sin naranja ni limón. Y cuando acabé la botella se me ocurrió la feliz idea de sacar al perro a pasear a las cinco y media de la mañana. Y así me encontré en una plaza de Lavapiés desierta, sin coches. Creo que era lunes. El silencio, en comparación con el bullicio que de día y al sol reverbera en la plaza, parecía inmutable, y daba la sensación de que el aire de la noche se había quedado paralizado. Donde quiera que miraba, el paisaje nocturno sólo me sugería la negación del movimiento, la suspensión de la continuidad. Los coches estaban aparcados, el quiosco cerrado, las persianas de los cafés bajadas, las puertas candadas, las luces de las ventanas apagadas. No había nadie en la calle, nadie, ni siquiera algún borracho que volviera de un garito o cualquiera de los camellos que se apostan en las esquinas a vender material. Todo parecía quieto como la muerte. Pero de repente empecé a notar que la plaza se movía, que el suelo se agitaba bajo mis pies y que el cielo entero giraba de costado, con las estrellas revolviéndose como la purpurina de esos pisapapeles que parecen una bola de cristal rellena de agua y falsa nieve que cae sobre un paisaje de mentira.

Cuando abrí los ojos no recordaba nada más. Cada pensamiento, cada imagen, parecía tener una existencia arbitraria, como si se hubiera cortado la conexión entre unas cosas y otras. Estaba en una cama de una sala de hospital y allí, a mi lado, estaban mis padres y mis hermanas. Luego, cuando las cosas empezaron a tomar sentido, cuando me enteré de que me había desmayado o que quizá había sufrido un ataque epiléptico, que en cualquier caso me habían encontrado tirada inconsciente en una acera, sólo pude preguntar por el perro, que se había convertido en mi única obsesión. Quería saber qué había pasado con él una vez que el mundo había retornado al ámbito de lo posible. Y fue entonces cuando mi padre me preguntó cómo podía ser tan insensible, cómo podía preocuparme tanto por un animal y tan poco por ellos, por el susto que les había dado. Recuerdo claramente que me dijo: «¿Cómo has podido hacernos esto?»

Y en aquel momento lo acepté, acepté su palabra, acepté lo malísima que era por haberle pegado a mi familia semejante susto, por emborracharme hasta quedar sin consciencia y haber estado a punto de morir de una pulmonía tras pasar varias horas al raso de la noche, hasta que el dueño de un bar me encontró cuando se disponía a abrir su establecimiento y avisó al Samur. Él fue, por cierto, quien acogió al perro hasta que yo volví a casa, dato del que me enteré más tarde, cuando a mi padre se le pasó el enfado y por fin me lo explicó.

Pero en cuanto a su reproche, a esa pregunta enmascarada de acusación que flotó en el aire todo el tiempo que estuve ingresada y que se mantuvo hasta mucho después como un abismo entre nosotros, debo decirte que, ya recuperada, tuve la tentación de replicarle a mi padre que él no era tan importante como para que yo fuera a poner en peligro mi vida sólo por fastidiarle a él la suya. Y que si tanto le importaba lo que a mí me pasaba, entonces ¿por qué nunca parecía interesarse por mi vida, por mi trabajo, por mis problemas?, ¿por qué ni siquiera había pisado una sola vez mi apartamento desde que lo compré y me endeudé hasta las cejas en una hipoteca a treinta años que había acabado por convertirse en mi pequeña tortura mensual?, ¿por qué ni siquiera se había interesado por saber cómo se llamaba el hombre con el que yo llevaba cuatro años acostándome y peleándome?, ¿por qué sólo un día antes, cuando llegué tarde a la típica comida dominical en familia, nadie preguntó si había razones para mi retraso, si me encontraba bien o mal y, en vez de ello, lo primero que hicieron fue echarme en cara a gritos mi demora?

Aquella mañana me había despertado al lado del novio guitarrista, el mismo cuyo nombre está escrito en un trozo de pergamino encerrado dentro de una botella enterrada en un descampado de la zona de Cuatro Vientos. Eché un vistazo al reloj de la mesilla y me di cuenta de que casi era la una del mediodía y, si no me apresuraba, iba a llegar tarde a la comida. Me levanté de un salto y me dirigí al cuarto de baño. Él preguntó a qué venía tanta prisa y yo le contesté que tenía que comer con mis padres, mis hermanos y mis sobrinos. Me dijo que no fuera, que llamara para excusarme, y yo le respondí que aquello no podía ser. No sé por qué sigues esforzándote por complacerlos, dijo él, si al fin y al cabo nunca te hacen ni caso, si no te tienen en consideración, si ni siquiera han querido conocerme, si sólo quieren apartarte de mí... Yo interrumpí: tú tampoco has insistido en que te presentara. Es cierto, dijo él, pero nunca ha salido de ellos. Además, yo noto que nunca te llaman, y he visto la mirada despectiva que me dirigió tu hermano cuando coincidimos a la salida de aquel cine, no me hace falta más. Anda, quédate en la cama, conmigo, y vamos a tener un domingo para nosotros solos... No me quedé en la cama y eso le sacó de sí. Y lo siguiente fue acusarme de egoísta, de manipuladora. No te importo, decía, sólo me haces caso cuando te intereso y cuando ya no te hago falta me tratas como a un *kleenex* usado. Sí me importas, argumentaba yo. Pues, si de verdad te importo, llama a tu familia y quédate aquí conmigo. No puedo, sabes que no puedo... Y así durante diez minutos, veinte minutos, media hora, hasta que él recogió sus cosas y se marchó pegando un portazo.

Los pensamientos empezaron a aparecer en mi conciencia como relámpagos. Trataba de apresar uno, pero los que venían detrás lo empujaban y hacían imposible que me concentrase en alguno. Intentaba canalizar la corriente, pero la resistencia cedía. No sabía cuál de las dos partes tenía razón, si el hermano que había contado a la familia que el chico que me acompañaba a la salida del cine tenía pinta de drogadicto; si el padre que me dijo en su momento que sólo le presentara a un novio si estaba segura de que la cosa iba a durar toda la vida porque, de lo contrario, prefería no enterarse de mis aventuras, pero que sin embargo se mostraba amabilísimo, excesivamente amable, casi al borde del flirteo, con la sucesión de Olgas, Mashenkas, Natalias y Tatianas que acompañaban a mi hermano; o si el novio al que tanto le molestaba que comiera con la familia y no con él, el chantajista sentimental que me ponía entre la espada y la pared, obligándome a elegir entre dos lealtades que tiraban de mí con idéntica fuerza. Como era de esperar llegué tarde al restaurante, y cuando me encontré con la escena que me esperaba empecé a pensar, por vez primera, si no había elegido a aquel hombre precisamente porque se parecía mucho a las dos figuras masculinas más importantes de mi vida, mi padre y mi hermano, pese a que no compartiera rasgos físicos, ni indumentarios, ni de estilo, ni religión, modos o creencias con ellos. Sólo había en común un rasgo de su carácter muy particular: el de creer que a él le asistía siempre la razón y que los demás estábamos desposeídos de ella por principio.

Aquella comida fue el detonante de la espectacular bronca que tuvimos sólo un día después en un bar debajo de mi casa, pues mi entonces pareja no me perdonaba que le hubiera dejado solo un domingo, y después de esa discusión fue cuando me bebí un litro entero de vodka yo sola, etcétera, etcétera, etcétera...

Los recuerdos invaden la cabeza como una marea negra.

En aquel Mercedes blanco, de camino a Madrid, me vinieron a la mente muchas cosas, muchos recuerdos que creía enterrados bajo una espesa capa de silencio, sueño y olvido, como todos esos años de infancia vividos junto a una madre siempre callada que juraba a quien quisiera oírla que su marido estaba loco por ella, como si necesitara repetirlo sin parar para poder creérselo. Pero qué sabía yo de mi madre si no sabía nada, si desconocía por completo que su cuñado, mi tío, estuvo enamorado de ella, si ya se había ido y nunca podré preguntarle si vivió feliz o infeliz, si se casó enamorada o eligió la renuncia por sistema y la resignación por destino, una especie de acomodo sin adaptación, por inercia. Años enteros en los que ella vivió persiguiendo la apro-

388

bación de otros como quien persigue el horizonte, que se intuye pero nunca se alcanza, y años enteros de mi vida en los que yo hice exactamente lo mismo. Y toda mi historia, dentro de aquel vehículo, se me confundía en un laberinto donde me extravié de mí. Porque había vivido lo que creía que era mi vida entre la confusión y el ruido, creyendo avanzar cuando sólo me movía en círculos, creyendo amar cuando no hacía sino chocar una y otra vez contra un espejismo del amor que interponía como un cristal entre yo misma y mi reflejo. Hubo quien vivió esa vida, y había sido yo, pero de pronto me sentí como si hubiera despertado de un sueño ajeno, y pensaba que nada de por lo que yo había luchado merecía la pena, ni siquiera mi familia, o quizá y sobre todo mi familia.

Mi familia de origen. Porque la primera familia había dejado de serlo desde que naciste tú.

¿El amor de mi padre? ¿El de mis hermanos? No sé si me quieren, no me atrevería a afirmarlo. Ni siquiera conozco si saben lo que es querer porque no creo que les hayan enseñado, si el amor es algo tan subjetivo como Dios o la literatura, conceptos que cada cual interpreta y aplica a su manera, ni siquiera yo sé lo que es querer si, hasta hace poco, sólo sabía obsesionarme por quien no me quería o por quien representaba lo socialmente aceptable, el sello que imprimir sobre el pasaporte que me permitiera cruzar la frontera que separaba mi mundo del de los otros.

Yo no quería a aquel famoso músico negro, sólo estaba alucinada, transportada y engañada, autoengañada, sólo me atraía el hecho de que el mundo le quisiera, de que miles de personas compraran sus discos, incluso de que los porteros de los *clubs* de lujo supieran su nombre. En algún rincón de mi cabeza suponía que su encanto se me contagiaría, que mientras estuviera a su lado no tendría que esforzarme como siempre por conseguir la aprobación ajena, que la adquiriría por ósmosis, por contacto.

¿Mi padre siente algo por mí? Ignoro lo que siente por mí, porque apenas lo conozco ni lo entiendo. Sé que dice que me quiere, como sé que yo nunca lo he sentido así, nunca. Sé que me hace daño, que me hunde, que cada vez que le veo vuelvo a mi casa odiándome. Pero también sé, porque te tengo a ti, que un hijo tira de tal manera del corazón de quien lo cría que sería imposible o muy difícil que mi padre hubiera olvidado ese lazo invisible y sólido que pese a todo nos une. Quizá lo que sucede es que, como el mono del documental, no puede impedir desahogar su frustración, y que el amor y el odio se encuentran íntimamente conectados en su cerebro, emociones que se basan en idénticos circuitos primarios, que atraviesan las mismas regiones en su camino hacia el hipotálamo. Qué puedo yo entender o aspirar de un hombre del que en el fondo todo ignoro, que vivió más de cuarenta años en un mundo en el que yo no existía, cuando yo no era ni una ilusión de futuro siquiera. Un hombre con sus propios miedos, angustias y sueños rotos que nada tienen que ver conmigo, un hombre cuya vida no gira a mi alrededor, por más que así yo lo deseara, tan intensamente, cuando era niña.

No, yo no fui muy feliz en la infancia. Ni mucho ni poco. De hecho, conozco poca gente que lo fuera. Los padres de Sonia se divorciaron cuando ella tenía cuatro años. Tania, por su parte, ni siquiera conoció a su padre, un señor casado que dejó a su madre embarazada. El conocimiento me ha hecho entender que las únicas familias felices son aquellas que no conocemos bien y que mi tragedia personal no es ni mejor ni peor que la de otros, sólo distinta. Pero es mía, es mi equipaje, mi recuerdo, mi memoria. Es el fardo con el que tengo que cargar o del que me tengo que deshacer. El caso es que no fui feliz. Desde que tuve uso de razón vi llorar a mi madre al menos una vez por semana por una cosa u otra, bien porque se había peleado con mi padre o porque se trataba de uno de aquellos días en que se encontraba demasiado fatigada y no podía levantarse de la cama. ¿Su corazón? Sí, era su corazón el que le impedía levantarse, pero nunca sabré si se trataba del órgano físico, el músculo que bombea la sangre a los tejidos del cuerpo a través de los vasos, ese que tiene dos atrios y dos ventrículos, o el metafórico, los sentimientos inexpresables que se guardan ahí y que afloraban en forma de síntomas físicos, el puro cansancio de cargar cada día con la culpa, la amargura y la frustración a las espaldas. No importaba lo que hiciéramos por ella, nunca era suficiente. Como los niños, exquisitos barómetros sensitivos, están tan bien sintonizados a la frecuencia emocional de sus padres, y como yo vivía en mi propio mundo y era incapaz de darme cuenta de que ella tenía un mundo ajeno, personal e intransferible, del que yo no formaba parte, vivía convencida de que, si mi madre no estaba bien, de alguna manera yo había sido la causante, y así estar cerca de ella se convertía en una experiencia de culpa constante y, consecuentemente, cuando crecí acabé por evitarla al máximo. Tenía por otra parte un padre guapo e inteligentísimo, pero también distante e imprevisible. Ya te he dicho que un día parecía encantado con nosotros y al siguiente nos prohibía entrar en su despacho bajo ningún pretexto y no salía de allí excepto para irse a la cama. Mi hermano, como bien dijo Jaume, era el repelente niño Vicente, un crío acusica y resentido, herido en el alma con el dolor agudo y puro que sólo los niños pueden sentir, un niño con el que no se podía jugar a nada porque no le gustaba perder y porque a la mínima se aprovechaba de su superioridad física para emprenderla a patadas o pellizcos. Y mis hermanas vivían en su propio universo exclusivo, en su habitación compartida de estampados florales y colchas y cortinas a juego, en una existencia paralela que se intuía brillante y armoniosa y a la que yo no tenía acceso porque, como la más pequeña, me hallaba siempre muy lejos de sus preocupaciones, adolescentes ellas cuando yo era niña y universitarias cuando yo era adolescente. A su lado me sentía incómoda y ridícula, poca cosa, insignificante, tonta. Y fea. Fea porque yo era una niña regordeta y torpe, mientras que a las dos las recuerdo siempre delgadas y espigadas, siempre con la barbilla apuntando al cielo. Sí, en algún tiempo ellas debieron de haber sido regordetas y torpes como yo, pero entonces yo no había nacido, o era muy pequeña como para darme cuenta.

Puede que hubiera una parte feliz en mi infancia, sin duda la hubo (las tardes sesteando al calor de la playa, la espuma rizada del mar caliente, la luz reverberando en las crestas de una agua limpia y turquesa que parecía jarabe de sol, un bañador de lunares y un flotador con forma de foca, las monas de Pascua, las lagartijas dormidas en el borde de la tapia, la sorpresa que una vez me tocó en el roscón de Reyes o el día en el que hice de arcángel san Gabriel en una función del colegio porque la profesora dijo que con esos ricitos rubios parecía clavadita a un ángel) y te juro que he intentado recordarla muchas veces, porque ésa era mi única forma de sobrevivir, pero el caso es que los malos recuerdos envenenan todos los demás porque, incluso cuando las cosas parecían ir bien y mis padres no se peleaban y mi padre no se encerraba en el despacho y mi madre se levantaba de la cama, yo vivía sabiendo que eso no iba a durar, que antes o después iba a haber otra bronca, y nunca me sentí protegida, ni sentí que yo sirviera para nada, ni que el mundo fuese un lugar agradable o acogedor.

Tampoco fui feliz de mayor y, si has llegado hasta aquí, no hace falta que me embarque en más explicaciones. Y justo cuando empezaba a pensar que mi vida se iba a arreglar y que las cosas se enderezarían, bum, apareció una bomba dispuesta a dinamitar los cimientos del edificio que había empezado a construir y en cuya primera planta me había instalado. Porque yo he buscado la felicidad por muchas vías y me he equivocado en todas. Ni las drogas ni el alcohol ni la escritura ni los amores apasionados proporcionan felicidad. Proporcionan ciertos momentos de exaltación, pero, en el fondo, cuando bebía o me drogaba o me ponía a escribir compulsivamente o me liaba con locos de atar sólo porque decían que me adoraban y que no podían vivir sin mí me sentía igual a como me sentía en la infancia, perdida, porque siempre subsistía la certeza de que se trataba de algo transitorio, de que antes o después bajaría el efecto del alcohol o de las drogas o se ralentizaría el rapto amoroso, o el libro se acabaría y habría que volver a enfrentarse a la cruda realidad. Pero ahora, por primera vez, siento que tengo algo estable y duradero y que incluso puede crecer e ir a más, y no puedo permitir arruinarlo.

Cualquier psiquiatra te dirá que en una familia el único que duda sobre su cordura resulta ser, paradójicamente, el miembro más lúcido. Los demás se instalan en su propia locura y viven en ella más o menos confortablemente mientras que el lúcido es quien paga el pato, pues cuando ve lo que los demás no ven y lo dice, se encuentra con un grupo compacto empeñado en convencerle de que cambie, y es que su visión pone en peligro la visión de los otros al contraponerse a ella enfrentándola a una verdad que no es mejor, ni más pura, ni más útil, ni más fiable, pero que es, eso sí, distinta. Una verdad alternativa.

Que yo recuerde, en mi infancia y adolescencia mi padre y mi madre criticaban por sistema cualquiera de mis actuaciones. Esto es algo que pasa en todas las familias, en las que la personalidad del adolescente ha de construirse por oposición a la de sus padres. Para los míos, las túnicas negras y las muñequeras de pinchos eran uniformes satánicos, mis amigas unas malas influencias y la decisión de estudiar letras puras una ventolera de tantas que sencillamente no podía entenderse. Si iba a la universidad, ¿por qué no iba a estudiar algo serio, como Empresariales, en lugar de perder tiempo y dinero en tonterías? Al final parecía que la única forma de tratar con ellos consistía en renunciar a ser yo misma, con lo cual reduje el contacto a lo imprescindible, consciente como era de las buenas cualidades de mi padre: inteligente, atractivo, socialmente respetado, encantador... (y utilizo la palabra encantador en muchos sentidos, porque es encantador como un encantador de serpientes, porque su encanto es de los que obliga a los demás a danzar al son de su música), pero también conocedor de su carácter colérico que convertía cualquier intento de acercamiento en lo más parecido a avanzar por un campo minado: una nunca sabía cómo o dónde iba a explotar la bomba.

De pequeña hubo una temporada en la que odié a mi madre con toda mi alma porque no conseguía entenderla y porque me exasperaban sus suspiros, sus enfermedades, sus cansancios y sus lágrimas, y transformé mi amor en odio en un intento desesperado, supongo, de zafarme de mi parte de responsabilidad (responsabilidad que no existía, pero eso ¿cómo iba a saberlo yo?), y la aborrecí hasta tal punto que cada vez que me preguntaban en el colegio si quería más a mi papá o a mi mamá respondía orgullosamente que a mi mamá no la quería (y lo que me sorprende ahora que lo escribo es que nadie nunca intentara decirme que aquello estaba mal, nunca). De ahí que después me resultara dificilísimo acercarme de nuevo a ella. Por eso quizá me dolió más que a nadie que se muriera, porque al dolor de la pérdida se mezclaba el de la culpa y ahora estoy pagando el no haber tenido la decencia ni los arrestos de decir que mejor me iba por mi cuenta al funeral y lloraba a mi madre a mi modo y como a mí me diera la gana, y lloraba de paso la posibilidad de una comunicación irrecuperable y que nunca se dio, y lloraba la infancia que no tuve y habría querido tener y la cantidad de cosas no dichas que se han quedado para siempre a este lado de la vida.

En cuanto a mi padre, siempre sentí que asfixiaba como una planta parásita. Porque cuando él me quería yo me odiaba. Porque para que me quisiera yo tenía que fingir que no era yo, que no creía en lo que creía, que no recordaba lo que recordaba y que aprobaba unos comportamientos que no aprobaba. Yo creí que el verdadero amor no podía exigir del otro una renuncia, no quería creer a Wilde y pensar que el amor es, por definición, un asesino. Por eso creo que cuando él decía que me quería mucho decía la verdad, pero decía su verdad, no la mía, porque la verdad está en la cabeza de cada uno, y no es un axioma inmutable y es cierto que él me ha querido, pero me ha querido cuando era una niña y por tanto una extensión de su persona sin personalidad ni autonomía propias, y me ha querido más mayor pero sólo cuando mentía y me adaptaba a lo que él quería de mí, y no llevaba, por ejemplo, a mi novio a las comidas familiares de cada dos domingos por más que Vicente blasonease (mejor dicho, pendonease) a sus Mashenkas, Tatianas, Olgas o Natalias. Me quería cuando yo me presentaba sola y además vestida como nunca me vestiría en otra parte, con el pelo recogido y un traje de chaqueta, me quería cuando me portaba bien y procuraba no preguntar mucho sobre la vida de los demás ni tampoco contar demasiado sobre la mía, no hablar demasiado de nada en general y limitarme a poner buena cara y a dar cuenta de lo que hubiera en el plato. Me quería cuando no era yo.

Me he pasado la vida persiguiendo inútilmente la aprobación familiar como el burro que avanza por un camino marcado por su dueño a base de perseguir la zanahoria al final del palo, y sólo he conseguido avanzar por un camino que yo no había decidido y no conseguir sentirme mejor ni más querida por eso.

Se me hacía muy difícil aspirar a conseguir la aprobación de mi padre, un trofeo por otra parte que se hacía más valioso a mis ojos por lo disputado: todos, menos mi madre, babeábamos tras él como perritos. La Eva real no parecía gustarle y pretendía machacarla a base de llamarla mimada, loca, desagradecida y mentirosa (mimada si no se levantaba a su hora, loca si se ponía la famosa muñequera de pinchos, desagradecida desde el primer verano que decidió no pasarlo en Santa Pola, mentirosa si afirmaba que a su hermano le faltaba un tornillo). Yo siempre supe cómo era él, y le aceptaba. Es más, le quería. Le quería mucho, demasiado incluso, pero sabía que me había embarcado en una relación de amor imposible. Y cuando vi que se repetía el mismísimo patrón con el hombre cuyo nombre está escrito en un trozo de pergamino encerrado en una botella enterrada en un descampado cerca de Cuatro Vientos, que estaba persiguiendo desesperadamente a alguien que no podría nunca devolverme lo que yo le daba, me di cuenta de que aguantaba esa relación porque seguía un esquema aprendido, porque estaba jugando a ser mi madre sin serlo, poniéndome en el lugar de la misma mujer a la que mi padre tanto decía amar, cambiando el escenario pero reinterpretando el libreto palabra por palabra en un intento desesperado e inútil de cambiarle el final.

Te juro que una parte de mí se siente muy culpable por escribir lo que escribe, la misma parte que siempre se sintió culpable por todo, la misma que creía amar a músicos brillantes que no buscaban otra cosa que una rubita mona que les animara las salidas y otras cuantas cosas más. Pero otra, que creo que es mi yo esencial, tiene la impresión de que si no escribe lo que siente, que si no protesta y clama por sus derechos, no va a sobrevivir. De la misma forma que sabe que hablar con sinceridad significa romper lazos, aunque sólo sea para anudar otros nuevos menos apretados que no la ahoguen tanto. Los lazos antiguos había que romperlos antes o después porque se estaban convirtiendo poco a poco en la soga del ahorcado. Y la culpa es el precio que se paga por la libertad.

Y no sabes lo que me duele escribir esto porque toda la vida he soñado con tener una familia idílica que me quisiera incondicionalmente, de esas de teleserie yanqui, un refugio al que acogerme en caso de necesidad. Y duele dar por terminada esa ilusión. Esa ilusión que todos acariciamos, pero que no se puede materializar en la vida real. Porque ningún ser humano es perfecto y por lo tanto no existe la familia perfecta. Y si las series de televisión nos advirtieran de que todas las familias, todas, se basan en lazos de afecto y complicidad, pero que están anudados, en enmarañada red, con otros de celos, traiciones, desilusiones y envidias, no nos decepcionarían tanto nuestros padres y hermanos y aprenderíamos a valorar a cada familia como lo que es: ni mejor ni peor; distinta. O igual, según se quiera ver. Duele admitir esto, es cierto. Duele crecer. Pero ya lo dijo el cantautor italiano: lo siento mucho, la vida es así y no la he inventado yo.

Lo que quiero que entiendas, Amanda, si algún día lees esto, es que cuando aquel Mercedes por fin se detuvo en Madrid y yo llegué a casa con los ojos rojos y la cabeza enredada, me di cuenta de que uno no se puede pasar la vida ni intentando ser como sus padres quieren que sea ni culpándolos a ellos de la persona en la que uno se ha convertido. Porque si se estanca en la infancia no crece, y si no crece nunca será una persona completa, sino un simple apéndice de su mamá, dependiente de su aprobación y temeroso de su desprecio. Yo no estoy contenta de cómo me trataron, pero al fin y al cabo ¿quién lo está?, ¿existe alguna persona que no tenga algo que reprochar a su educación y su crianza?, ¿soy tan ingenua como para pensar que, en el futuro, tú no tendrás algo que reprocharme? Y también pienso a veces que quizá no pudieron o no supieron hacerlo de otra manera. Peor aún, que es más que probable, por no decir irremediable, que yo también me equivoque contigo. Quién sabe si las cosas hubieran ido a mejor si mi madre se hubiera casado con el tío Miguel o si mi padre no hubiera tenido que ver al cuñado que fue rival día sí y día también. Quién sabe si todo habría sido mejor de no haber estado los bandos divididos por una guerra cainita, quién sabe si las cosas pueden ir mejor o si en realidad la vida está sujeta a leyes fatales contra las que nada se puede oponer porque es la divina fatalidad la que mueve todo con hilos invisibles.

Yo, desde luego, no lo sé, Amanda, pero sí sabía entonces que quería protegerte de todo aquello, y por eso, cuando una semana después llamó mi padre para saber si todo iba bien y me dijo que no hacía falta que llorase tanto, que no había que sacar las cosas de quicio, que lo único que había pasado era que mi hermano perdió los nervios, esperando que yo aceptase, una vez más, la normalidad de Vicente y la exageración de mis propias reacciones, le colgué el teléfono y no le he vuelto a llamar desde entonces a sabiendas de que ese amor de padre me estaba asfixiando y que en cierto modo su vida se había alimentado siempre de la nuestra, con dos hermanas enfrentadas jugando a la buena y a la mala y un tercer hijo siempre machacando a la cuarta para disimular su complejo de inferioridad. Sé que cuando tú seas mayor podrás juzgarme igual que yo un día juzgué a mi padre, y eso me aterra, porque pienso que si mis padres no supieron hacer las cosas de otra manera es más que probable que yo tampoco sepa transmitirte nada válido, que cometa los mismos errores y vuelque en ti mis frustraciones y mis miedos, que no sepa contener mis accesos de mal genio, esconder mis inseguridades y mis neuras, ser refugio ni consuelo cuando me necesites. Es más que probable que algún día me desprecies cuando leas que te concebí como asidero a la vida, que te utilicé incluso antes de que nacieras.

Que te utilicé para llenar mi vida vacía, que deseaba concebirte porque necesitaba alguien que habitara mi soledad, porque cada cual busca e incluso planea sus amores (amantes, amigos, hijos) en función de sus carestías. Y en ese sentido, todo monógamo sucesivo debería anotar en el carácter de cada nuevo enamoramiento un índice de variación que se acusa a medida que se va avanzando a nuevas regiones de la vida. Detalles que años antes pasaban por insignificantes llegan a convertirse en la razón exacta por la que, tiempo después, nos sentimos atraídos por una persona. Sin ir más lejos, a mí me gustaban los músicos por lo que representaban: energía, movimiento, exaltación, y pensaba que todas mis posibilidades futuras de felicidad estaban contenidas en aquellas cualidades —virtudes a mis ojos que implicaban una promesa de cambio. Y en aquel tiempo no me hubiera fijado en alguien como Anton, que personificaba todo lo contrario: tranquilidad, sosiego, paz... inmovilidad. Pero después de haber tenido mi dosis de movimiento resultó que la agitación había sido excesiva, que me había dejado mareada, atontada y por lo tanto en situación de interpretar como virtudes lo que tiempo atrás hubiera considerado defectos, y viceversa, de forma que llegó a parecerme encantadora, por ejemplo, una predecibilidad que antaño no hubiera dudado en calificar de aburrida. Sí, el rumano era predecible por puntual. Exacto como un reloj suizo, aparecía por casa siempre entre las seis y las seis y media con su bolsa de la compra bajo el brazo. El único día que se retrasó, cuando apareció por casa a las ocho y tantas, advertí de repente cómo los extraños pensamientos que llevaban dos semanas dándome vueltas dispersos en la cabeza se reunían en conciliábulo, descendían por el pecho y acababan por concentrarse en un punto concreto de mi anatomía, traducidos en una punzada en el corazón: una necesidad nueva, ávida y absurda de él.

También me podía haber aburrido, en otro tiempo, su carácter tranquilo y reservado que, sin embargo, acabó siendo, de entre sus rasgos, uno de los que más me gustaban. Todo lo que decía lo expresaba claramente y con naturalidad, sin prisas ni dudas, sin aderezar la historia con chistes ni bromas ni circunloquios. Parecía de una absoluta inocencia y simplicidad, pero una se daba cuenta en seguida que había algo misterioso en él que se notaba, precisamente, en sus silencios. Y tiempo atrás habría encontrado ridículas, seguramente, algunas de sus manías, como la obstinación en no usar jamás el microondas o la enconada resistencia a comprarse un móvil (debió de ser, probablemente, la única persona que yo conociera en Nueva York que no tenía uno), aparatos que, según él, no eran necesarios y podían causar cáncer (afirmación que hasta entonces yo había considerado una superchería pero que, salida de los labios de un científico, cobraba un siniestro valor admonitorio). Y si bien años antes lo habría calificado de soso, es más que probable que en aquel verano me atrajera el hecho de que, a diferencia de la mayoría de los hombres que yo había conocido hasta entonces, en ningún momento intentara rebasar una distancia de seguridad invisible que tácitamente establecimos entre nuestros cuerpos. Normalmente, cuando acabábamos de cenar, me proponía dar un paseo, o más bien me obligaba, porque él opinaba, y con razón, que la debilidad que sentía no sólo no mejoraría con el reposo estricto sino que probablemente se incrementaría. Yo, aprovechando que para andar no me quedaba otro remedio que colgarme de su brazo, pues todavía me mareaba demasiado como para atreverme a avanzar sola, intentaba acortar aquella invisible distancia y apretarme contra él, pero parecía no advertir mis evidentes señales, porque se comportaba tan respetablemente como si yo fuera una anciana de ochenta años y él mi enfermera de enlace.

Hubiéramos podido mantenernos mucho tiempo en aquella situación imprecisa, como de quien sueña despierto, lo cual, en cierto modo, tenía mucho que ver con mi realidad pues no en vano me pasaba la mayor parte del día moviéndome de forma confusa entre el sueño y la vigilia: de pronto me quedaba dormida y se me caía de las manos el libro que leía, y cuando despertaba no tenía muy claro si lo que recordaba del sueño lo había soñado, lo había leído o quizá incluso lo había vivido.

El libro que leía, por cierto, resultó ser *Madame Bovary*, un nombre que al FMN le sonaba a título de ópera y del que yo había encontrado nada menos que cuatro, cuatro ejemplares, en la estantería del salón: uno en inglés, otro en francés, otro en caracteres cirílicos (deduje el nombre del título a partir de la ilustración de portada, de las similitudes del alfabeto cirílico con el griego que había estudiado en la universidad y de mi propia imaginación, que sirvió de argamasa a la hora de construir una deducción), y un cuarto en lo que supuse que debía de ser rumano. Mi presunción la confirmó aquella noche el propietario de los libros, quien de paso me aclaró que, efectivamente, podía leer en los cuatro idiomas, y que si tenía las cuatro traducciones era porque el francés era el idioma original en que la obra había sido escrita, el rumano su lengua natal, el inglés la lengua que había tenido que aprender y que por tanto quería perfeccionar leyendo una obra que ya conocía y el ruso la lengua que había aprendido en el colegio.

—Como me sé la novela prácticamente de memoria no hace falta que entienda todas las palabras del idioma en que esté escrita, el significado lo imagino a través del sentido de la frase y lo que recuerde de la primera lectura del libro. Así que primero la leí en rumano, la segunda vez en francés, la versión inglesa la compré aquí para practicar y la rusa me la encontré en una librería de viejo y pensé que me vendría bien leer trozos del libro de cuando en cuando para no olvidarme del poco ruso que sé, porque aquí no lo practico nunca.

—¿Me estás diciendo que habías leído *Madame Bovary* en rumano y en francés antes de los dieciséis años?

—Pues sí. ¿Tan raro te parece?

—No... O sí. O sea, que yo también había leído el libro en francés y en español a los quince años, pero era la rara de la pandilla. Vamos, que casi ni me atrevía a decirlo.

Claro que no me atrevía a decirlo, porque cada vez que abría la boca en clase de literatura y osaba exponer una opinión o hacer una pregunta faltaba tiempo para que el grupo de gañanes capitaneados por David Muñoz se liara a llamarme pedante y empollona. Por esa razón me enamoré de aquella manera de José Merlo, porque era el único hombre al que conocía —padre y hermano incluidos— al que no sólo no le resultaba raro que me gustara tanto leer sino que me alentaba y me admiraba por ello.

—¿De verdad? —preguntó el rumano—. ¿Me lo dices en serio?

—¿Ahora te haces tú el sorprendido?

—No, es que no me parecías ese tipo de chica...

—¿Y por qué?

No sé ni por qué se lo preguntaba si ya sabía la respuesta. Una respuesta grabada en la psique colectiva según la cual la imagen arquetípica de la chica que lee *Madame Bovary* en francés a los quince años es la de una morena de piel muy blanca (resultado de pasarse el día encerrada en la biblioteca) con gafas de montura de concha (dioptrías derivadas del esfuerzo al forzar la vista para leer), un cuerpo filiforme y andrógino, casi rayano en la anorexia terminal (pues se entiende que, abstraída como está en la lectura de los clásicos, la chica prácticamente no come, apenas la triste manzana que se lleva a la biblioteca y que mordisquea distraída mientras relee a Cicerón), y pelo recogido en un moño artísticamente desordenado (pues, enfrascada en sus preocupaciones intelectuales, no pierde el tiempo en vanidades tales como el cuidado de su imagen o su cabello). Y una rubia tirando a alta, de pelo largo, con mechas, tetona y bronceada (yo todavía estaba bronceada porque cada día me tumbaba quince minutos en la escalera de incendios, apenas vestida con un top y unos minishorts, para no perder el color que había adquirido en la piscina del FMN), dista mucho de parecerse a la citada imagen arquetípica.

De todas formas no fue ésta la respuesta que me dio porque no abrió la boca. Se limitó a mirarme fijamente con unos ojos desmesurados, y cuando cayó en la cuenta de que se había abstraído contemplándome desvió la mirada y la volvió a clavar con fijeza, pero esta vez en la ensalada. Y aquélla fue la primera ocasión en la que se me ocurrió pensar que era posible que le gustara más de lo que yo misma había imaginado.

Pese a todo pensaba que la cosa nunca pasaría de allí, puesto que al fin y al cabo, desde José Merlo, había conocido en mi vida muchos amores platónicos, admiraciones a distancia que nunca se concretaron. Hubo, por ejemplo, un compañero de la radio que me gustó durante los casi dos años que estuvimos compartiendo programa y con el que tonteé de la manera más descarada sin que la cosa nunca llegase a mayores, y eso que en aquel estudio también había habido cruces de ojitos y caídas de pestañas, y miradas que se intercambiaban, expresadas con la misma intensidad como la que me acababa de dirigir mi compañero de piso. De alguna manera yo creía que si las cosas no sucedían desde el principio, si no había un flechazo devastador e instantáneo, nada se cimentaba, y los coqueteos se quedaban en una especie de limbo que no conducía ni al cielo ni al infierno. Y además yo entonces me contentaba con sentirme enamorada por el placer de estarlo, sin exigir reciprocidad. Había decidido renunciar a la persecución del ideal —y en cualquier caso Anton nunca encarnaría a mi ideal como lo había encarnado en su momento el FMN— para contentarme con la satisfacción de ciertos placeres cotidianos: las cenas de cada noche, los paseos al atardecer, las conversaciones inacabables. En alguna de ellas estuve a punto de confesar lo que sentía, notaba cómo la declaración borboteaba en el fondo de mi garganta, cómo iba ascendiendo por la laringe, alcanzaba la glotis y rozaba casi las comisuras de los labios, pero siempre se quedaba allí, en la punta de la lengua, sin llegar a emerger del todo.

Al fin y al cabo, pensaba yo, aquella atracción podía no ser más que una variante del síndrome de Estocolmo. Desde luego, Anton no me tenía secuestrada, pero también era cierto que casi no veía a nadie más. Sonia y Tania llamaban mucho, pero, enfrascadas en sus respectivos trabajos, me visitaban poco, y en semejantes condiciones resultaba normal que me llamase la atención el único ser humano con el que mantenía un contacto de tú a tú, el hombre que me llevaba a pasear, que me alimentaba, que me escuchaba. Pero, por otra parte, ¿me habría fijado en un hombre así si me lo hubiera encontrado en Madrid, estando yo sana y activa? ¿Si lo hubiera conocido en un estreno, en una fiesta, en un concierto, en un bar, habría ido más allá de la habitual charla social de circunstancias? No, probablemente no. Demasiado delgado, demasiado taciturno, demasiado desgarbado... Demasiado insípido, quizá.

Entretanto, yo iba adelgazando a ojos vista. Muy probablemente porque había dejado de beber y también porque reduje mis tres comidas diarias a una sola, la cena, en la que me limitaba a picotear con desgana lo que mi compañero de piso preparaba. La primera semana perdí casi tres kilos, aunque lo cierto es que me la había pasado dormida casi por entero, con lo cual no tuve ocasión de comer mucho. La segunda, otros dos. Cuando iba por el séptimo kilo perdido me di cuenta de que a partir de entonces iba a rebasar una barrera: si seguía adelgazando empezaría a estar por debajo de lo que las tablas médicas consideraban mi peso ideal. Y entonces comprendí, por primera vez, la motivación última de las anoréxicas. Nada que ver con estar más o menos guapa o parecerse a una modelo de portada de revista. Aquella obsesión con perder peso estaba relacionada, sobre todo, con el control. Yo no podía controlar lo que me rodeaba: los hombres que me gustaban podían invertir el orden de los cuentos de hadas y pasar de príncipes a sapos a partir de unos cuantos besos, la justicia era una especie de juego de póquer en el que ganaba aquel que más faroles echara y no el que mejor o peor se hubiera comportado, el estado del bienestar era una falacia, la familia una cárcel sin barrotes y el sexo una especie de ruleta rusa en la que un condón roto equivalía a una bala en el cargador. En resumidas cuentas, el mundo exterior era un territorio impredecible e inhóspito, pero de la piel para dentro mandaba yo. Yo podía decidir cuánto iba a pesar, cuánto iba a comer, cuánto de mí se iba a enseñar. Yo podía dejar de ser una rubia tetona para convertirme en un angelito lánguido (aunque lo cierto es que con cincuenta y cinco kilos seguía siendo una rubia tetona, sólo que más delgada, así que mucho más tendría que adelgazar si quería dejar de serlo), y aquella sensación de poder, de control sobre mi cuerpo y mi persona que experimentaba por vez primera era casi narcótica.

Si el rumano advirtió mi cambio físico, no hizo comentarios al respecto. También era cierto que yo no había comprado ropa nueva y no llevaba nunca nada ceñido o revelador que evidenciase mi anatomía, pero algo debía de haber notado, aunque sólo fuera el hecho de que las faldas me bailaban sobre los huesos de las caderas. O bien mi compañero de piso era demasiado tímido como para hacer comentarios sobre mi físico o en todo caso no se fijaba, aunque esa segunda posibilidad me resultaba difícil de admitir teniendo en cuenta las miraditas que me arrojaba en la cena. De cualquier modo, yo había renunciado a entender al género humano en general, al género masculino en particular y a mi compañero de piso en concreto, así que no intentaba hallar el enlace que me aclarara actitudes aparentemente tan contradictorias.

Seguía durmiendo la mayor parte del día, pero ya no pensaba que aquella pasividad tuviera nada que ver con el hecho de haber dejado de beber. Probablemente fuera consecuencia del calor húmedo de la ciudad, que parecía hervirnos a todos en nuestra propia sangre, dejándonos tan flácidos como unas zanahorias al vapor. O de la propia inercia: puede que no me levantara porque tampoco creía que tuviese nada mejor que hacer. Puede que estuviera deprimida. Yo misma no entendía lo que me sucedía. Me resultaba ridículo pasarme las vacaciones encerrada en un apartamento, y sabía que iba a ser complicadísimo volver a Madrid y explicar que había pasado dos meses en Nueva York, uno de los cuales casi no recordaba porque lo había vivido inmersa en una nube etílica, y otro que se podía resumir en una frase de cinco palabras: un apartamento en el Bronx. Pero el caso es que nunca encontraba el valor ni la ocasión para alejarme del barrio. Podía haberme animado y salir a visitar una librería, o una tienda de discos, o a dar un paseo por Central Park, o ver las exposiciones del MOMA, pero ninguna de aquellas opciones, que desde Madrid me habían resultado tan atractivas, me llamaba ahora en absoluto la atención. Me sentía poco o nada urbanita. A veces miraba por la ventana y apoyaba la mejilla en el cristal para hacer llegar la vista lo más lejos posible, donde se alzaban los rascacielos, y todo aquel ejército de acero y cristal me resultaba amenazante, peligroso, y me sentía como una miserable hormiga que nada contaba en aquel hormiguero superpoblado.

Cuando sólo me quedaban cuatro días para dejar la ciudad, cuando pesaba cincuenta y cuatro kilos y ya echaba desesperadamente de menos mi apartamento de Madrid y a mi perro, Sonia llamó y propuso que saliéramos a cenar para despedirnos. De aquel compromiso no había posibilidad de evadirme, así que me puse uno de los Versaces que, por fin, me sentaba como un guante sin hacerme parecer una buscona de acera o una vigilante de la playa de camino a un cóctel de gala, pese a que el modelito siguiera siendo tan hortera como cuando me lo regalaron, y llamé a un taxi para que viniera a recogerme, pues no me veía con fuerzas para hacer el camino hasta el centro en metro.

Nada importante que resaltar en aquella cena en el Soho. Sonia ya había dejado a su amante bajista y estaba medio liada con un fotógrafo sueco. Tania seguía obsesionada con su tesis, y poco más. Lo relevante para la historia que nos ocupa no son las conversaciones que sobrevolaron la mesa sino las dos botellas de vino que pedimos, los cuatro vasos que bebí en una comida en la que apenas probé bocado, la agradable sensación de euforia etílica tanto tiempo olvidada, como si el alcohol fuese rellenando mis muchos vacíos y ahogando la angustia, arrasándola como un río desbordado que se lleva por delante los árboles y las casas allí por donde pasa. De repente, Tania me parecía más guapa, Sonia más ingeniosa, mi vida más prometedora... Incluso el modelito de Versace, reflejado en la inmensa luna del restaurante, me parecía un prodigio de elegancia, y yo, flotando dentro de él, una clónica de Michelle Pfeiffer. No entendía cómo había podido prescindir durante tanto tiempo de aquella sensación tan maravillosa. Y tampoco entendía por qué, de repente, me parecía que todas las mesas del restaurante flotaban girando a mi alrededor, como en aquella vieja película de Walt Disney en la que los muebles cobran vida y se ponen a ejecutar animadas danzas aéreas.

Recuerdo vagamente a mis amigas metiéndome en un taxi pese a mis protestas, pues yo estaba empeñada en seguir la juerga. Creo que me dormí en el trayecto, pues lo siguiente que recuerdo es al conductor dándome golpecitos en el hombro. De alguna manera subí la escalera y encajé la llave en la cerradura. Llegué a casa y pensé en lo fácil que sería meterme en la cama del rumano, ahora que el alcohol me había desinhibido y me permitía ver claro lo que quería. Porque la bebida tiene esa virtud: el ponerte en contacto con lo más escondido de ti misma, lo que hasta entonces no podías o no querías ver. Es un catalizador emocional que trae a la superficie los posos más estancados. Claro que el reverso negativo de esa fuerza es que también saca lo peor de uno, y así tantos maltratadores sólo atacan a sus mujeres cuando están borrachos, no porque el alcohol los vuelva agresivos, sino porque sobrios no se atreven, y la bebida les sirve de excusa y de coartada. Pero algo dentro de mí insistió en que no tenía sentido hacer algo semejante, repetir la tónica que había definido a todas mis relaciones anteriores, enfrentarme al sexo tan borracha como para poder responsabilizar luego del asunto a Baco y no a mí misma. Así que me fui al cuarto de baño y me di una ducha fría, helada, de la que salí completamente despejada y luego, por si acaso, y todavía en albornoz, disolví en un vaso de agua dos alka seltzers en lugar de uno para eliminar los restos de la borrachera. Así que puedo jurar y juro, desde aquí, que sabía perfectamente lo que hacía cuando encaminé los pasos hacia la habitación del rumano en lugar de hacia la mía.

Él sí que debía de pensar que yo estaba borracha, pero, si lo pensó, ese detalle no le detuvo. No le inhibió ningún sentimiento de caballerosidad mal entendida ni ninguna aprensión derivada de la evidente analogía con su madre. Me deslicé en su cama y sentí el tacto helado de sus pies y, casi al momento —deduzco que mis pasos lo habían despertado y apercibido de mi entrada—, mi cabeza aferrada por dos manos que me echaban hacia atrás el rostro y unos labios que se pegaban a los míos y una boca que bebía de mí. Todo transcurría en la oscuridad, de forma que esta escena, al escribirla, se revive de forma muy abstracta. Era consciente de la humedad de su boca, de la agilidad de su lengua, del sabor a cerveza de su aliento bajo el que subyacía, como una nota más profunda —algo parecido a ese regusto a madera de roble que sólo un buen catador detecta en una copa de vino—, un rastro a menta de pasta de dientes y, bajo aquél, otro sabor animal, el de su saliva, el acre y penetrante regusto de las feromonas que transportaba mezclado con un deje metálico a sangre. Era consciente de su olor a sudor, dulce, nada desagradable, que se mezclaba con el mío, y con mi perfume (Carolina Herrera, también regalo del FMN, un olor que evocaba reminiscencias de otros encuentros y que debería desentonar en aquella situación, pero que paradójicamente la hacía más familiar, más reconocible, la despojaba del aspecto temible de lo imprevisto, de lo desconocido) y con cierto matiz a incienso o marihuana que flotaba en el ambiente. Era consciente del tacto multiforme de las yemas de sus dedos (diez, lo sé, aunque en la oscuridad parecieran cientos) que tamborileaban por mi vientre, tormentas que ascendían, descargando relámpagos, hasta los pechos, los blandos y ya no tan incómodos pechos que habían estado comprimidos toda la noche en un sujetador reductor y que, liberados de su prisión, se revelaban extrañamente receptivos, como un gatito ávido de mimos. Sentía que me disolvía, que me convertía en vapor, en éter, como si intentase salir de mi cuerpo para no hacerme responsable de la escena que estaba viviendo, y que inevitablemente traería consecuencias, buenas o malas, más que probablemente malas, o así lo temía en los escasos segundos en que regresaba a mi cuerpo y razonaba, por más que estuviera muy lejos de prever o siquiera imaginar las verdaderas consecuencias de aquella noche. Lo sentía encima de mí, aplastándome un costado, de manera que me moví, o debería decir que ella, mi Otra yo, la que no se había disuelto y no vagaba por el techo de la estancia contemplando la escena desde arriba, se movió, abriéndose de piernas, y él se colocó en medio. Ella, o yo, le rodeó con los brazos, conmovida por su delgadez, fascinada por la inesperada suavidad casi cremosa de la piel de su espalda. En el recuerdo, mis manos ascienden por la columna vertebral, se desvían hacia las costillas, tantean la fibrosa musculatura de su abdomen. Me aprieto contra él aspirando su pelo: huele a champú de brea, un aroma que transporta ecos de infancia en vaharadas, de veranos en Santa Pola, del tiempo en el que yo tenía un bañador rosa con lunares y un flotador en forma de foca. Cierro las piernas alrededor de su espalda, en tenaza. Una cuchillada de brevísimo dolor indica que ha aprovechado la ocasión y ha entrado dentro de mí y se me revela un Anton nuevo que me domina y sobre el cual, sin embargo, siento que ejerzo un poder misterioso, desconocido hasta entonces. (Habrás advertido que hasta ahora nadie ha hablado del condón, elemento característico de las escenas eróticas en las novelas del tercer milenio, salvavidas imprescindible para no naufragar en las tumultuosas aguas de la promiscuidad y el sexo infectado, ese

410

preservativo que nunca se había olvidado en cada encuentro con el FMN, por mucho alcohol o coca que hubiéramos consumido.) Parece que me esté meciendo, o quizá yo sea la que le meza a él, cada uno buscando jirones de infancia, ecos de esa ternura que se ha echado tanto de menos pero nunca con conocimiento, y este encuentro silencioso y sosegado, casi remilgado, tiene algo de escena marina, de olas que suben y bajan y de choque de dos botellas con mensaje arrojadas al mar en busca de socorro. Luego me quedo dormida, efecto fulminante del calor o de la descarga de endorfinas fruto del orgasmo, y cuando al día siguiente abro los ojos soñolientos vuelvo a encontrarme enroscada al mismo cuerpo tibio, y me paso los dos días siguientes en la cama, desayuno en la cama, ceno en la cama, duermo en la cama, pero esta vez sin leer libro ninguno, y no estoy sola, y como en la cama, y duermo en la cama, y amo en la cama, y hago de la cama mi territorio y mi refugio y en algún momento pegajoso entre el sueño y la vigilia se me viene a la cabeza que amapolas, abejas, árboles, albaricoque, aguacero y abrigo, cuando se presentan en sueños, constituyen todos símbolos de prosperidad y de buenos augurios, y remiten todos a una misma letra: la A de Anton, y la A de Amor, que es lo que tu nombre implica.

(Y vuelve a ser importante mencionar que en todos esos días de cama compartida nadie rebusca en el cajón de la mesilla donde debiera estar el imprescindible nido de condones, que el pene trota libre, que nadie lo empaqueta en funda de plástico y que a nadie se le ocurre mencionar una ausencia tan obvia. A mí, porque he llegado a un vacío existencial tan profundo que sólo se me ocurre, para llenarlo, jugarme la última carta a vida o muerte a esta absurda ruleta rusa: si sale muerte me contagiará el sida, si sale vida me quedaré embarazada. Aunque también podría no suceder nada, que me quede como esté o que pille una molesta pero fácilmente solucionable candidiasis. En cuanto a él, yo no sabía entonces lo que se le pasaba por la cabeza, pensaba que supondría que yo tomaba la píldora o que prefería, antes que hacer caso a las campañas que insistían en la profilaxis sexual, creer en aquella leyenda urbana que asegura que en Occidente hay más posibilidades de morir atropellado por un automóvil que de pillar el sida en un coito heterosexual. Pero tiempo más tarde me reconocería que él también jugaba su particular ruleta rusa. Cargador vacío, la pierdo. Cargador con bala, no podrá olvidarme tan fácilmente.)

Acabo esta carta bajo la improbable protección de la Virgen de la Asunción, cuya estampa está prendida con un alfiler en un corcho, junto a recordatorios de facturas impagadas y teléfonos de editores, y mientras en mi escritorio la aguja imantada de la brújula que guió mis pasos hacia tu concepción, la misma brújula que te dejaré en herencia junto con mi casa y este manuscrito, apunta al Sur, al mismo Sur que el corazón señala con su punta, el Sur hacia el que viaja el curso de la sangre. A ti, que eres mi sangre, me gustaría haberte transmitido, para el día en que leas esta carta —si lo haces—, que cuando asume una su pasado y sus condicionantes y no intenta ocultarlos y engañarse, y los mira a distancia y con desapasionamiento, cuando una consigue por fin adquirir una visión más amplia sobre la situación en la que vive, es cuando finalmente puede decidir qué papel jugará frente a esta situación, elegir si formar parte activa o pasiva de ella. Y esta decisión debe tomarla frente a una misma a partir del nivel de convicción que tenga sobre la legitimidad de las situaciones que viva, para entonces, y únicamente entonces, plantearse cuándo quiere ser víctima o cuándo no. Cuanto más me sumerjo en la memoria reviviendo años que creía borrados, cuantos más detalles y fórmulas conscientes añado, que entonces no podía reconocer o utilizar, porque no se presentaban claros ni decisivos ni traducibles ni confesables a palabras, cuanto más asumo e interpreto, más acopio de verdades puedo extraer del silencio. No sé si entiendes lo que digo, no sé si estos folios emborronados algo te enseñarán, pero me gustaría que comprendieras que sólo cuando una decide dejar de ser hija *de* alguien, hermana *de* alguien, mujer *de* alguien, sólo cuando se atreve a mencionar su nombre a solas sin tener que definirlo siempre a partir de una preposición, sólo en ese momento empieza a ser persona por sí misma, y quiero que razones por qué en cierto modo la muerte de mi madre me preparó para ser madre a mi vez y me obligó a tomar un camino recto en lugar de continuar tropezando en círculos alrededor de un mismo punto: mi propio ombligo. Porque yo podía hundirme estando sola —al fin y al cabo mi descenso no iba a arrastrar a nadie tras de mí—, pero no podía hundirme llevando una carga y remolcándola conmigo hacia el fondo. Si yo sigo empeñándome en ser la mujer que quieren los demás que sea, la víctima, la loca, la sufridora, entonces voy a convertirte a ti en lo que mi madre me convirtió: una réplica.

Primero me odiarías, frustrada ante la impotencia de tu incapacidad por ayudarme y ahogada por la compasión y por sentirte culpable por odiarme, y finalmente acabarías por imitarme y te convertirías sin darte cuenta en una víctima más que yo habría creado a mi imagen y semejanza, una mujer que se dejara aplastar por la bota verbal del primero que viniese a machacarla. Es la lógica del vampiro: el que ha sido mordido a su vez acabará mordiendo. Y no quiero seguirla. Yo nunca me he querido, Amanda, y por eso he sentido la tentación de volcar sobre ti ese amor que nunca he sabido volcar sobre mí, pero entiendo muy bien que ese

413

amor sólo conseguiría ahogarte, acabar contigo como el que mata a su rosal favorito cuando, en un exceso de buena voluntad, lo riega a diario. En mi mente agotada y flotante sólo una sensación adquiere peso de realidad: tu carga física y emocional, el lastre que me arrastra al suelo, la plomada que me mantiene en tierra y la mano que tira de mí para ponerme en pie. Sin ti estaría desenraizada, y me habría dejado arrastrar como esas plantas ligeras que el viento se lleva a su paso como hojas en las películas del Lejano Oeste. Yo hasta ahora me dejaba pisar, pero ya no: me niego a que tú tengas que ver cómo lloro o me atormento. Porque nadie puede cambiar las cosas que le han pasado, pero sí puede cambiar su actitud, la forma que tiene de sobrellevar tanto los recuerdos como el presente. He aprendido que tengo derecho a ser feliz, pero, además, desde que tú naciste, tengo también el deber de serlo.

Mi madre ha muerto, ya está fuera de mi alcance, tan inalcanzable como José Merlo y, como en el caso de mi profesor, se ha llevado dondequiera que haya ido todo lo que no se le pudo decir en vida, todo lo que no me pudo dar. Ya está fuera de mi alcance, ya no pertenece a otra que a sí y me he quedado sin saber la razón última de sus silencios y sus melancolías, porque a los vivos se les puede interpretar esperando que más tarde haya una nota en el glosario que lo explique todo, porque la palabra de un vivo es una llama voluble que sube o baja según el aire que le dé, y si hace falta ya se encargarán ellos mismos —o esa esperanza queda— de aclarar sus palabras o sus actos o de rectificar nuestras interpretaciones. La memoria de un muerto, sin embargo, aun siendo recuerdo vivo cargado de resonancia, arde en sí misma, y así yo ya nunca sabré si mi madre de verdad añoraba al tío Miguel o si se compadecía en secreto de la pobre Reme y se alegraba de que la vida le hubiera acabado demostrando, en un alarde de justicia poética, que en realidad no había perdido nada cuando creyó perderlo. Nunca sabré si amó a mi padre o sólo le estuvo agradecida, o si le aguantó tantos años y tantos gritos en un esfuerzo por demostrarle al mundo (a Miguel y a su madre, a mi padre, a la bienpensancia de Alicante), por demostrarle incluso a la propia Eva Benayas lo muy por encima de su marido que estaba, sólo por poder así proclamarle a tantos que valía todo lo que la familia de Miguel no supo ver. No sé si quiso tanto a Reme como parecía o si la quiso a su lado para ratificar su triunfo. Sé muy bien que Reme sí la quiso, pero no sé qué podía haber de culpa en ese amor, culpa por haberle arrebatado a mi madre lo que legítimamente le pertenecía —o así podía pensar—, culpa por no haber sabido sustituirla, no haber sabido consolar a su marido por la pérdida, no haber sabido evitar lo que pasó... culpa que, si existió, Reme expió de sobras, porque está claro que entre el marido y la suegra le debieron de dar una auténtica vida de tango.

Pero esto no son más que elucubraciones. Mi madre ha muerto y lo único que sé es que nunca supe mucho de ella. Por eso no quiero que tú en un futuro tampoco sepas nada de mí, de dónde vienes, por qué naciste, por qué te engendró precisamente tu padre y no otro, por qué tu madre apostó por la vida a pesar de que confiaba tan poco en ella, a pesar de que siempre pensó y a veces todavía piensa que lo mejor es pasar por el mundo de puntillas, como si este valle de lágrimas no fuera sino la estación en la que una espera la llegada del tren que la conducirá al abismo. No quiero que tengas que enterarte, confusamente y por terceros, de partes trascendentales de la historia de tu madre, como me sucedió a mí, y sentir además que te faltan otros pedazos importantes sin los cuales no puedas reconstruir un rompecabezas que quedará irresoluble para siempre. En cualquier caso, quiero que sepas que me prometí a mí misma y a ti, aunque no me entendieras y no supieras lo que te estaba contando, que trataría de no intentar convertirte en un apéndice de mi persona, ni en un vehículo de mis ambiciones, ni en un espejo para mis vanidades, que respetaría tus opiniones y tus gustos incluso si no coincidían con los míos y que me esforzaría en lo posible para hacerte sentir querida y válida.

No sé si sabré cumplir con mis propósitos, de la misma forma que no supo mi madre, porque la condición humana es la del fracaso, porque sólo Dios no se equivoca, que decía el tango y tarareaba la tía Reme, porque nunca conseguimos todo aquello a lo que aspiramos y casi siempre lo que no hemos obtenido es aquello que más hemos deseado. En cualquier caso, Amanda, no habré sabido hacerlo mejor como tampoco supieron hacerlo mi padre ni mi madre, porque es imposible aislarse de lo irrevocable, de la realidad que hemos tocado y que nos ha tocado a su vez, pero te paso el testigo con determinación porque pienso que, en realidad, de nada sirve plantearse si merece o no la pena haber traído al mundo una nueva vida cuando ésta ya ha llegado, y es la misma vida, porque tú eres la vida: la vida es Una y, como dice la canción que te dio el nombre, *la vida es eterna.*

Y se ha manifestado a través de tu cuerpo.

ACLARACIONES Y AGRADECIMIENTOS
—

Según los psicólogos existen **tres** tipos de amor.

El primero es el que sentimos por nuestros padres y, en general, por las personas que nos proporcionan consuelo, afecto, seguridad, aceptación y refugio. Y nos hacen felices por eso. Así que quiero agradecerle a mi madre todo esto y mucho más, dedicándole este libro.

El segundo, el que sentimos por nuestros hijos y por las personas a las que podemos ofrecer semejantes bondades. Y también nos hacen felices porque nos hacen sentirnos útiles e importantes. Es obvio que este libro se lo dedico también a mi hija, por mucho que ahora no tenga edad para leerlo. Y a mis dos perros, *Nacho* y *Tizón*.

El tercero es el que se siente por una pareja estable. Este amor no tiene que ver con el romántico, que se da en la fase del enamoramiento, sino que es el que se experimenta en una pareja ya consolidada que ha superado la fase de idealización del otro, cuando se exaltan las fortalezas y virtudes del amado y se minimiza la importancia de sus defectos. Este amor implica un compromiso mutuo de seguridad y refugio, en el que cada uno da y recibe a la vez. Y por este motivo quiero incluir aquí a Jeff Robson.

Los desmemoriados psicólogos olvidaron reseñar un cuarto tipo de amor, que es el que uno siente por sus amigos. Pero yo no lo olvido, y por eso quiero incluir en este apartado a mucha otra gente que me ha dado afecto y comprensión cuando lo he necesitado:

A Mercedes Castro, sin cuyas sugerencias y opiniones este libro no sería el que ahora es, porque habría resultado, sin el menor género de dudas, mucho, muchísimo peor, y sin cuyos consejos esta autora sería aún más inaguantable de lo que a veces ya es.

A Juan Pedro López Agulló, que me llevó a conocer Elche.

A Antonio, a Antonio Jr. y a María José Magraner, que me contaron todo lo relativo a la Partida del Saladar de Benidorm.

A Eva, a Alessia, a Inma, a Magda, a Lola, a Luis, a Marta, a Ángela, a Javier, a Sabela, a Anna, a Ana, a Germán, a Hilka, a Gemma, a Joana, a Julie, a Lluvia, a Iñaki, a Bernat, a los Jotas, a las Sonias, a las Pilares, a las Silvias, a Natalia, a Olga, a Juan y Vicente, a Pedro y Toño, a Alfonso y Héctor, a Alfonso y Jaime, a Beatriz, a Noelia, a Auxi, a Joseba y a..., todos los demás. Vosotr@s ya sabéis quiénes sois.

Agradecer también la participación de los votantes de la encuesta realizada vía SMS y en la que se decidió el título definitivo del libro: *Un milagro en equilibrio,* que derrotó en dura lid a su rival, *Las únicas familias felices,* no por abrumadora mayoría sino por ajustada ventaja.

Le tengo que agradecer a Gregg Alexander, líder del grupo New Radicals, el haberme proporcionado una banda sonora y un mantra durante el tiempo en el que estuve redactando el primer borrador de esta novela, cuando no podía dejar de tararear esta canción: «*But when the night is falling and you cannot find the light if you feel your dream is dying, hold tight: You've got the music in you. Don't let go: You've got the music in you. One dance left, this world is gonna pull through. Don't give up: You've got a reason to live. Can't forget we only get what you give. (...) This whole damn world can fall apart. You'll be ok follow your heart.*»

Le agradezco también estas palabras que dijo en una entrevista: «*We need to use art for something useful instead of just making money for the man. Such as? Ready for a run-on sentence? Making closed minds, sexism, corporate greed, economic and educational separation of the races, homophobia, and fat people phobia of the past.*»

Hablando de música. El tango que Eva recuerda cuando emprende la expedición a Cuatro Vientos es *32 escalones*, de Gardel, con letra de Julio Sosa a partir de un poema del libro *Dos horas antes del alba*. Cuando habla de «quien busca en el licor que aturda la curda que al final termine la función poniéndole un telón al corazón», cita el tango *La última curda*, con letra de Cátulo Castillo.

Por si algún lector no entiende a qué se refiere Eva cuando utiliza el término *logoi*, cito el evangelio (gnóstico) de san Valentín: «*Quien no existe, no tiene nombre... Ésta es la perfección en el pensamiento del Padre y éstos son los* logoi *de Su Meditación. Cada uno de sus* logoi *es el producto de Su Voluntad unitaria, en la revelación de Su Significación. Mientras quedaban todavía en las profundidades de Su Pensamiento, el Logos fue el primero que emergió. Además, Él los reveló de una mente que expresa al Logos único en la gracia silenciosa llamada Pensamiento, puesto que ellos existían allí dentro antes de ser manifestados. Y al nombrarlos los crea.*»

Enganchadas es un libro que existe, que recomiendo fervientemente, y que fue escrito por Coché Echarren, quien generosa y graciosamente me ha permitido jugar literariamente con la ilusión de que fue Eva Agulló quien lo escribió.

El caso de David Muñoz está basado en varias sentencias reales acumuladas por un semanario sensacionalista. Hubiera sido imposible recrear las escenas del juicio y recopilar la documentación legal sin la inestimable ayuda de Raquel Franco, abogada a la par que amiga, por más que los dos términos parezcan incompatibles.

Existe una Silvia fotógrafa que vive en NY, pero por lo demás cualquier parecido con la Sonia amiga de Eva es pura coincidencia. Más que nada porque Silvia Uslé merecería un libro para ella sola. Y lo tiene: *Crónicas de NY,* en el que me he basado para contar la anécdota de los camellos portorriqueños de Spanish Harlem, una recopilación de anécdotas de los sufridos urbanitas neoyorkinos escrito por Silvia y aún inédito. Interesados pueden contactar con la autora en la siguiente dirección de correco electrónico: lipstickcannibal@hotmail.com.

Quien desee contactar con Eva Agulló puede hacerlo a su vez en eva_agullo@planeta.es, sabiendo que Eva es un ente de ficción y no puede por tanto responder a sus mensajes. Al menos, no en este plano de la realidad.

El libro que Eva había leído en el que se hablaba de la depresión posparto es *Misconceptions: Truth, Lies and the Unexpected on the Journey to Motherhood,* de Naomi Wolf, publicado por Doubleday Press.

Las opiniones a favor y en contra de imponer un horario de sueño y comidas a los bebés se recogen y defienden en los libros *Duérmete, niño*, del doctor Estevill, y *Quiéreme mucho*, del doctor Carlos González.

El libro de pediatría que leyó Eva en el que se hablaba de la importancia del paseo para los bebés se titula *El bebé más feliz del barrio*, del doctor Harvey Karp.

El artículo extractado en la novela y que supuestamente se publicó en la revista ficticia *Padres* apareció realmente tal y como he escrito con el título «¿Qué tipo de madre eres?» en el número de noviembre de 2003 de la revista *Ser Padres*, a la que estoy suscrita y que considero útil —a pesar de que de vez en cuando se cuelen consejos como éstos, que sugiero humildemente intenten evitar en el futuro— para padres primerizos y para los no tan inexpertos pero que desean estar informados.

Tampoco he inventado el texto del cómic sobre los planes navideños: se publicó en el número de diciembre de 2003 de la revista *Marie Claire*. Es de Jordi Labanda.

Pero sí me he inventado la existencia de la *Enciclopedia Médica y Psicológica de la Familia*. Quede claro, empero, que los datos científicos en ella recogidos son reales y están contrastados.

Hablando de médicos, me gustaría agradecer al doctor Miruán Yordi, de la clínica Belén de Madrid, que me ayudara a ser madre (pues si yo no hubiera sido madre no habría podido escribir este libro) asistiéndome en un parto natural sin cesárea ni episiotomía.

Y hablando de partos, la modelo de la imagen de portada es mi hija, en foto tomada a las escasas cinco horas de vida por mi amigo Jaime Losa Romay.

El artículo «Alicante en el cambio del siglo XIX al XX», escrito por Alicia Mira Abad y Mónica Moreno Seco y publicado en la *Revista de Historia Contemporánea Hispania Nova,* me ayudó a situar en su contexto la historia de don Trino Lloret.

El Mercado de la Carne *(The Meatpacking District)* es un barrio de Nueva York que se llama así porque antaño estaban allí los mataderos de la ciudad, sustituidos en la actualidad por muchísimos clubes, entre ellos el Nell's y el Blue Note.

Y, por último, el bar La Ventura se halla en calle Olmo, 16, en el madrileño barrio de Lavapiés. Valentín asegura que invitará a un chupito a cualquiera que se presente allí con un ejemplar de este libro abierto por la página en que hace referencia a su local.

ÍNDICE

NOVELAS GALARDONADAS
CON EL PREMIO PLANETA

1952. *En la noche no hay caminos.* Juan José Mira

1953. *Una casa con goteras.* Santiago Lorén

1954. *Pequeño teatro.* Ana María Matute

1955. *Tres pisadas de hombre.* Antonio Prieto

1956. *El desconocido.* Carmen Kurtz

1957. *La paz empieza nunca.* Emilio Romero

1958. *Pasos sin huellas.* F. Bermúdez de Castro

1959. *La noche.* Andrés Bosch

1960. *El atentado.* Tomás Salvador

1961. *La mujer de otro.* Torcuato Luca de Tena

1962. *Se enciende y se apaga una luz.* Ángel Vázquez

1963. *El cacique.* Luis Romero

1964. *Las hogueras.* Concha Alós

1965. *Equipaje de amor para la tierra.* Rodrigo Rubio

1966. *A tientas y a ciegas.* Marta Portal Nicolás

1967. *Las últimas banderas.* Ángel María de Lera

1968. *Con la noche a cuestas.* Manuel Ferrand

1969. *En la vida de Ignacio Morel.* Ramón J. Sender

1970. *La cruz invertida.* Marcos Aguinis

1971. *Condenados a vivir.* José María Gironella

1972. *La cárcel.* Jesús Zárate

1973. *Azaña.* Carlos Rojas

1974. *Icaria, Icaria...* Xavier Benguerel

1975. *La gangrena.* Mercedes Salisachs

1976. *En el día de hoy.* Jesús Torbado

1977. *Autobiografía de Federico Sánchez.* Jorge Semprún

1978. *La muchacha de las bragas de oro.* Juan Marsé

1979. *Los mares del sur.* Manuel Vázquez Montalbán

1980. *Volavérunt.* Antonio Larreta

1981. *Y Dios en la última playa.* Cristóbal Zaragoza

1982. *Jaque a la dama.* Jesús Fernández Santos

1983. *La guerra del general Escobar.* José Luis Olaizola

1984. *Crónica sentimental en rojo.* Francisco González Ledesma

1985. *Yo, el Rey.* Juan Antonio Vallejo-Nágera

1986. *No digas que fue un sueño (Marco Antonio y Cleopatra).* Terenci Moix

1987. *En busca del unicornio.* Juan Eslava Galán

1988. *Filomeno, a mi pesar.* Gonzalo Torrente Ballester

1989. *Queda la noche.* Soledad Puértolas

1990. *El manuscrito carmesí.* Antonio Gala

1991. *El jinete polaco.* Antonio Muñoz Molina

1992. *La prueba del laberinto.* Fernando Sánchez Dragó

1993. *Lituma en los Andes.* Mario Vargas Llosa

1994. *La cruz de San Andrés.* Camilo José Cela

1995. *La mirada del otro.* Fernando G. Delgado

1996. *El desencuentro.* Fernando Schwartz

1997. *La tempestad.* Juan Manuel de Prada

1998. *Pequeñas infamias.* Carmen Posadas

1999. *Melocotones helados.* Espido Freire

2000. *Mientras vivimos.* Maruja Torres

2001. *La canción de Dorotea.* Rosa Regàs

2002. *El huerto de mi amada.* Alfredo Bryce Echenique

2003. *El baile de la Victoria.* Antonio Skármeta

2004. *Un milagro en equilibrio.* Lucía Etxebarria